남북한 유엔 가입

북한 유엔 가입
신청 및 대응 1

남북한 유엔 가입

북한 유엔 가입 신청 및 대응 1

한국학술정보

| 머리말

　유엔 가입은 대한민국 정부 수립 이후 중요한 숙제 중 하나였다. 한국은 1949년을 시작으로 여러 차례 유엔 가입을 시도했으나, 상임이사국인 소련의 거부권 행사에 번번이 부결되고 말았다. 북한도 마찬가지로, 1949년부터 유엔 가입을 시도했으나 상임이사국들의 반대에 매번 가로막혔다. 서로가 한반도의 유일한 합법 정부라 주장하는 당시 남북한은 어디까지나 상대측을 배제하고 단독으로 유엔에 가입하려 했으며, 이는 국제적인 냉전 체제와 맞물려 어느 쪽도 원하는 바를 성취하지 못하게 만들었다. 하지만 1980년대를 지나며 냉전 체제가 이완되면서 변화가 생긴다. 한국은 북방 정책을 통해 국제적 여건을 조성하고, 남북한 고위급 회담 등에서 남북한 유엔 동시 가입 등을 강력히 설득한다. 이런 외교적 노력이 1991년 열매를 맺어, 제46차 유엔총회를 통해 한국과 북한은 유엔 회원국이 될 수 있었다.

　본 총서는 외교부에서 작성하여 30여 년간 유지한 남북한 유엔 가입 관련 자료를 담고 있다. 한국의 유엔 가입 촉구를 위한 총회결의한 추진 검토, 세계 각국을 대상으로 한 지지 교섭 과정, 국내외 실무 절차 진행, 채택 과정 및 향후 대응, 관련 홍보 및 언론 보도까지 총 16권으로 구성되었다. 전체 분량은 약 8천 쪽에 이른다.

2024년 3월
한국학술정보(주)

| 일러두기

· 본 총서에 실린 자료는 2022년 4월과 2023년 4월에 각각 공개한 외교문서 4,827권, 76만 여 쪽 가운데 일부를 발췌한 것이다.

· 각 권의 제목과 순서는 공개된 원본을 최대한 반영하였으나, 주제에 따라 일부는 적절히 변경하였다.

· 원본 자료는 A4 판형에 맞게 축소하거나 원본 비율을 유지한 채 A4 페이지 안에 삽입 하였다. 또한 현재 시점에선 공개되지 않아 '공란'이란 표기만 있는 페이지 역시 그대로 실었다.

· 외교부가 공개한 문서 각 권의 첫 페이지에는 '정리 보존 문서 목록'이란 이름으로 기록물 종류, 일자, 명칭, 간단한 내용 등의 정보가 수록되어 있으며, 이를 기준으로 0001번부터 번호가 매겨져 있다. 이는 삭제하지 않고 총서에 그대로 수록하였다.

· 보고서 내용에 관한 더 자세한 정보가 필요하다면, 외교부가 온라인상에 제공하는 『대한 민국 외교사료요약집』 1991년과 1992년 자료를 참조할 수 있다.

| 차례

<p align="center">정 리 보 존 문 서 목 록</p>					
기록물종류	일반공문서철	등록번호	2020070017	등록일자	2020-07-10
분류번호	731.12	국가코드		보존기간	영구
명 칭	남북한 유엔가입, 1991.9.17. 전41권				
생 산 과	국제연합1과	생산년도	1990~1991	담당그룹	
권 차 명	V.24 북한 외교부 비망록 제출(2.22) 및 한국의 대응				
내용목차	* 2.22 북한 외교부, 안보리의장 앞 서한으로 한국의 유엔가입문제 관련 북한 외교부 비망록 제출 및 안보리 문서 배포요청 - 2.26 동 비망록 안보리문서로 회람 (S/22253) * 2.27 외무부, 북한 비망록 대응 성명문 발표(보도자료) 및 2.28 유엔대표부 Press Releass 배포				

0001

17. 반역자들은 역사와 민족앞에 분열의 책임을 지게 될 것이다.

(평방 91.02.19 0915)

〈 노동신문 논평원의 글 〉-남조선 당국의 유엔단독가입 놀음을 규탄함- 지난해 판문점에서 있었던 역사적인 8.15 범민족대회와 통일응원, 통일축구, 통일음악으로 이어진 공동의 축제들은 민족이 분열된 이래 처음으로 북과남이 하나로 어울려 우리 민족 본연의 모습을 세계앞에 과시한 일대 쾌거였다. 이 나날에 북과남에서 함께 울린 겨레의 통일함성은 꿈으로만 간직되어온 하나의 민족, 하나의 조국을 우리의 눈앞에 현실로 불러왔다. 북과남을 막론하고 오늘의 민심은 통일에로 흐르고 온민족은 90 년대 통일을 향하여 앞으로 나가고 있다. 이러한 민심의 소재와 민족사의 향방을 바라고 조국통일의 지름길로 7천만겨레를 선도하는 것은 오늘 북과남의 당국과 정치인들에게 부과된 가장 절박한 과제이다 그러나 남조선 당국자들은 아직도 현실에 눈을 감고 구태의연하게 반공대결과 두개 조선을 추구하고 있다. 최근 남조선 당국아 노골적으로 벌이고 있는 유엔 단독가입책동이 바로 그것이다. 이미 지난해 부터 유엔에 단독으로 가입하겠다고 떠들며 이러저러한 나라들과 막후교섭을 벌여온 남조선 당국자들은 우리의 통일지향적인 유엔가입대책안을 거부하고 끝내 유엔에 단독가입하려 하므로서 유엔가입 문제와 관련한 북남 당국

II-13

0002

의 협상을 완전히 파탄시켰으며 더는 되돌아설 수 없는 반목의 길에 들어섰다. 온겨레의 통일열망이 비등되고 조국통일 문제 해결에서 북남 당국 사이에 협조와 노력이 그 어느때 보다도 기대되는 이때 조선의 정치인으로서의 양심도 현실 감각도 없는 분열주의적 망동이 꺼리낌없이 감행되고 있는 것은 민족의 앞날을 위하여 참으로 가슴 아픈일이다. 체육도, 예술도, 겨레들도 모두가 하나로 되려 하는데 남조선 당국자들만이 모든 것을 둘로 가른채 남남처럼 살자고 하니 이것이야말로 민족의 통일의지에 대한 정면도전이라고 하지 않을 수 없다. 통일·독립된 자주적인 나라들이 세계의 평화와 안전을 위한 보편적 국제기구인 유엔에 들어가는 것은 물론 자연스러운 일이며 환영할만한 일이다. 그러나 분열된 우리나라에서 북과남이 유엔에 가입하는 문제는 우리 민족의 사활적 요구인 조국통일 전도와 직결된 매우 신중한 문제이다. 나라가 분열되어 있는 상태에서 북과남이 따로 따로 유엔에 들어가는 것은 외세에 의하여 강요된 분열을 우리 스스로가 긍정하고 우리 스스로가 분열의 책임을 지는 어리석은 행동이다. 조선의 분열은 우리민족어 선택한것도 아니고 따라서 그 책임이 우리에게 있는 것도 아니며 그 어떤 공인된 국제법에 근거한것도 아니다. 그렇기에 우리 민족은 강요된 분열을 어느때도 정당하고 합법적인 것으로 인정하지 않았으며 시종일관 분열을 반대하고 통일을 위하여 싸워왔다. 그런데 무엇 때문에 통일도 되지않은 지금 북과남이 따로따로 유엔에 들어가므로서 우리 스스로가 나라의 분열을 긍정하고 분열의 책임을 지는 우를 범하겠는가. 이것은 지난 수십년 동안 나라의 분열을 반대하고 조국통일을 성취하기 위하여 목숨도 서슴없이 바쳐온 우리민족의 숭고한 애국투쟁을 모독하는 것이며 우리 민족

II-14

0003

의 존엄을 훼손하는 것이다. 나라가 분열되어 있는 상태하에서 북과남이 따로따로 유엔에 들어가는 것은 세계앞에서 두개 조선을 합법화 하는 또 하나의 민족분열책동이다. 우리나라는 지금 분열되어 있으며 그 분열은 거레에게 헤아릴수 없는 불행과 고통을 주고 있다. 참으로 가슴아픈 비극적 현실이다. 그런데 무엇 때문에 북과남이 유엔에 따로따로 들어가 굳이 그러한 국면을 합법화 하겠는가. 더욱이 온겨레가 하루빨리 분열을 끝장내고 통일을 하자고 하는 오늘날에 와서 무엇 때문에 두개 조선으로의 분열을 국제적으로 합법화 하고 고착시키겠는가. 이것은 통일에로 나가는 우리 민족을 다시 분열의 원점으로 되돌려 세우자는 것이며 우리 민족 내부 문제인 북과남의 통일문제를 국제화하고 우리나라에 대한 외세의 간섭의 길을 열어주는 엄중한 민족배신행위이다. 사태가 이러한데도 유엔에 북과남이 따로따로 들어가는 것이 통일에 이롭다고 할 수 있겠는가. 유엔에 단독가입 하므로서 통일의 길을 가로막으며 두개 조선으로 분열을 합법화 하고 고착시키려는 남조선 당국자들의 분열주의적 기도는 분을 보듯 명백하다. 남조선 당국자들은 실체인정이니 현실인정이니 하는 명분을 들고나와 두개 조선을 우리에게 먹여버리던것이 실패하지 이제 그것을 국제적인 세력 균형의 변화를 틈타 유엔무대를 통하여 우리민족에게 강요하자는 것이다. 유엔에 동시가입하건 단독가입하건 우리는 남조선 당국자들의 흉악한 민족분열책동에 절대로 보조를 같이할 수 없다. 우리에게는 외세가 강요한 분열을 우리 스스로가 긍정하고 감수할 용의도 없거니와 외세를 대신하여 분열의 책임을 걸머질 생각은 더욱 없다. 두개 조선으로 분열을 고정화하는 것을 반대하고 우리 민족내부 문제에 대한 외세의 간섭을 반대하는 우리의 입장은 일관하다. 유엔 가

II-15

0004

입 문제를 조국통일에 이롭게 풀어나가기 위해 가능한 노력과 성의를 다 해온 우리 조선은 남조선 당국자들이 기어코 유엔에 일방적으로 들어가려는데 대하여 분노와 실망을 금할수 없다. 남조선 당국자들은 마땅히 그들 자신의 의사에 따라 유엔에 단독으로 들어가려 하는 것만큼 자신이 범한 죗가에 대하여 자신이 책임져야할 것이다. 민족의 의사를 배반하고 분열을 긍정하며 두개 조선을 국제적으로 합법화 시키려는 반역자들은 응당 역사와 민족앞에 분열의 책임을져야 할 것이며 분열로 말미암아 우리 겨레가 겪게되는 모든 불행과 고통의 후과에 대하여서도 책임져야 할 것이다. 남조선 당국의 유엔단독가입은 나라의 분열을 지속시키고 통일을 지체시키는데만 문제가 있는 것이 아니다. 그것은 의심할 바없이 북과남의 대결을 더욱 격화시키는 새로운 측진제로 될 것이다. 남조선 당국자들이 우리의 성의있는 권고와 제안을 모두 뿌리치고 유엔에 기어이 단독가입하려는 것은 우리와 일종의 결별선언이며 우리에 대한 노골적인 도전이다. 북과남 사이에는 이것으로서 또 하나의 불신의 응어리가 생기게 되었다. 이러한 형편에서 앞으로 무슨 화해와 완화를 기대할 수 있겠는가. 우리는 원래 집안안일은 집안에서 풀자는 것이며 같은 혈육 끼리 밖에 나가서 까지 서로 승벽내기를 하거나 싸우지말자는 것이다. 이로부터 우리는 유엔에 북과남이 하나의 의석으로 들어갈 것을 거듭 주장하여 왔던 것이다. 그러나 이제 남조선 당국이 유엔에 단독으로 들어가게 된다면 어차피 집안 싸움은 국제 정치무대에서 까지 벌어지게 될 것이다. 그래 남조선 당국자들에게는 이것이 민족의 수치로 느껴지지도 않는단말인가. 수치감도 민족 내부문제를 동족끼리 풀어나갈 생각도 없는 그들이 유엔에 들어가서 그 무슨 통일에 이롭게 유엔무대

II-16

를 이용하겠다고 하는 것은 너무나도 주제넘고 분수에 맞지않는 소리이다. 우리는 오늘 조선반도가 평화도 아니고 전쟁도 아닌 불안한 정전상태에 있으며 북과남이 첨예한 군사적 대치상태에 있다는 것을 잊지말아야 한다. 남조선 당국자들의 유엔 단독가입으로 하여 북과남의 정치적 대결이 더욱 격화된다면 그것은 불필코 불안전한 조선반도 정세에 더 큰 위험을 가져올 것이다. 과연 우리가 어떻게 이 범죄의 길에 남조선 당국자들과 같이 발을 들여놓을 수 있겠는가. 조선반도와 아세아의 평화를 귀중히 여기는 우리로서는 도저히 그렇게 할 수 없다. 그러나 기어이 남조선 당국자들이 유엔에 단독가입한다면 그들은 민족을 소모적인 대결에 몰아넣은데 대하여 비싼 댓가를 치루어야 할 것이며 민족이 재난적인 전쟁의 위험에 직면하게 되고 아세아와 세계 평화가 위태롭게 되는데 대하여 겨레와 세계인민들앞에 책임을 겨야할 것이다. 남조선 당국자들이 유엔단독가입을 그 처럼 서두르면서 나라의 분열을 합법화하려고 하는 까닭은 뻔하다. 민족의 존엄과 이익을 안중에도 없이 오직 분열된 절반땅에서 미국이 지켜주는 분열주의적인 예속정권을 지탱하며 승공통일만을 몽상하고 있는 남조선 당국자들의 추악한 속심을 우리는 똑똑히 보고있다. 우리는 남조선 당국자들에게 엄숙히 경고한다. 분열과 매국으로 명줄을 이어가려는 남조선 당국자들은 자기가 가는 반역의 길이 그들 자신에게 무엇을 가져다 주겠는가 하는데 대하여 심사숙고하여야 할 것이다. 민족분열자들에게는 미래가 없으며 그들은 천추에 씻을수없는 오명만을 남기게 될 것이다. 역사는 반드시 반역자들을 심판할 것이다. 우리는 오늘 근 반세기에 걸치는 민족분열의 비극을 끝장내고 통일된 하나의 조국을 일떠세을 새로운 역사의 언덕에 올라서있다. 90년대 통일

II-17

을 향한 우리 민족의 거족적인 대행진은 분열주의자들의 모든 방해책동을 짓부시고 조국통일의 날을 앞당길 것이다. 역사의 지평선 너머에서 통일의 여명은 바야흐로 밝아오고 있다.

18. 대화를 위기에 빠뜨린 책임을 면할 수 없다

(평방 91.02.19 0930)

〈 노동신문 논평 〉 지금 남조선에서는 온민족과 세계의 평화애호 인민들의 깊은 우려와 불안을 자아내는 극히 엄중한 사태가 빚어지고 있다. 노OO일당은 미제의 조종밑에 만전쟁을 계기로 있지도 않는 남침위협을 광고하면서 남조선 전역을 비상 전시체제에 몰아넣고 미제와 함께 북침을 가상한 도발적인 팀스피리트-91 핵전쟁연습을 광란적으로 감행하고 있다. 남조선 강점 미군과 괴뢰군 전 무력이 비상출동태세에 들어갔고 미국 본토와 태평양상의 해외기지들로 부터 방대 미군 병력과 핵전쟁 장비들이 남조선으로 계속 투입되고 있다. 북침을 위한 전쟁연습의 총포가 울리는 속에서 애국적 통일민주세력에 대한 전면적인 반공 파쇼폭압공세가 또한 악랄하게 감행되고 있다. 미제와 괴뢰들의 무모한 전쟁도발책동과 야만적인 파쇼 칼부림으로 말미암아 남조선은 전례없는 공포의 도가니로 화하고 북남관계는 대화 이전의 첨예한 대결의 원점으로 되돌아가고 있으며 우리나라에는 언제 전쟁이 터질지 모를 긴장한 정세가 조성되고 있다. 북남고위급회담 북측대표단이 성명에서 지적한 바와 같이 이러한 위험한 사태로 하여 오는 2월25일에 가지기로 되어 있던 제 4차 북남고위급회담은 예정대로 할 수 없게 되었다. 우리는 미제의 부추김밑에 무모한 불장난으로 완화와 평화에로 나가는 나라의 정세

II-18

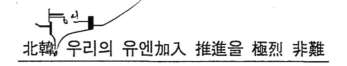

北韓, 우리의 유엔加入 推進을 極烈 非難

① 北韓은 2.19 勞動新聞 論評을 통해 우리의 유엔加入 推進을 「우리와의 訣別宣言」, 「嚴重한 民族 背信行爲」 등으로 極烈 非難하였음.

<非難 要旨>

○ 最近 南朝鮮 當局은 우리의 統一指向的 유엔加入案을 拒否하고 單獨加入을 策動함으로써 유엔加入 問題關聯 北南 當局協商을 완전히 破綻시켰으며 이는 民族의 統一意志에 대한 正面挑戰임

○ 南朝鮮 當局者들이 國際的 勢力均衡의 變化를 틈타 유엔舞臺를 통해 두개朝鮮을 우리 民族에게 強要하는 것을 企圖하고 있기 때문에 유엔 同時加入이건 單獨加入이건 우리는 南朝鮮 當局者들의 凶惡한 民族分裂策動에 절대로 步調를 같이 할 수 없음

○ 南朝鮮 當局의 유엔單獨加入은 우리와의 訣別宣言이고 우리에 대한 露骨的인 挑戰임

○ 南朝鮮 當局者들이 유엔에 單獨加入한다면 民族을 消耗的인 對決로 몰아넣은 데 대해 비싼 代價를 치루어야 할 것이며 民族이 災難的인 戰爭의 危險에 直面하게 되고 亞細亞·世界平和가 위태롭게 되는 데. 대해 責任을 져야 할 것임

배포 : 노태우 전보. 끝.

14 남북한 유엔 가입 북한 유엔 가입 신청 및 대응 1

2. 그간 北韓의 對UN 政策을 보면

　가. UN이 48年 우리를 韓半島의 唯一한 合法國家로 承認하고 北韓의
　　　6·25 南侵時 UN安保理가 北韓을 侵略者로 規定하여 派兵하는 등으로
　　　北韓은 UN에 대해 否定的 視覺을 가져 왔으며

　나. 66.8 北韓의 自主路線 宣布時부터 70年代初까지는 對UN 自主路線을
　　　推進하였음

　다. 70年代初 國際的 데땅트무드에 便乘하여 韓半島問題를 UN問題化하려고
　　　試圖
　　　○ 73.6「高麗聯邦」國號로 UN加入을 提議하고
　　　○ 73.9 UN代表部를 開設한 이래 各種 UN傘下 國際機構에 적극 加入
　　　　하면서

　라. 특히 75.11 第30次 UN總會에서 南·北韓 立場을 支持하는 2個의
　　　決議案이 同時通過된 이후 UN의 權能을 選別的으로 利用하는 戰略을
　　　구사해 왔음

　마. UN加入 問題와 관련해서는
　　　○ 73년 우리가 6·23宣言에서「南北韓 UN同時加入 不反對立場」을 闡
　　　　明하자 同日 金日成은 우리의 UN同時加入案을 反對하고「高麗聯邦
　　　　實現후 UN加入」을 持續 主張해 왔으며
　　　○ 90.5 金日成이 第9期 1次 最高人民會議에서「單一議席下 UN 共同加
　　　　入 方案」을 提起한 이래 이를 固守하고 있음.

3. 上記 「論評」에서 注目되는 點은

　　가. 時期的으로 北韓이 2.18 第4次 南北高位級會談(2.25 - 28) 開催를 拒
　　　　否한 直後에 우리의 유엔加入努力을 非難하여 그들이 지금까지 南北高
　　　　位級會談을 持續시켜 온 目的의 하나가 우리의 유엔 單獨加入 沮止에
　　　　있었음을 間接的으로 表出하고 있으며

　　나. 全體的 論調面에 있어서는 「우리와의 訣別宣言」, 「凶惡한 民族分裂 策
　　　　動」등으로 激烈히 非難함으로써 從來의 「두개朝鮮의 國際的 合法化·
　　　　永久分裂 策動」등에 비해 非難의 强度를 높이고 있음

　　다. 한편 우리의 유엔 單獨加入 推進에 대해서
　　　　○ 「南北當局간 協商破綻」, 「訣別宣言」, 「北韓에 대한 露骨的인 挑戰」 등
　　　　　　으로 非難하고
　　　　○ 우리의 유엔 單獨加入 實現時 「비싼 代價를 치룰 것」, 「民族이 災難
　　　　　　的인 戰爭直面」 등으로 威脅하고 있으며

　　라. 또한 「南北韓 유엔 同時加入」 및 「우리의 單獨加入」 모두를 「南朝鮮
　　　　當局者들의 凶惡한 民族分裂 策動」으로 非難하고 있는 點 등임.

4. 이와같은 北韓의 底意는

　　가. 우리가 1.24 盧大統領 指示에 따라 年內 유엔加入을 强力히 推進하자
　　　　더이상 南北韓간 同 「問題」와 관련 協商의 餘地가 없음을 意識

○ 「訣別宣言」, 「비싼 代價를 치룰 것」등으로 激烈히 非難과 脅迫을 並行함으로써

○ 中·蘇등 그들 友邦國이 우리의 유엔加入 推進에 대한 支持 可能性을 事前 牽制하고

나. 南北韓 유엔 同時加入 및 우리의 單獨加入에 拒否 立場을 表明함으로써 그들의 旣存 「單一議席下 유엔 共同加入」을 持續·堅持하려는 意圖를 表出하고 있음.

공   란

공   란

공   란

	분류번호	보존기간

발 신 전 보

WUS-0682   외 별지참조   종별 : 지급

번   호 :

수   신 : 주   수신처 참조 대사 . (총영사/)

발   신 : 장 관   (국연)

제   목 : 유엔문제관련 북한동향

연 : 연호 참조.

1. 북측은 제4차 남북고위급회담을 일방적으로 중단한 직후인 2.19.자
노동신문 논평(하기요지 참조)을 통하여 우리의 유엔가입 추진을 격렬히 비난함.

   o 최근 남조선 당국은 우리의 통일지향적 유엔가입안을 거부하고
     단독가입을 책동함으로써 유엔가입문제관련 남북 당국협상을
     완전히 파탄시켰으며 이는 민족의 통일의지에 대한 정면도전임.

   o 남조선 당국자들이 국제적 세력균형의 변화를 틈타 유엔무대를
     통해 두개조선을 우리 민족에게 강요하는 것을 기도하고 있기
     때문에 유엔 동시가입이건 단독가입이건 우리의 남조선 당국자들의
     흉악한 민족분열책동에 절대로 보조를 같이 할 수 없음.

   o 남조선 당국의 유엔단독가입은 우리와의 결별선언이고 우리에
     대한 노골적인 도전임.

   o 남조선 당국자들이 유엔에 단독가입한다면 민족을 소모적인
     대결로 몰아넣은데 대해 비싼 대가를 치루어야 할 것이며 민족이
     재난적인 전쟁의 위협에 직면하게 되고 아세아.세계평화가 위태롭게
     되는데 대해 책임을 져야 할 것임.

/계속 | 보안통제 | my |

앙고재	91년 2월 22일	유엔과	기안자 성명 홍	과 장	국 장	차 관	장 관
				my	h		

외신과통제

0015

WUS-0682 외 별지참조

WUS-0682

910222 1615 CG

WJA -0785 WCN -0167 WAU -0106 WTH -0312 WMA -0189
WDJ -0206 WSG -0122 WECA-0011 WIV -0043 WZR -0045
WAV -0152 WEQ -0030 WND -0165 WPA -0142 WUN -0359

2. 금년도 김일성 신년사 및 상기 논평등에 비추어 연호 북한이 새로운
태도를 모색하고 있는 듯한 조짐은 전혀 타당성이 없는 것으로 보임.   끝.

예 고 : 1991.12.31. 일반예고문에
의거 일반문서로 재분류됨

수신처 : 주미(WUS-0680), 일(WJA-0784), 카(WCN-0166), 소련(WSV-0528),
호주(WAU-0105), 태국(WTH-0311), 말련(WMA-0188), 인니(WDJ-0204),
싱가폴(WSG-0121), ECM(WECM-0010), 아이보리(WIV-0040),
자이레(WZR-0044), 오지리(WAV-0150), 에쿠아돌(WEQ-0029),
인도(WND-0166), 파키스탄(WPA-0141)
주유엔대사(WUN-0357)ㄴ

검토필(1991.6.30)

0017

長 官 報 告 事 項

1991. 2. 22.

國際機構條約局
國際聯合課 (8)

題 目 : 北韓 勞動新聞, 우리의 유엔加入 推進을 極烈 非難

北韓은 2.19. 勞動新聞 論評을 통해 우리의 유엔加入 推進을 「우리
와의 訣別宣言」, 「嚴重한 民族 背信行爲」等으로 極烈 非難

〈非難 要旨〉

o 最近 南朝鮮 當局은 우리의 統一指向的 유엔加入案을 拒否하고 單獨加入을
策動함으로써 유엔加入 問題關聯 南北 當局協商을 완전히 破綻시켰으며 이는
民族의 統一意志에 대한 正面挑戰임.

o 南朝鮮 當局者들이 國際的 勢力均衡의 變化를 틈타 유엔舞臺를 통해 두개
朝鮮을 우리 民族에게 強要하는 것을 企圖하고 있기 때문에 유엔 同時加入
이건 單獨加入이건 우리의 南朝鮮 當局者들의 凶惡한 民族分裂策動에 절대로
步調를 같이 할 수 없음.

o 南朝鮮 當局의 유엔單獨加入은 우리와의 訣別宣言이고 우리에 대한 露骨的인
挑戰임.

공	담 당	과 장	국 장	차관보	차 관	장 관
람	여					

0018

o   南朝鮮 當局者들이 유엔에 單獨加入한다면 民族을 消耗的인 對決로 몰아넣은데
    대해 비싼 代價를 치루어야 할 것이며 民族이 災難的인 戰爭의 危險에 直面
    하게 되고 亞細亞.世界平和가 위태롭게 되는데 대해 責任을 져야 할 것임.

    別添 : 論評 電文.   끝 .

0019

유엔加入問題 關聯 最近 北韓動向

1991. 2.

外 務 部

0020

北韓은 지난 2.18. 第4次 南北高位級會談을 一方的으로 中斷시킨 直後,
2.19자 勞動新聞 論評 및 2.20자 外交部 備忘錄을 發表, 우리의 유엔
加入推進 努力을 强度높게 非難하고 있는 바, 이에대한 評價 및 對處
方案을 다음 報告드립니다.

論評 및 備忘錄 要旨

1. 勞動新聞 論評要旨

　　ㅇ 最近 南朝鮮當局은 單獨加入을 策動함으로써 유엔加入問題 관련 北南
　　　協商을 完全히 破綻시켰으며, 이는 民族의 統一意志에 대한 정면 挑戰임.

　　ㅇ 同時加入이던 單獨加入이던 우리는 南朝鮮當局들의 凶惡한 民族分裂
　　　策動에 절대로 步調를 같이 할 수 없음. 南朝鮮當局의 유엔單獨加入은
　　　우리와의 訣別宣言이며, 우리에 대한 露骨的인 挑戰임.

　　ㅇ 南朝鮮 當局者들이 기어이 유엔에 單獨加入한다면 民族이 戰爭의 危險에
　　　直面하게 되고, 아세아와 世界平和가 危殆롭게 되는데 責任을 져야할 것임.

0021

2. 外交部 備忘錄 要旨

　　o 유엔加入問題는 統一問題와 直接聯關. 現段階에서는 單一議席 加入이
　　　最善임.

　　　　- 탁구 및 축구 單一代表團 構成 선례는 南北韓이 合意하면 유엔
　　　　　問題도 統一에 유리하게 解決할 수 있음을 證明

　　　　- 南韓側도 유엔加入問題가 民族內部 問題로서 高位級會談에서
　　　　　優先的으로 協議하는 것에 同意함.

　　　　- 統一指向的인 여하한 유엔加入 方案도 論議할 用意가 있음은 不變

　　　o 南韓의 單獨加入은 南北關係 극히 沮害, 韓半島 緊張激化

　　　　- 유엔加入問題는 南北會談에서 繼續 討議 되어야 함.

　　　　- 南側은 單獨加入을 통하여 "吸收에 의한 統一" 與件造成 企圖

　　　　- 팀스피리트 訓鍊으로 南北間 對決이 첨예한 시점에서 單獨加入
　　　　　强行時 韓半島에서 어떠한 事態가 發生할지 豫測 不許

　　　o 不可侵宣言 채택등 統一指向的 雰圍氣가 成熟되면 유엔加入問題 解決에도
　　　　새로운 展望可能

　　　* 北韓側은 新聞論評 全文은 2.21. 유엔에서 弘報資料를 作成, 유엔會員國을
　　　　對象으로 選別的으로 配布하고, 外交部 備忘錄은 2.22. 유엔安保理 文書로
　　　　配布해 줄 것을 유엔事務局에 要請 (備忘錄은 今週中 會員國들에게 配布될
　　　　豫定)

공   란

공   란

공　　　란

원 본

외 무 부

종 별 :

번 호 : UNW-0416　　　　　　　　　일 시 : 91 0222 1400

수 신 : 장관 (국연,정이,해외,기정)

발 신 : 주 유엔 대사

제 목 : 북한 프레스 릴리스

　　1. 당지 북한대표부는 2.21. 아국 유엔가입 추진을 비난하는 2.19. 자 노동신문 논평 전문을 프레스릴리스로 제작, 배포한바 별전 보고함.

　　2. 금번 프레스릴리스는 유엔 공보국 데스크를 이용하지 않고 미국등 배포대상을 선별, 우편등으로 배포한것으로 파악됨.

　　3. 미 대표부 RUSSEL 아주담당관은 동 내용이 매우 신경질적 (HYSTERICAL) 인 것이라고 평했음. 끝

　　(대사 현홍주-국장, 관장)

　　예고 : 91.3.31. 까지

　　첨부 : FAX (UNW(F)-072)

국기국　　1차보　　정문국　　안기부　　공보처

PAGE 1　　　　　　　　　　　　　　　　　91.02.23　　06:12

　　　　　　　　　　　　　　　　　　외신 2과 통제관 DO
　　　　　　　　　　　　　　　　　　　　　0026

Democratic People's Republic of Korea

PERMANENT OBSERVER MISSION

TO THE UNITED NATIONS

225 E. 86th St., 14th Floor, New York, N. Y. 10028 – Tel. (212) 722-3535

기정)

Press Release

No.8

February 19, 1991

TRAITORS WILL BE HELD RESPONSIBLE FOR DIVISION BEFORE HISTORY AND NATION
(RODONG SINMUN COMMENTATOR'S ARTICLE)

Rodong Sinmun on February 19 carried a commentator's article under the headline "Traitors Will be Held Responsible for Division Before History and the Nation".

Following is the full text of the article:

The historical August 15 Pan-National Rally in Panmunjom last year which was followed by joint festivals such as joint cheering for reunification, reunification soccer games and reunification concerts were grand events in which the north and the south demonstrated the original looks of our nation before the world, welded into one for the first time since the division of the nation.

In those days the cries of the fellow countrymen for reunification that sounded in chorus in the north and the south spread before our eyes real scenes of one nation and one country which had been pictured only in dreams. The sentiments of the people either in the north or in the south are now oriented toward reunification and the whole nation is forging ahead toward reunification in the '90s.

To look foursquare at this trend of public sentiments and the direction of national history and lead the seventy million fellow countrymen along a shortcut to national reunification is a most pressing task developing on the authorities and politicians of the north and the south at present.

The south Korean authorities, however, are still seeking anti-communist confrontation and "two Koreas", closing their eyes to the reality.

Typical of it is their current open campaign for unilateral U.N. membership.

The south Korean authorities who entered on an underhand lobbying with this or that country already last year, declaring that they would enter the United Nations unilaterally, refused our reunification-oriented measures toward the United Nations and finally opted to push for unilateral

4 — 1

0027

U.N. membership. By so doing they completely broke up the negotiation between the authorities of the north and the south regarding U.N. membership and took the road of irretrievable treachery.

It is, indeed, a painful thing for the future of the nation that such rash separatist acts bereft of conscience as Korean politicians and sense of reality, are being committed without hesitation at a time when the desire of all the fellow countrymen for reunification has grown all the more ardent and cooperation between the authorities of the north and the south and their efforts for a solution of the question of national reunification are needed more urgently than ever before.

When sports, arts and fellow countrymen are all tending towards becoming one, the south Korean authorities alone want to live separately like aliens, with all things divided into two. This is, indeed, a downright challenge to the nation's will for reunification.

It is, of course, natural and worthy of welcome for independent and sovereign, reunified countries to enter the United Nations, a universal international organization for world peace and security.

However, the question of the north and the south of our country, a divided country, entering it is a very serious question which is directly linked to the prospect of national reunification, a vital demand of our nation.

For the north and the south to separately enter the U.N. while the country remains divided is a foolish act of reconciling themselves to the division caused by outside forces and voluntarily assuming responsibility for the division.

The division of Korea was not chosen by our nation and accordingly, the responsibility, for it does not rest with us, nor is it based on any publicly recognized international law. That is why our nation has not recognized the forced division as righteous and legitimate any time, but has consistently struggled against division and for reunification.

Why then must we recognize the division of the country and assume to ourselves the blame for the division by the separate entry of the north and the south into the United Nations when the country is yet to be reunified?

This is an act insulting the noble patriotic struggle and the dignity of our fellow countrymen who have fought against the division of the country and for national reunification for scores of years, laying down their lives without hesitation.

For the north and the south to separately join the United Nations while the country remains divided is another separatist act of having "two Koreas" legitimized before the world.

Our country remains divided and this division imposes immeasurable misfortunes and sufferings on our fellow countrymen. This is a heart-rending tragic reality. Then, why must the north and the south legitimize the division by joining the United Nations separately?

4 - 2

0028

And why must we legitimize the division of the country into "two ═as ▦mationally and freeze the division today when the entire fellow countrymen have turned out to terminate the division and reunify the country as soon as possible? This is intended to turn our nation advancing toward reunification back to the original point of division, internationalize the question of the reunification of the country, an internal affairs of our nation, and open the way for foreign interference in our country. This being the case, can anyone claim that separate entry of the north and the south into the United Nations is advantageous to reunification?

The separatist scheme of the south Korean authorities to block the way of reunification and legitimize and freeze the division of the country into "two Koreas" through unilateral entry into the United Nations has been dragged into the light of day. Having failed to persuade us to recognize "two Koreas" with the argument for "recognition of entities" and "recognition of realities", they now plan to force their scheme on our nation through the United Nations, taking advantage of the change in the international balance of forces. We can never keep step with the south Korean authorities in their sinister plot of national division, whether it is simultaneous entry or unilateral entry into the United Nations.

We do not have the intention to recognize and take for granted the division imposed by outside forces, still less the willingness to assume to ourselves the blame for the division for outside forces. Consistent is our position against the freezing of the division into "two Koreas" and against interference in the internal affairs of our nation.

Having made every sincere efforts possible to solve the problem of U.N. membership in favour of national reunification, we can hardly repress resentment and disappointment at the south Korean authorities' persistent drive at unilateral entry into the United Nations.

As they are trying to enter the United Nations unilaterally at their own will, they will have to answer for their crimes.

The traitors who favour division and try to legitimize "two Koreas" internationally against the will of the nation must be blamed by history and the nation for the division and for all the misfortunes and disasters that our fellow countrymen would suffer from the division.

The south Korean authorities' unilateral entry into the United Nations is not confined to prolonging the division of the country and delaying the reunification. It will no doubt be a new accelerant bringing the confrontation between the north and the south to a more acute phase.

The south Korean authorities' attempt to unilaterally join the United Nations, rejecting all our sincere advices and proposals, is a sort of declaration of breaking off relations with the north and an open challenge to it. This has created another cause of distrust between the north and the south. How can we expect reconciliation and detente under such situation?

From the beginning, we have maintained that we should resolve the internal affairs within our nation and refrain from competing with and fighting each other outside the country. Hence, we have

4-3

0029

repeatedly held that the north and the South must share the same sea the United Nations. If the south Korean authorities unilaterally enter it, however, the internal strife will inevitably be carried to the international political arena.

Don't the south Korean authorities feel it a disgrace to the nation? It is very absurd and obtrusive for them, who have no sense of shame or the intention to solve the internal affairs of the nation between the fellow countrymen, to blare that they would use the U.N. theater in favour of reunification after joining it.

We must not forget that the Korean peninsula is today in an unstable state of armistice which is neither peace nor war and the north and the south are in a state of acute military confrontation.

If the political confrontation between the north and the south grow more acute owing to the south Korean authorities' unilateral entry into the U.N., it will inevitably pose a greater threat to the unstable situation of the Korean peninsula.

How can we take this road of crimes together with the south Korean authorities?

We who value peace on the Korean peninsula and Asia cannot do it. If the south Korean authorities dare enter the U.N. unilaterally, however, they will have to pay dearly for plunging the nation into an exhausting confrontation and will have to answer to the fellow countrymen and the world people for exposing the nation to the danger of a disastrous war and endangering peace in Asia and the rest of the world.

Not much penetration is needed to see why the south Korean authorities are trying to justify the division of the country, making so much haste with unilateral entry into the U.N.

We clearly see through the despicable intention of the south Korean authorities who, utterly indifferent to the dignity and interests of the nation, are dreaming of "reunification by prevailing over communism" while propping up the U.S.-backed splittist dependent regime in a half of the bisected country.

We solemnly warn the south Korean authorities. The south Korean authorities who seek to prolong their remaining days with division and treachery must ponder over where the traitorous road will lead them.

There is no future to the national splittists. they will only leave an indelible stain on their name.

History is sure to judge the traitors. We are now standing on the hill of new history to put an end to the nearly half a century long tragedy of national division and build a reunified country.

The nationwide grand march of our nation toward reunification in the '90s will frustrate all obstructive moves of the splittists and accelerate the day of national reunification.

The day of reunification is now breaking on the horizon of history.

4 – 4

0030

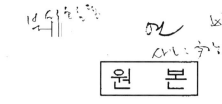

관리 91
번호 -499

외 무 부

종 별 : 지 급

번 호 : UNW-0425

일 시 : 91 0222 1830

수 신 : 장관(국연,정이,기정)

발 신 : 주 유엔 대사

제 목 : 유엔가입문제 관련 북한외교부 비망록

1. 금 2.22 유엔 사무국 직원은 권종락참사관에게 북한대사 박길연이 금일자 안보리 의장앞 서한으로 유엔가입 문제에 관한 2.20 자 북한 외교부의 비망록을 안보리 문서로 배포해 줄것을 요청하였다고 알려왔음.

2. 동 비망록은 아국이 단독가입을 강행할시 한반도에서 어떠한 사태가 발생할지 예측할수 없다는 등 위협적인 귀절을 포함하여 강한 어조로 아측을 비난하고있음.

3. 상기 비망록 요지(2 개항목으로 구성)

0. 제 1 항

-유엔가입문제는 통일문제와 직접적으로 불가분하게 연결되어 있음. 연방제통일후 단일국호로 가입하는것이 최선이나 단일의석하의 가입조건이라면 통일이전에라도 가입하는데 반대가 없음. 이는 유엔가입문제 해결을 서두르는 남한 당국의 입장도 적절히 고려한 결과임.

-현단계에서는 단일의석하 가입이 현실적임. 최근 개최된 제 4 차 체육회담에서 남. 북한은 41 차 세계탁구대회와 제 6 차 세계청소년 축구대회에 단일팀으로 참가할것에 완전 합의하였음. 동 선례는 남북한이 전체인민의 이익에 부합되도록 힘을 합하면 유엔가입문제도 통일에 유리한 방향으로 해결할수 있음을 보여주는것임.

-유엔가입문제가 남. 북한간 합의가 없는 가운데 일방의 입장에 유리하게 처리된다면 이는 통일에 또다른 장애 요소를 조성하며 남. 북한간 대결을 가중시킴으로써 심각한 결과를 초래할것임.

-남한당국도 유엔가입문제는 남. 북한간 토의되고 해결될 내부문제임을 인정하였고 남. 북 고위급회담에서 우선적인 문제로 협상할것에 동의한바 있음.

0. 제 2 항

-만약 남한의 단독가입이 실현되면 이는 남. 북한 관계를 극도로 해칠것이며

국기국   장관   차관   1차보   2차보   정문국   청와대   안기부

궁극적으로 한반도에서 긴장을 촉진시킬것임.

　-유엔가입 문제는 금후 남. 북 고위회담에서 계속 토의되어야함. 남한당국이 진행중인 남. 북 고위회담의 의제인 가입문제의 협상을 포기하고 일방적인 가입을 시도한다면 이는 대화상대자에 대한 공개적 도전으로 배신적인 행위이며 대화를 파괴하겠다는 선언임.

　-남한당국이 단독가입을 통하여 "흡수에 의한 통일" 망상 실현에 유리한 국제적 여건을 조성코자 기도한다면, 우리는 이를 통일 열망에 대한 도전인 동시에, 우리 주권에 대한 참을수 없는 모욕으로 받아들일수 밖에 없음. 팀스피리트 훈련으로 어느때보다도 정치, 군사적 대결이 고조된 상황에서 단독가입이 강행된다면 한반도에서 어떤 사태가 발생할지 아무도 예측할수 없음.

　-남한 당국은 단독가입 강행에 따른 모든 결과에 전적으로 책임을 겨야 하며 인민과 역사앞에 분열주의자로 엄중한 심판을 불가피하게 받게될것임.

　-모든 유엔회원국이 남. 북한간 대화를 통하여 평화적 통일에 유리한 방향으로 유엔가입문제를 해결하려는 우리의 입장에 대해 이해와 지지를 보여 줄것으로 믿음.

　4. 상기 북한측 비망록은 내주초 안보리 문서로 배포될 예정인바 이에대한 아측 대응책 관련 당관 의견은 추후 보고 예정임.

　5. 북한 비망록 전문은 별전 FAX 송부함. 끝
　　첨부:북한비망록:UNW(F)-075

　　(대사 현홍주-차관)

　　10 외계관한문서...91.6.30 공람들에 헐판

#별첨
UNW(f) -075 10222 1835
(국연. 정이. 기정)

총4매

Democratic People's Republic of Korea
Permanent Observer Mission to the United Nations
225 East 86th Street, 14th Floor, New York, N.Y. 10028
Tel. (212) 722-3589   722-3536

New York, 22 February 1991

H.E.Mr. Simbarashe Simbanenduku
MUMBENGEGWI
President of the Security Council
United Nations

   I have the honour to forward to you the Aide-Memoire of
20 February 1991 of the Ministry of Foreign Affairs of the
Democratic People's Republic of Korea on United Nations
membership.

   I request that this letter, together with the enclosed
aide=memoire of the Ministry of Foreign Affairs, be circulated
as a document of the Security Council.

Pak Gil Yon
Ambassador
Permanent Observer

4 — 1

0033

'91-02-23 09:18

027 F01   LENTNPROTOCOL

AIDE-MEMOIRE
OF
THE MINISTRY OF FOREIGN AFFAIRS OF THE
DEMOCRATIC PEOPLE'S REPUBLIC OF KOREA
ON UNITED NATIONS MEMBERSHIP

The Ministry of Foreign Affairs of the Democratic People's Republic of Korea deems it necessary to clarify its official position in connection with "unilateral United Nations membership" pursued by the south Korean authorities and makes public this Aide-Memoire.

1. United Nations membership of our country should be settled on the basis of the agreement between the north and the south favorable to national reunification.

The Government of the Democratic People's Republic of Korea has maintained through the years since its foundation, that United Nations membership is directly and inseparably related to the national reunification.

The failure of correct solution to United Nations membership will inevitably raise further obstacles to the reunification of the country.

Accordingly, we keep it our consistent position to initiate the reunification-oriented proposals in connection with United Nations membership and make every effort for their realization.

The Government of the Democratic People's Republic of Korea considers it best to enter the United Nations under a single state name after reunification through confederation. But if it is on condition that the north and the south enter the United Nations with a single seat, it will have no objection to holding United Nations membership even before reunification.

Such position represents the firm will of the Korean nation to achieve the reunification at an earliest date as well as gives due consideration to the stand of the south Korean authorities calling for hasty solution of United Nations membership.

If United Nations membership with a single seat is admitted, it will help to open up a new phase for peace and peaceful reunification on the Korean peninsula.

United nations membership with a single seat by the north and the south represents itself realistic at present.

The north and the south have reached   complete agreement on the participation of unified teams of the north and the south in the 41st World Table Tennis Championships and the 6th World Youth Soccer Championships at the recently-held 4th inter-Korean sports talks.

4 - 2   0034

077 P03   LENINPROTOCOL   '91-02-23 09:18

P.3

2

This precedent eloquently shows that if the north and the south pull together in conformity with the interests of the whole nation, United Nations membership could also be solved conducive to the reunification.

If fair solution to United Nations membership favorable to reunification is to be made, it should be based on the agreement between the north and the south.

If United Nations membership is handled in favor of the stand of one side with no agreement between the north and the south, it will create another obstacles to national reunification and cause serious consequences by further aggravating the confrontation between the north and the south.

The Government of the Democratic People's Republic of Korea suggested out of such a viewpoint, that the measures toward the United Nations should appear as the top current agenda for the discussion in the north-south high-level talks led by prime ministers held for the first time in the history of country's division.

The south Korean authorities also admitted that United Nations membership is an internal question to be discussed and settled between the north and the south and agreed to negotiate it as a priority issue at the north-south high-level talks.

Accordingly, the admission to the United Nations with a single seat has been discussed at the three rounds of the north-south high-level talks and several delegate-level talks.

We have suggested, at the talks, the detailed proposals of cooperation which substantially guarantee the confidence and unity between the north and the south in the United Nations forum.

Through this process, we came to witness the commonness of the north and the south in achieving national unity and maintaining reunification-oriented relations of cooperation in the forum of the United Nations and, at the same time, became confident that if both sides show flexibility in the coming talks, an agreement to United Nations membership is sure to be reached.

The Government of our Republic considers that the joint admission to the United Nations with a single seat is the most reasonable approach to the settlement of United Nations membership; however it keeps the big-minded position unchanged to negotiate on any solutions to United Nations membership if they are conducive to national reunification.

2. If south Korea's "unilateral United Nations membership" is admitted, it will strain the north-south relations to the extreme and eventually create further tension on the Korean peninsula.

4 — 3

0035

'91-02-23 09:19

3

The issue of United Nations membership should continue to be discussed at the forthcoming north -south high-level talks, as to be agreed upon.

Notwithstanding this, the south Korean authorities, strange to say, attempt to force their "unilateral admission to the United Nations " claiming that United Nations membership is not a question to be dealt with between the north and the south.

If the south Korean authorities give up the negotiation on United Nations membership, the agenda-item at the ongoing north-south high-level talks, but dare to enter the United Nations unilaterally, it will be an open challenge and treacherous act against the dialogue partner and a sort of declaration of breaking off the dialogue.

Since the south Korean authorities, through "unilateral admission to the United Nations", seek to perpetuate "two Koreas" and eventually create an international environment to realize their dream of "reunification by absorption", we cannot but take it seriously as an challenge to the desire of the national reunification and an intolerable insult to our sovereignty.

No one can predict what sort of events may happen on the Korean peninsula if "unilateral United nations membership" of south Korea is forcibly admitted when the political and military confrontation between the north and the south grow more acute than ever before owing to "Team Spirit 91" joint military exercises being staged by the United States and the south Korean authorities.

The south Korean authorities should put an end to their reckless attempt for "unilateral United Nations membership" if they are really interested in the dialogue, reconciliation and national reunification.

If the south Korean authorities dare to enter the United Nations unilaterally, however, they will have to take full responsibility for all consequences therefrom and inevitably get stern judgement as separatists before our people and history.

We are convinced that a new prospect will surely be brought up in the solution of United Nations membership when reunification-oriented climate is ensured together with progress in the inter-Korean dialogue and adoption of non-aggression declaration.

The Government of the Democratic People's Republic of Korea expresses its belief that all States Members of the United Nations desirous of peace and peaceful reunification on the Korean peninsula, will show their understanding and support to our position to solve United Nations membership through the north-south dialogue conducive to the peace and peaceful reunification.

February 20, 1991

Pyongyang

4 — 4   0036

공   란

공   란

공   란

공   란

공   란

유엔加入問題 關聯 北韓 外交部 備忘錄

91.2.23
外交安保(外交)

駐유엔 北韓大使는 2.22字 安保理 議長앞 書翰으로
유엔加入問題에 관한 北韓外交部의 備忘錄을 安保理文書로
配布해 줄 것을 要請한 바, 同 備忘錄의 要旨를 報告드립니다.

---

1. 第 1項

   o 유엔加入問題는 統一問題와 不可分의 關係임.
     聯邦制 統一後 單一國號로 加入하는 것이 最善이나,
     單一議席下의 加入 條件이라면 統一以前 加入에도
     不反對

   o 現段階에서는 單一議席下의 加入이 現實的임.

   o 유엔加入問題가 南北韓 合意없이 一方의 立場에 有利하게
     處理될 경우, 이는 統一에 또다른 障碍要素를 造成하고
     南北對決을 尖銳化할 것임.

2. 第 2項

   o 만약 韓國의 單獨加入이 實現되면 이는 南.北關係를
     極度로 해칠 것임.

0042

o 유엔加入 問題는 今後 南北 高位級會談에서 繼續
  討議되어야 함. 韓國이 加入問題의 協商을 拋棄하고
  一方的인 加入을 試圖한다면 이는 北韓에 대한 公開的
  挑戰으로 背信的인 行爲이며 對話를 破壞하겠다는
  宣言임.

o 韓國이 單獨加入을 통하여 "吸收에 의한 統一"에 有利한
  國際的 與件을 造成코자 企圖한다면, 이는 統一熱望에
  대한 挑戰인 同時, 우리 主權에 대한 참을 수 없는
  모욕임. 單獨加入이 强行된다면 韓半島에서 어떤 事態가
  發生할지 아무도 豫測할 수 없음.

o 韓國은 單獨加入 强行에 따른 모든 結果에 全的인
  責任을 져야 함.

o 모든 유엔會員國이 北韓의 立場을 理解, 支持할 것임.

0043

공   란

공   란

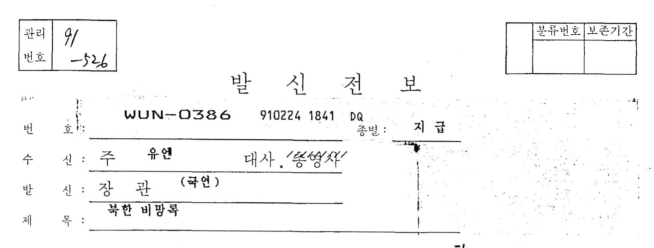

발 신 전 보

WUN-0386   910224 1841 DQ   종별: 지급

번   호 :

수   신 : 주   유연   대사. '총영사'

발   신 : 장   관   (국연)

제   목 : 북한 비망록

1. 북한 비망록에 대한 외무부 성명문안(실무안)을 하기 타전하니, 이에 대한 귀견 지급 보고바람.

2. 금번 비망록 대응관련, 국내외 홍보에 있어 고려사항이 다소 상충되는 점이 있는 것도 감안, 중화적인 표현으로 준비하였음을 첨기함.

(외무부 성명(안))

o 남북한의 유연가입문제와 관련하여 북한 외교부가 그들의 입장을 적은 91.2.20자 비망록을 2.00. 유연 안보리문서로 회람한 것과 관련, 다음과 같이 우리의 입장을 밝힌다.

o 유연가입문제에 대한 우리정부의 기본입장은 그간 누차 기회가 있을 때마다 밝힌바와 같이 남과 북이 통일시까지의 잠정적 조치로서 하루빨리 유연에 함께 가입하여 국제사회에서 정당한 몫을 다해야 한다는 것이며, 만약 북한이 가입할 의사가 없거나 준비가 되어 있지 않다면 향후 북한의 유연가입을 환영하면서 우리라도 먼저 회원국이 되고자 하는 것이다. 이러한 우리의 기본입장은 작년 제 45차 유연총회의 각국 기조연설에서도 나타난 바와 같이 국제적으로 압도적인 지지를 받고 있음은 누구보다 북한측이 잘 알고 있을 것으로 믿는다.

/ 계속 /

보안통제	

앙고재	년월일	과	기안자성명		과 장		국 장		차 관	장 관		외신과통제

0046

o 그간 우리는 성의를 가지고 남북고위급회담등 남북대화를 통하여 북한측
   에게 우리와 함께 유엔에 들어가 유엔테두리안에서 남북한간 신뢰구축과
   교류.협력을 증진하고, 나아가 조국의 평화적 통일을 앞당기는데 동참해
   줄 것을 간곡히 설득해 왔으며, 이러한 우리의 기본자세는 상금도 변함이
   없음을 분명히 해두고자 한다.

o 한편, 북한측은 금번 비방록에서 그들이 바로 지난주 일방적으로 중단시킨
   제 4차 남북고위급회담이 마치 진행중인 것처럼 국제사회를 오도코자 하고
   있을 뿐 아니라, 우리측이 유엔가입문제를 민족내부 문제로 인정하였다고
   사실을 왜곡하고 있다. 또한 북한측은 우리의 유엔가입 노력이 한반도
   에서의 긴장을 고조시키고, 나아가 가입추진시에는 한반도에서 어떠한 사태가
   발생하지 모른다고 위협함으로써 국제사회에서 지켜야 할 최소한의 예양도
   포기하고 있음에 우리는 같은 민족으로서 슬픔을 금치 못한다.

o 우리는 비합리적이고 사실을 왜곡하고 있는 북한측의 비방록에 대하여
   일일이 그 오류와 문제점을 지적해야 할 하등의 가치를 느끼지 않고
   있으나, 다만 이 기회를 빌어 하루빨리 북한이 유엔헌장의 목적과 정신을
   깊이 이해하고 개방과 개혁의 새로운 시대흐름에 순응하여, 민족공동체의
   일원으로서, 또한 국제사회의 책임있는 구성원으로서 최소한의 책임있는
   행동을 할 것을 간곡히 촉구하는 바이다.

예고 : 1991.12.31..일반문에 검토필(1991.6.30)
        의기 일반문서로 재분류됨

                                    (국제기구조약국장 문동석)

0047

관리	91
번호	-525

분류번호	보존기간

발 신 전 보

EM-0002　　　910224 1826 DQ　　　종별:

번　　　호	

수　　신 : 주　　EM　　대사 '송영식'

발　　신 : 장 관　　(국연)

제　　목 : 북한 유연가입문제 관련 비망록 발표

WHK -0287
~~WSU SOL EM-2~~
WCP -0069
~~WHG 지원~~ "
~~WRN -161~~ WRM 162
~~WHG 191~~ "
(제코 분가아,몽고는
　EM-0002로 타리경부)
~~WPD 202~~ ...

1. 북한은 2.22. (2.20 자)　외교부 비망록을 유연안보리 문서로 배포해

줄 것을 유연사무국에 요청함에 따라, 동 비망록은 금주중 회원국들에게 배포될

예정인 바, 동 비망록 요지 하기 통보하니 위선 참고바람.

　　가. 유연가입문제는 통일문제와 직접관련 현단계에서는 단일의석

　　　　가입안이 최선임.

　　　o 탁구 및 축구 단일대표단 구성 선례는 남북한이 합의하면

　　　　유연문제도 통일에 유리하게 해결할 수 있음을 증명함.

　　　o 남한측도 유연가입문제가 민족내부 문제로서 고위급회담에서

　　　　우선적으로 협의하는 것에 동의함.

　　　o ← 통일지향적인 여하한 유연가입 방안도 논의할 용의가

　　　　있음은 불변함.

　　나. 남한의 단독가입은 남북관계를 극히 저해하고 한반도 긴장을

　　　　격화시킬 것임.

　　　o 유연가입문제는 남북회담에서 계속 토의되어야 함.

　　　o 남측은 단독가입을 통하여 "흡수에 의한 통일" 여건조성을

　　　　기도하고 있음.

/ 계속 /

보안통제	四.

		기안자성명		과 장	국 장	차 관	장 관	
앙고재	91년2월4일	유엔과 김병일		四.			加	

외신과통제

0048

ㅇ 팁스프리트 훈련으로 남북간 대결이 첨예한 시점에서 단독

　가입 강행시 한반도에서 어떠한 사태가 발생하지 예측 불허함.

다. 불가침선언 채택등 통일지향적 분위기가 성숙되면 유엔가입문제

　해결에도 새로운 전망이 가능함.

/ 계속 /

0049

예 고 ： 1991.12.31. 일반

(국제기구조약국장　문동석)

검도필(1:91.6.30)

원 본

외 무 부

종 별 : 긴 급

번 호 : UNW-0434   일 시 : 91 0224 2200

수 신 : 장관(국연)

발 신 : 주 유엔 대사

제 목 : 북한 비망록 (PART 1)

대:WUN-0386

연:UNW-0359,0431

1. 대호 본부 성명문안 및 연호 분석등을 토대로한 당관안을 별첨송부함.

2. 당관안은 아래사항을 염두에 두고 작성한것임.

가. 메세지 전달대상

-국내언론, 북한, 유엔회원국등을 대상으로하되, 특히 안보리 문서로 배포요청할것을 감안함.

나. 북한 외교부 비망록 자체에 대한 직접적 대응이라는 인상을 피하면서, 이기회에 우리의 기본입장을 재천명함.

다.90.12.20 자 아국의안보리 문서등으로 제시된 아국의 입장과 논리적 일관성유지

3. 특히 아래와같은 고려에서 당관안은 (1) 연내 유엔가입에 대한 강력한 의지표명과 (2) 남북대화와 유엔가입문제와의 연계 차단을 주된 메세지로 하고있음.

가.90.12.20 자 아국안보리 문서에서의 91 년중 가입시사, 금년초 대통령의연내가입추진 언급등에 입각, 최근 아측이 CG 구성국과 중, 쏘 및 북한에 대하여 북한이 동시가입에 호응해 오지 않을경우 연내가입추진 의사를 명확히 표명하였음. 아국의 이러한 입장을 정면비난하는 북한 비망록에 대한 우리의 대응성명에서 동 연내가입 추진의사를 천명하지 않을경우 , 미국등 우방국및 대다수 회원국의 적극적 지지를 기대하기 어렵고 북한. 중국등이 아국의 단호한 의지와 입장에 대해 의구심을 갖게될 것인바, 이경우 아국입장을 효과적으로 관철하는데 문제가 있음.

나. 그간 북한의 기본전략은 남북한이 동건을 직접 협의하고있는 동안 아측이 일방적으로 가입을추진해서는 안된다는 주장을 강조해왔는바, 금후 T/S 훈련 종료후

국기국   장관   차관   1차보   2차보   미주국   정문국   청와대   안기부

남북고위급회담에 재호응해오면서 유엔가입문제도 계속 협의해보자고 할경우,
아측으로서는 이를 거부하기 어려울 것이며, 이경우 대화가 계속 진행되는가운데
아측이 46 차 총회 개최에 맞추어 선가입 신청할 명분이 약화되고 가입신청시한에
맞추기 어렵게될 우려가 있음. 따라서 북한이 일방적으로 남북대화의중단을 선언하고
나온 현 싯점이 유엔가입문제와 남북간의 여타 문제가 무관하다는 우리입장을
천명하면서 북측과의 유엔가입문제에 관한 대화계속 기대를 더이상 갖지않게하는 좋은
기회인바, 이러한상황을 적절히 반영해야 할것임.

4. 또한 이기회에 북한주장의 부당성을 소극적으로 반박하는데 그치지 아니하고
"왜 우리가 유엔가입을 하고자 하는가" 에 대한 적극논리를 개진함으로서 국내의 일부
회의적 시각에 대한 대응을 겸하는것이 타당할것이므로 우리가 유엔에 가입하고자
하는것이

첫째:우리나라의   국제적   위상에   맞는   국제적   역할을   다함으로써
국가이익을극대화하고

둘째:전쟁의 위험이 아직도 도사리고 있는 한반도에 평화를 정착시키고

셋째:궁극적으로 분단을 극복하고 봉일에 이르는 지름길이 유엔가입으로 부터
열릴것이라는 판단아래, 이러한 확신을 기초로 민족전체의 이익을 극대화하기위해
유엔에 가입코자 한다는점을 명확히함.

5. 이와함께 , 북한이 지금이라도 동시가입을 수락한다면 이를 적극 환영할것임과
(단, 동시가입후 특수관계 도모방안 협의 가능성은 구체적으로 명시하지 않음.)아국의
선가입후에도 북한의 추후 가입을 적극 지원할 것이라는 우리의 협조적 태도를
표명함.

첨부:상기 성명문(안)(UNW-0435 (PART 2)로 계속)
끝

(대사 현홍주-차관)

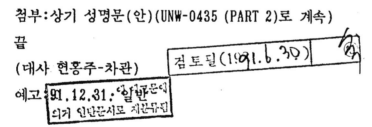

관리 번호	91 -5/9

외 무 부

종 별 : 긴 급

번 호 : UNW-0435 　　　　　　　일 시 : 91 0224 2200

수 신 : 장관(국연)

발 신 : 주 유엔 대사

제 목 : 북한비망록 (UNW-0434 의 계속분) (PART 2)

첨부:성명문(안)

　1. 우리정부는 그간 유엔가입문제 관한 우리의 입장을 수차 밝혀온바 있으나 최근들어 북한이 이에대해 왜곡된 주장과 비방을 전개하고있어 다시한번 이를분명히 하고자함.

　2. 우리는 남.북한이 통일시까지의 잠정조치로서 하루빨리 유엔에 함께 가입하여 국제사회에서 정당한 목을 다해야 한다는것인바, 만약 북한이 아직 가입의사가 없거나 준비가 되어있지 않다면 향후 북한의 가입을 기대하면서 우리라도먼저 회원국이 되고자 하는것임.

　3. 이러한 우리의 입장에 대해 대다수의 유엔회원국들은 국제사회에서의 아국의 지위와 유엔의 보편성원칙에 따라 45 차 유엔총회 기조연설드에서 나타난바와 같이 이에대한 전폭적인 지지를 표명하고 있음.

　4. 우리는 그간 이러한 우리정부의 입장과 국제사회의 여망에 따라 남.북고위급 회담및 실무대표 접촉등 모든 가능한 계기를 활용, 북한에 대해 우리와함께 유엔에 가입할것을 성의 있게 촉구해온바가 있으며 동시가입후 유엔에서의 남.북한간의 협력을 위해 구체적인 방안까지 제시하는등 모든 노력을 다한바 있음.

　5. 이러한 우리의 성의있는 노력에도 불구하고 북한은 91.2 월자 안보리 문서로 배포된 북한외교부 비망록을 통해 이미 불합리하고 실현 불가능한 것으로 판명된 단일의석 유엔가입방안을 계속 고집하고, 신청국과 유엔과의 문제인 가입문제를 민족내부문제로서 남북한간의 합의가 선행되어야 한다고 강변하고 있음.

　심지어 아국이 먼저 유엔에 가입하는 경우 전쟁위험운운등 예측할수 없는 사태가 발생할 것이라고 위협하고 있는바, 이러한 북한의 태도는 유엔가입 문제에 관한 우리의 더 이상의 노력을 무의미하게 만들고 있음.

국기국	장관	차관	1차보	2차보	미주국	정문국	청와대	안기부

6. 우리정부로서는 북한이 지금이라도 이러한 비합리적이고 국제사회의 현실과도 맞지않는 주장을 버리고 국제사회의 여망에 따라 우리와 함께 유엔에 가입할것을 다시한번 촉구하는 바이며, 북한이 이를 끝내 거부한다면 우리로서는 지난 90.12.20 자 유엔안보리 문서에서 밝힌바와 같이 금 46 차 총회를앞두고 불가피 우리의 선가입을 추진하지 않을수 없음을 분명히 하는바임.

7. 우리가 유엔에 가입코자 하는것은

첫째:우리나라의 국제적 위상에 맞는 국제적 역할을 다함으로써 국가이익을극대화하고

둘째:전쟁의 위험이 아직도 도사리고 있는 한반도에 평화를 정착시키며

셋째: 궁극적으로 분단을 극복하고 통일에 이르는 지름길이 유엔가입으로 부터 열릴것이라는 판단하에 이러한 확신을 기초로 민족전체의 이익을 극대화하기 위함임을 명확히 하고자 함. 끝.

검토필(1981.6.30)

PAGE 2

0054

공　　　란

공   란

공   란

공 란

공   란

공   란

유연가입에 관한 조선민주주의인민공화국 외교부 비망록

　　조선민주주의인민공화국 외교부는 남조선당국이 추진하고 있는 "유연단독
가입"과 관련하여 공식적 입장을 분명히 밝히는 것이 필요하다고 판단하여 이하
비망록을 공개한다.

1. 우리나라의 유연가입문제는 북과 남의 합의에 기초하여 민족통일에 유리
   하도록 해결되어야 한다.

　　조선민주주의인민공화국 정부는 정부수립이후 계속하여 유연가입문제는
민족통일과 직접적으로 그리고 불가분하게 연계되어 있음을 주장해 왔다.

　　유연가입 문제를 올바르게 해결하지 못할 경우 이는 불가피하게 조국
통일에 더욱더 많은 장애를 초래할 것이다.

　　따라서 우리는 유연가입문제와 관련하여 통일지향적 제안을 제시하는
것을 우리의 일관된 입장으로 유지하고 있으며, 이러한 제안의 실현을
위해 모든 노력을 경주하고 있다.

　　조선민주주의인민공화국 정부는 연방제를 통한 통일후 단일국가의
명칭으로 유연에 가입하는 것이 가장 바람직하다고 생각한다. 그러나
만일 북과 남이 단일의석하에 유연에 가입하는 조건이라면, 비록 통일이전
이라도 유연에 가입하는 것에 반대하지 않는다.

　　이러한 입장은 가능한 조속한 시일에 통일을 성취하려는 조선민족의
굳은 의지를 반영한 것일 뿐만 아니라, 유연가입문제의 조속한 해결을
요구하는 남한당국의 입장을 작절히 고려한 것이다.

0061

유엔 단일의석가입이 수락된다면, 그것은 조선반도의 평화와 평화적 통일에 있어 새로운 국면을 여는데 도움이 될 것이다.

현시점에서 북과 남에 의한 유엔 단일의석가입이 현실적인 것이다.

북과 남은 최근에 개최된 제4차 북남체육회담에서 제 41차 세계탁구 선수권대회와 제 6차 세계 청년 축구선수권 대회에서의 북남 유일팀 출전에 대한 완전한 합의에 도달했다.

이러한 선례는 만약 북과 남이 전민족의 이익에 부응하여 협력하여 일한다면, 유엔가입문제 또한 통일에 이롭게 해결될 수 있다는 것을 잘 보여준다.

만약 통일에 이로운 공평정대한 유엔가입문제 해결을 이루려 한다면, 그것은 북과 남간의 합의에 기초해야 한다.

만약 유엔가입문제가 북과 남간의 합의없이 일방의 입장에 유리하게 다루어진다면, 그것은 민족통일에 또다른 장애를 조성하게 될 것이며 북과 남사이의 대결을 한층 격화시킴으로써 심각한 결과를 야기할 것이다.

조선민주주의인민공화국 정부는 이러한 관점에서, 유엔에 대한 조치가 조국 분단사상 처음으로 개최된 양측 총리들간의 북남고위급회담에서 논의 되어야 할 긴급현안 과제가 되어야 한다고 제기했었다.

남조선당국 또한 유엔가입 문제가 북과 남 사이에 논의되고 해결되어야 할 내부적 문제임을 인정했으며, 이 문제를 북남 고위급회담의 우선과제로 교섭할 것에 합의했다.

이에 따라, 유엔 단일의석하 가입문제가 3차례의 북남고위급회담과 수차례에 걸친 실무대표 접촉에서 논의되어 왔다.

0062

상기 회담에서 우리는 유엔무대에서 북과 남의 신뢰와 단일성을 실질적으로 보장하는 구체적 협력안을 제기해 왔다.

이러한 과정을 통하여, 우리는 유엔무대에서 민족의 단일성을 성취하고 통일지향적 협력관계를 유지하는 것에 대한 북과 남간의 공통점을 발견하게 되었고, 이와 동시에 만약 양측이 다음 회담에서 융통성을 보여준다면, 유엔가입문제에 대한 분명한 합의에 이를 수 있음을 확신하게 되었다.

우리 공화국정부는 유엔 단일의석 공동가입이 유엔가입문제 해결에 대한 가장 합리적인 접근방안이라고 생각한다. 그러나 우리정부는 만일 그것이 민족통일에 유리한 것이라면 유엔가입문제에 관한 어떠한 해결 방안에 관해서도 협상할 것이라는 변하지않는 대범한 입장을 계속 견지하고 있다.

2. 만약 남조선의 "유엔 단독가입"이 수락된다면, 그것은 북남 관계를 극단적으로 긴장시킬 것이고 또한 이는 종국적으로 조선반도에 긴장을 한층 격화시키게 될 것이다.

유엔가입문제는 합의된대로 앞으로의 북남고위급회담에서 계속 논의 되어야 한다.

그점에도 불구하고, 남조선당국이 유엔가입은 북과 남사이에 다루어야 할 문제가 아니라고 주장하면서 그들의 "유엔단독가입"을 강행하려고 책동 하는 것은 이해할 수 없는 일이다.

만약 남조선당국이 현재 진행중인 북남고위급회담의 의제인 유엔가입 문제에 관한 협상을 포기하고 감히 유엔에 단독으로 가입한다면, 이것은 대화상대방에 대한 노골적인 도전이며 배신행위로서 일종의 고위급회담 파기 선언이 될 것이다.

0063

남조선 당국이 "유연단독가입"을 통하여 "두개의 조선"을 영구화하려 하고 궁극적으로는 그들의 "흡수통일"의 꿈을 실현하기 위한 국제적 환경을 조성하려고 하는 이상, 이는 민족통일 염원에 대한 도전이며, 우리 주권에 대한 참을 수 없는 모욕으로서 우리는 이를 심각하게 받아들이지 않을 수 없다.

미제와 남조선 당국이 감행하고 있는 "팁스피리트 91" 합동군사연습 으로 인해 과거 그 어느때 보다도 북남간의 정치.군사적 대결이 격렬해 지고 있는 현상황하에서 만약 남조선의 "유연 단독가입"이 강행되어 받아 들여진다면, 어느 누구도 조선반도에서 어떤 일이 일어나게 될지 예측할 수 없게 될 것이다.

남조선당국이 만약 진정으로 대화와 화해, 그리고 민족통일에 관심이 있다면 그들은 무모한 "유연 단독가입" 책동을 중단해야 한다.

그러나 만약 남조선당국이 감히 유연에 단독으로 가입하려 한다면, 그들은 그것으로 인해 발생하는 모든 결과에 대해 전적인 책임을 져야 하며 반드시 우리인민과 역사 앞에 분열주의자로 준엄한 심판을 받게 될 것이다.

우리는 북남 대화의 진전과 불가침선언의 채택과 함께 통일지향적 분위기가 확보된다면 유연가입문제 해결에 있어 새로운 전망이 분명하게 나타날 것이라고 확신한다.

조선민주주의인민공화국 정부는 조선반도에서의 평화와 평화적 통일을 염원하는 모든 유연회원국들이 평화와 평화적 통일에 유리한 북남 대화를 통하여 유연가입문제를 해결하려는 우리의 입장에 대해 이해와 지지를 보여 줄 것이라 믿는다.

1991. 2. 20.
평   양

0064

공   란

공 란

공   란

공   란

공   란

공 란

공   란

관리	91
번호	_523

분류번호	보존기간

발 신 전 보

번 호	WUN-0395 910226 1318 ER	종별:	지 급

수 신 : 주   유엔   대사. ✿✿✿✿
                    (국연)

발 신 : 장 관

제 목 : 유엔가입문제 관련 북한비망록

대 : UNW-0425, 0431, 0432

연 : EM-0002, WUN-0384

1. 대호 관련, 2.25. ~~국기국장~~ 국기국장은 본부 출입기자단에게 북한
비망록의 안보리문서 회람시까지 보도통제 전제하에 비망록 제출 배경과
의도 ~~UNW-0400 내용아기~~, 북측주장에 대한 반박요지 및 비망록 국문번
역본등 보도자료를 배포, 설명하였음을 참고바람. (동 자료는 전재외공관에
파편 송부예정)

2. 북측 주장중 하기 2가지 내용에 관하여는 귀지에서도 동 반박
요지를 특파원들에게 사전 설명해 두는 것이 필요할 것으로 사료되니
적의 조치바람.

　　가. 통일지향적인 여하한 유엔가입 방안도 논의할 용의가 불변
　　　　이라고 언급한데 대하여
　　　○ 각각 3차례의 남북고위급회담 및 실무대표 접촉에서
　　　　북측은 불합리한 단일의석안을 고집하고 비타협적인
　　　　자세에 아무런 변화를 보이지 않았음.

　　　　　　/계속..

보 안 통 제	쎄

앙 고 재	91 년 2 월 26 일	유 인 과	기안자 성 명	김상진	과 장	쎄	국 장	전결	차 관	장 관		외신과통제

0072

o 북한이 작년 10.2자 유엔안보리 문서를 통하여 단일의석
  가입안이 절대적이 아니며, 남북한간 타협 가능성을 시사한
  이후에도 계속 단일의석가입안을 주장하였던 사실에 비추어
  볼 때, 상기 언급은 유엔가입문제와 관련 어떤 융통성을
  보이는 듯이 국내외 여론을 오도하고 우리의 가입을 지연
  시키기 위한 전술적 자세에 불과하다고 봄.

나. 남북대화의 진전과 불가침선언 채택등 통일지향적 분위기가
    성숙되면 유엔가입문제 해결에 새로운 전망도 가능할 것이라고
    시사 함에 대하여,

  o 유엔가입문제는 가입희망국과 유엔간의 문제로서, 남북한
    양자 문제인 남북대화 진전, 불가침 문제등과 연계 될 수
    없는 사안임.

  o 상기 언급은 북한이 4차 고위급회담을 일방적으로 중단
    시킴에 따른 국제적인 비난을 모면하기 위한 구실을 마련
    하는 한편, 가입신청국과 유엔간의 문제인 유엔가입문제를
    남북간의 양자문제로 끌고가려는 저의를 나타내는 것임.

  o 또한 상기 시사는 북한이 작년 10.2. 유엔안보리 문서를
    통하여 단일의석가입안이 절대적인 방안이 아니라고
    하였음에도 불구하고 아직도 비현실적인 단일의석안을
    고집하고 있는 상황에 비추어, 단지 우리의 유엔가입을
    지연시켜 보려는 새로운 시도의 일환으로 분석됨. 끝.

예고 :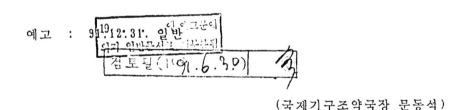

(국제기구조약국장 문동석)

0073

분류번호	보존기간

발 신 전 보

번 호 : WUN-0401   910226 1856 BX   종별 :

수 신 : 주   유엔   대사. ♧♧♧♧

발 신 : 장 관   (국연)

제 목 : 북한비망록에 대한 아측 성명문 통보

연 : WUN-0395

연호 북한비망록이 안보리문서로 배포되는 즉시 별첨 아측 성명문을
발표 예정이니 참고바람.

첨 부 : 표제 성명문 1부.   끝.

예 고 : 91.12.31. 일반

(국제기구조약국장 문동석)

검토필 91.6.30

	보 안 통 제	14.

| 앙
고
재 | 91
년
2
월
26
일 | 유
엔
과 | 기안자
성명 | | 과 장 | 국 장
전결 | 차 관 | 장 관 | 외신과통제 |

0074

<첨부>

外務部 聲明文

o 大韓民國 政府는 그간 유엔加入問題에 관한 우리의 立場을 수차 밝혀온 바
있으나 最近들어 北韓이 이에 대해 歪曲된 主張과 誹謗을 展開하고 있어
다시한번 이를 分明히 하고자 함.

o 우리는 南.北韓이 統一時까지의 暫定措置로서 하루빨리 유엔에 함께 加入
하여 國際社會의 責任있는 一員으로 正當한 몫을 다해야 한다는 것인 바,
만약 北韓이 아직 加入 意思가 없거나 準備가 되어있지 않다면 向後 北韓의
加入을 期待하면서 우리라도 먼저 會員國이 되고자 하는 것임.
이러한 우리의 立場에 대해 大多數의 유엔會員國들은 國際社會에서 우리
나라의 地位와 유엔의 普遍性原則에 따라 第45次 유엔總會 基調演說等에서
나타난 바와 같이 全幅的인 支持를 表明하고 있음.

o 우리는 그간 이러한 우리政府의 立場과 國際社會의 輿望에 따라 南.北高位級
會談 및 實務代表 接觸等 모든 可能한 契機를 活用, 北韓에 대해 우리와 함께
유엔에 加入할 것을 誠意있게 促求해온바가 있으며 同時加入後 유엔에서의
南.北韓間의 協力을 위해 具體的인 方案까지 提示하는등 모든 努力을 다한 바
있음.

o 이러한 우리의 努力에도 不拘하고 北韓은 91.2.月 00日字 유엔 安保.理事會
文書로 配布된 北韓外交部 備忘錄을 통해 이미 不合理하고 實現 不可能한
것으로 判明된 單一議席 유엔加入 方案을 繼續 固執하고, 유엔加入 問題가
加入申請國과 유엔과의 問題임에도 南北韓間에 合意가 先行되어야 한다고
强辯하고 있음. 심지어 우리가 먼저 유엔에 加入하는 경우 韓半島에서
豫測할 수 없는 事態가 發生할 것이라고 威脅하고 있는 바, 이러한 北韓의
態度는 유엔加入問題에 관한 우리의 努力과 大多數 유엔會員國들의 輿望에
역행하는 것임.

0075

o 우리 政府로서는 北韓이 지금이라도 이러한 非合理的이고 國際社會의 現實
  과도 맞지 않는 主張을 버리고 國際社會의 輿望에 따라 우리와 함께 유엔에
  加入할 것을 다시한번 促求하는 바이며, 北韓이 이를 끝내 拒否한다면 우리
  로서는 今年의 第 46次 總會를 앞두고   우리의 加入을 獨自的으로
  推進하지 않을 수 없음을 밝히는 바임.

0076

外務部 聲明文(案)

○ 大韓民國 政府는 그간 유엔加入問題에 관한 우리의 立場을 수차 밝혀온 바
있으나 最近들어 北韓이 이에 대해 歪曲된 主張과 誹謗을 展開하고 있어
다시한번 이를 分明히 하고자 함.

○ 우리는 南.北韓이 統一時까지의 暫定措置로서 하루빨리 유엔에 함께 加入
하여 國際社會의 責任있는 一員으로 正當한 몫을 다해야 한다는 것인 바,
만약 北韓이 아직 加入 意思가 없거나 準備가 되어있지 않다면 向後 北韓의
加入을 期待하면서 우리라도 먼저 會員國이 되고자 하는 것임.
이러한 우리의 立場에 대해 大多数의 유엔會員國들은 國際社會에서 我國의 우리나라
地位와 유엔의 普遍性原則에 따라 45次 유엔總會 基調演說等에서 나타난
바와 같이 全幅的인 支持를 表明하고 있음.

○ 우리는 그간 이러한 우리政府의 立場과 國際社會의 輿望에 따라 南.北高位級
會談 및 實務代表 接觸等 모든 可能한 契機를 活用, 北韓에 대해 우리와 함께
유엔에 加入할 것을 誠意있게 促求해온바가 있으며 同時加入後 유엔에서의
南.北韓間의 協力을 위해 具體的인 方案까지 提示하는등 모든 努力을 다한 바
있음.

○ 이러한 우리의 ~~誠意있는~~ 努力에도 不拘하고 北韓은 91.2.月 00日字 安保理 유엔 公式
文書로 配布된 北韓外交部 備忘錄을 통해 이미 不合理하고 實現 不可能한
것으로 判明된 單一議席 유엔加入 方案을 繼續 固執하고, 유엔加入 問題가
加入申請國과 유엔과의 問題임에도 南北韓間에 合意가 선행되어야 한다고
强辯하고 있음. 심지어 우리가 먼저 유엔에 加入하는 경우 韓半島에서
豫測할 수 없는 事態가 發生할 것이라고 威脅하고 있는 바, 이러한 北韓의
態度는 유엔加入問題에 관한 우리의 努力과 大多数 유엔會員國들의 輿望에
역행하는 것임.

o 우리 政府로서는 北韓이 지금이라도 이러한 非合理的이고 國際社會의 現實

　　과도 맞지 않는 主張을 버리고 國際社會의 輿望에 따라 우리와 함께 유엔에

　　加入할 것을 다시 한번 促求하는 바이며, 北韓이 이를 끝내 拒否한다면 우리

　　로서는 46次 總會를 앞두고 우리의 加入을 獨自的으로 推進하지

　　않을 수 없음을 하는 바임.

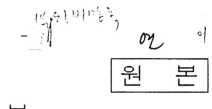

관리 번호	91 -536

원 본

외 무 부

종   별 : 지 급

번   호 : UNW-0452   일   시 : 91 0226 1130

수   신 : 장관 (국연,해기,기정)

발   신 : 주 유엔 대사

제   목 : 북한 비망록 회람

    대: WUN-0401, 0395

    1. 금 2.26(화) 오전 북한측 비망록이 안보리문서 (FAX 첨부) 로 회람됨.

    2. 대호 아측 성명문을 안보리문서로 회람할것인지 여부에 관한 본부 방침

회시바람.

    3. 본직은 2.27. 당지 특파원들과 오찬, 대호건 조치 예정 임. 끝

(대사 현홍주-차관)

예고:91. 12. 31. 일반 ~~예고문에~~
~~따라 일반문서로 재분류됨~~

첨부: ~~FAX (UNW(F)-080)~~

검토필(1:91.6.30)	최

국기국   장관   차관   1차보   안기부   공보처

UNITED NATIONS

Security Council

Distr.
GENERAL

S/22253
22 February 1991

ORIGINAL: ENGLISH

NOTE BY THE PRESIDENT OF THE SECURITY COUNCIL

The attached letter, dated 22 February 1991, was addressed to the President of the Security Council by the Permanent Observer of the Democratic People's Republic of Korea to the United Nations. In accordance with the request contained in the letter, the text is being circulated as a document of the Security Council.

91-06019 2281j (E)

/...

5-1

0080

Annex

Letter dated 22 February 1991 from the Permanent Observer of the Democratic People's Republic of Korea to the United Nations addressed to the President of the Security Council

I have the honour to forward to you the aide-mémoire of 20 February 1991 of the Ministry of Foreign Affairs of the Democratic People's Republic of Korea on United Nations membership.

I request that this letter, together with the enclosed aide-mémoire of the Ministry of Foreign Affairs, be circulated as a document of the Security Council.

(Signed) PAK Gil Yon
Ambassador
Permanent Observer

/....

5-2

Enclosure

Aide-mémoire dated 20 February 1991 from the Ministry of Foreign Affairs of the Democratic People's Republic of Korea on United Nations membership

The Ministry of Foreign Affairs of the Democratic People's Republic of Korea deems it necessary to clarify its official position in connection with "unilateral United Nations membership" pursued by the south Korean authorities and makes public this aide-mémoire.

A

Our country's membership in the United Nations should be settled on the basis of agreement between the north and the south favourable to national reunification.

The Government of the Democratic People's Republic of Korea has maintained through the years, since its foundation, that United Nations membership is directly and inseparably related to national reunification.

The failure to achieve the correct solution to United Nations membership will inevitably raise further obstacles to the reunification of the country.

Accordingly, we maintain our consistent position to initiate reunification-oriented proposals in connection with United Nations membership and make every effort for their realization.

The Government of the Democratic People's Republic of Korea considers it best to enter the United Nations under a single State-name after reunification through confederation. But if it is on condition that the north and the south enter the United Nations with a single seat, it will have no objection to holding United Nations membership even before reunification.

Such position represents the firm will of the Korean nation to achieve the reunification at the earliest date as well as gives due consideration to the stand of the south Korean authorities calling for a hasty solution to United Nations membership.

If United Nations membership with a single seat is admitted, it will help to open up a new phase for peace and peaceful reunification on the Korean peninsula.

United Nations membership with a single seat for the north and the south appears realistic at present.

The north and the south have reached complete agreement on the participation of unified teams of the north and the south in the forty-first world table-tennis championships and the sixth world youth soccer championships at the recently held fourth inter-Korean sports talks.

/...

5-3

0082

This precedent eloquently shows that, if the north and the south pull together in conformity with the interests of the whole nation, United Nations membership could also be solved in a way conducive to the reunification.

If a fair solution to United Nations membership favourable to reunification is to be achieved, it should be based on agreement between the north and the south.

If United Nations membership is handled in favour of the stand of one side with no agreement between the north and the south, it will create other obstacles to national reunification and cause serious consequences by further aggravating the confrontation between the north and the south.

The Government of the Democratic People's Republic of Korea suggested, out of such a viewpoint, that the measures towards United Nations membership should appear as the top current agenda item for discussion in the north-south high-level talks led by prime ministers that have been held for the first time in the history of the country's division.

The south Korean authorities also admitted that United Nations membership is an internal question to be discussed and settled between the north and the south and agreed to negotiate it as a priority issue at the north-south high-level talks.

Accordingly, admission to the United Nations with a single seat has been discussed at the three rounds of the north-south high-level talks and several delegate-level talks.

We have suggested, at the talks, detailed proposals of cooperation, which substantially guarantee confidence and unity between the north and the south in the United Nations forum.

Through this process, we came to witness the commonness of the north and the south in achieving national unity and maintaining reunification-oriented relations of cooperation in the forum of the United Nations and, at the same time, became confident that, if both sides show flexibility in the coming talks, an agreement on United Nations membership is sure to be reached.

The Government of our Republic considers that the joint admission to the United Nations with a single seat is the most reasonable approach to the settlement of United Nations membership; however it keeps its big-minded position unchanged to negotiate on any solutions to United Nations membership if they are conducive to national reunification.

B

If south-Korea's "unilateral United Nations membership" is admitted, it will strain north-south relations to the extreme and eventually create further tension on the Korean peninsula.

The issue of United Nations membership should continue to be discussed at the forthcoming north-south high-level talks, to be agreed upon.

/...

5-4

0083

Notwithstanding this, the south Korean authorities, strange to say, attempt to force their "unilateral admission to the United Nations" claiming that United Nations membership is not a question to be dealt with between the north and the south.

If the south Korean authorities give up the negotiation on United Nations membership, the agenda item at the ongoing north-south high-level talks, but dare to enter the United Nations unilaterally, it will be an open challenge and treacherous act against the dialogue partner and a sort of declaration of breaking off the dialogue.

Since the south Korean authorities, through "unilateral admission to the United Nations", seek to perpetuate "two Koreas" and eventually create an international environment to realize their dream of "reunification by absorption", we cannot but take it seriously as a challenge to the desire for national reunification and an intolerable insult to our sovereignty.

No one can predict what sort of events may happen on the Korean peninsula if the "unilateral United Nations membership" of south Korea is forcibly admitted when the political and military confrontation between the north and the south grows more acute than ever before owing to the "Team Spirit '91" joint military exercises being staged by the United States and the south Korean authorities.

The south Korean authorities should put an end to their reckless attempt for "unilateral United Nations membership" if they are really interested in the dialogue, reconciliation and national reunification.

If the south Korean authorities dare to enter the United Nations unilaterally, however, they will have to take full responsibility for all consequences therefrom and inevitably get stern judgement as separatists from our people and history.

We are convinced that a new prospect will surely be brought up in the solution of United Nations membership when a reunification-oriented climate is ensured together with progress in the inter-Korean dialogue and adoption of a non-aggression declaration.

The Government of the Democratic People's Republic of Korea expresses its belief that all States Members of the United Nations desirous of peace and peaceful reunification on the Korean peninsula will show their understanding and support of our position to solve United Nations membership through the north-south dialogue conducive to the peace and peaceful reunification.

5-5

0084

Statement of the Ministry of Foreign Affairs of

the Republic of Korea

On Korea's UN Membership

Feb. 27th, 1991

o In connection with the North Korea's recent attempts to distort and
even slander the position of the Republic of Korea concerning Korea's
United Nations membership, the Government of the Republic of Korea
wishes to restate unequivocally its position as follows.

o It is our firm belief that the admission of both Koreas to the United
Nations, as an interim measure pending reunification, should be realized
at an earliest possible date, so that the South and the North may assume
their legitimate roles as responsible members of the international
community. However, in the case North Korea is unwilling or not yet
ready to join the United Nations, the Republic of Korea intends to seek
United Nations membership during this year in anticipation of subsequent
admission of North Korea. The vast majority of the States Members of
the United Nations have expressed their full support for the Republic
of Korea's position. This support, in recognition of the principle of
universality of the United Nations and of the Republic of Korea's standing
in the world community, was eloquently demonstrated during the general
debate of the 45th session of the United Nations General Assembly in 1990.

o The Government of the Republic of Korea has made every effort in good
faith to persuade the North to accept simultaneous United Nations

0085

membership, making use of all available occasions and channels, including Prime Ministers' Talks. We have further proposed a means of cooperation between the South and the North, during their participation in the work of the United Nations after both have been admitted to the United Nations.

o Despite our exhaustive efforts, North Korea, through its Foreign Ministry's Aide-Memoire circulated as Security Council document S/22253 dated 22 February 1991, continues to adhere to its "single seat membership" formula, which has already been proven to be unrealistic and unworkable. North Korea also insists that neither Korea can submit application for membership until an agreement is reached between the two Koreas, despite the fact that United Nations membership is clearly and essentially a matter between the United Nations and the states seeking membership. North Korea has even gone so far as to threaten that "no one can predict what sort of events may happen on the Korean peninsula," if the Republic of Korea is admitted to the United Nations. This attitude of North Korea not only makes the continuation of our patient pursuit of simultaneous membership practically impossible, but also runs counter to the wishes of the international community.

o The Government of the Republic of Korea once again urges North Korea to abandon its irrational and unrealistic position and join the United Nations with the Republic of Korea. We take this opportunity to state clearly that, if North Korea remains deaf to our just call, we will exercise our sovereign right to seek United Nations membership independently, before or during the 46th session of the United Nations General Assembly. - end -

0086

보 도 자 료
외 무 부

제 91 - 60 호   문의전화 : 720-2408~10   보도일시 : 91 . 2 . 27 . 10 : 00 시

제 목 : 外務部 聲明文

1991. 2. 27.

가. 大韓民國 政府는 그간 유엔加入問題에 관한 우리의 立場을 수차 밝혀온 바
있으나 最近들어 北韓이 이에 대해 歪曲된 主張과 誹謗을 展開하고 있어
다시한번 이를 分明히 하고자 함.

나. 우리는 南.北韓이 統一時까지의 暫定措置로서 하루빨리 유엔에 함께 加入
하여 國際社會의 責任있는 一員으로 正當한 몫을 다해야 한다는 것인 바,
만약 北韓이 아직 加入 意思가 없거나 準備가 되어있지 않다면 向後 北韓의
加入을 期待하면서 우리라도 먼저 會員國이 되고자 하는 것임.
이러한 우리의 立場에 대해 大多數의 유엔會員國들은 國際社會에서 우리
나라의 地位와 유엔의 普遍性原則에 따라 第45次 유엔總會 基調演說等에서
나타난 바와 같이 全幅的인 支持를 表明하고 있음.

다. 우리는 그간 이러한 우리政府의 立場과 國際社會의 輿望에 따라 南.北高位級
會談 및 實務代表 接觸等 모든 可能한 契機를 活用, 北韓에 대해 우리와 함께
유엔에 加入할 것을 誠意있게 促求해온바가 있으며 同時加入後 유엔에서의
南.北韓間의 協力을 위해 具體的인 方案까지 提示하는등 모든 努力을 다한 바
있음.

0087

라. 이러한 우리의 努力에도 不拘하고 北韓은 1991年 2月 26日에 유연 安保理事會
   文書로 配布된 北韓外交部 備忘錄을 통해 이미 不合理하고 實現 不可能한
   것으로 判明된 單一議席 유엔加入 方案을 繼續 固執하고, 유엔加入 問題가
   加入申請國과 유엔과의 問題임에도 南北韓間에 合意가 선행되어야 한다고
   強辯하고 있음. 심지어 우리가 먼저 유연에 加入하는 경우 韓半島에서
   豫測할 수 없는 事態가 發生할 것이라고 威脅하고 있는 바, 이러한 北韓의
   態度는 유연加入問題에 관한 우리의 努力과 大多数 유연會員國들의 輿望에
   역행하는 것임.

마. 우리 政府로서는 北韓이 지금이라도 이러한 非合理的이고 國際社會의 現實
   과도 맞지 않는 主張을 버리고 國際社會의 輿望에 따라 우리와 함께 유연에
   加入할 것을 다시한번 促求하는 바이며, 北韓이 이를 끝내 拒否한다면 우리
   로서는 今年의 第 46次 總會를 앞두고 우리의 加入을 獨自的으로 推進하지
   않을 수 없음을 밝히는 바임.

0088

외 무 부

종 별 :

번 호 : UNW-0468   일 시 : 91 0227 1750

수 신 : 장 관(국연)

발 신 : 주 유엔 대사

제 목 : 자료송부

　　　비망록 붙어및 서어본 FAX 송부함.

　　　첨부:상기 FAX:UNW(F)-087

　　　끝

　　(대사 현홍주-국장)

국기국

PAGE 1   91.02.28   08:52 WG

NACIONES UNIDAS

Consejo de Seguridad

S

Distr.
GENERAL

S/22253
22 de febrero de 1991
ESPAÑOL
ORIGINAL: INGLES

NOTA DEL PRESIDENTE DEL CONSEJO DE SEGURIDAD

La carta adjunta, de fecha 22 de febrero de 1991, fue dirigida al Presidente del Consejo de Seguridad por el Observador Permanente de la República Popular Democrática de Corea ante las Naciones Unidas. De conformidad con lo solicitado en la carta, el texto se distribuye como documento del Consejo de Seguridad.

91-06022 1217c

/...

/0—/

ANEXO

<u>Carta de fecha 22 de febrero de 1991 dirigida al Presidente del
Consejo de Seguridad por el Observador Permanente de la República
Popular Democrática de Corea ante las Naciones Unidas</u>

Tengo el honor de enviarle el memorando de fecha 20 de febrero de 1991 del Ministerio de Relaciones Exteriores de la República Popular Democrática de Corea relativo a la calidad de miembro de las Naciones Unidas.

Solicito que esta carta, junto con el memorando adjunto del Ministerio de Relaciones Exteriores, se distribuya como documento del Consejo de Seguridad.

(<u>Firmado</u>) PAK Gil Yon
Embajador
Observador Permanente

/...

0091

Documento adjunto

Memorando de fecha 20 de febrero de 1991 del Ministerio de Relaciones
Exteriores de la República Popular Democrática de Corea relativo a la
calidad de miembro de las Naciones Unidas

El Ministerio de Relaciones Exteriores de la República Popular Democrática de
Corea considera necesario esclarecer su posición oficial en relación con la
solicitud de admisión unilateral como miembro de las Naciones Unidas de las
autoridades de Corea del Sur y que se da a conocer en este memorando.

A

1.   La calidad de miembro de las Naciones Unidas de nuestro país debería
resolverse sobre la base de un acuerdo entre el Norte y el Sur favorable a la
reunificación nacional.

El Gobierno de la República Popular Democrática de Corea ha sostenido a lo
largo de los años, desde su fundación, que la calidad de miembro de las Naciones
Unidas está directa e inseparablemente relacionada con la unificación nacional.

La falta de una solución adecuada con respecto a la calidad de miembro de las
Naciones Unidas inevitablemente dificultará aún más la reunificación del país.

En consecuencia, mantenemos nuestra firme posición de iniciar propuestas de
reunificación relacionadas con la calidad de miembro de las Naciones Unidas y de
hacer todo lo posible para alcanzar esa reunificación.

El Gobierno de la República Popular Democrática de Corea considera que la
manera más adecuada de entrar a formar parte de las Naciones Unidas es como un solo
Estado después de la reunificación mediante una confederación. Pero si la
condición es que el Norte y el Sur ocupen un solo puesto en las Naciones Unidas no
se opondrá a la obtención de la calidad de miembro de las Naciones Unidas incluso
antes de la reunificación.

Esta posición refleja la firme voluntad de la nación coreana de lograr la
reunificación lo antes posible, teniendo debidamente en cuenta la posición de las
autoridades de Corea del Sur en cuanto a una rápida solución de la cuestión de su
aceptación como miembro de las Naciones Unidas.

Si se acepta la calidad de miembro de las Naciones Unidas como un solo Estado,
ello ayudará a que se inicie una nueva etapa en el logro de la paz y reunificación
pacífica en la península de Corea.

La calidad de miembro de las Naciones Unidas del Norte y el Sur como una sola
entidad es una aspiración realista.

El Norte y el Sur se han puesto plenamente de acuerdo sobre la participación
de equipos unificados del Norte y el Sur en el 41° Campeonato Mundial de Tenis de
Mesa y en el Sexto Campeonato Mundial de Fútbol Juvenil celebrado como parte de las
cuartas reuniones deportivas entre las dos Coreas celebradas recientemente.

/...

0092

Este precedente demuestra de manera elocuente que si el Norte y el Sur aunan esfuerzos de acuerdo con los intereses de toda la nación, la cuestión de la calidad de miembro de las Naciones Unidas podría también resolverse de manera propicia para la reunificación.

Si quiere lograrse una solución justa y favorable a la reunificación de la cuestión de la calidad de miembro de las Naciones Unidas, esa solución deberá basarse en un acuerdo entre el Norte y el Sur.

Si la aceptación como miembro de las Naciones Unidas se otorga a una de las partes, sin un acuerdo previo entre el Norte y el Sur, se creará con ello un obstáculo más para la reunificación nacional, y se agravarán aún más las posibilidades de enfrentamiento entre el Norte y el Sur.

El Gobierno de la República Popular Democrática de Corea sugirió, partiendo de este punto de vista, que las cuestiones relativas a las Naciones Unidas sean el tema más importante del programa para el debate en las conversaciones de alto nivel entre el Norte y el Sur celebradas por los primeros ministros, por primera vez en la historia de la división del país.

Asimismo, las autoridades de Corea del Sur aceptaron que la calidad de miembro de las Naciones Unidas es una cuestión interna que debe discutirse y resolverse entre el Norte y el Sur y convinieron en negociar la cuestión con carácter prioritario en las conversaciones de alto nivel entre el Norte y el Sur.

En consecuencia, la admisión como un solo miembro de las Naciones Unidas se debatió en las tres rondas de conversaciones de alto nivel entre el Norte y el Sur y en varias conversaciones de delegados.

En esas conversaciones, formulamos una propuesta detallada de cooperación para garantizar de manera sustantiva la confianza y la unidad entre el Norte y el Sur en el foro de las Naciones Unidas.

A través de este proceso, hemos comprobado las coincidencias del Norte y el Sur en lo que hace a lograr la unidad nacional y mantener relaciones de cooperación con miras a la reunificación en el foro de las Naciones Unidas. Tenemos en consecuencia la esperanza de que, si ambas partes muestran flexibilidad en las conversaciones futuras, podrá sin duda llegarse a un acuerdo sobre la calidad de miembro de las Naciones Unidas.

El Gobierno de nuestra República entiende que la admisión conjunta como un solo miembro de las Naciones Unidas es el método más razonable; sin embargo, sigue dispuesto a negociar sobre la base de cualquier solución de la cuestión relativa a la calidad de miembro siempre que con ella se favorezca la reunificación nacional.

B

2. Si se acepta la "solicitud de admisión unilateral como miembro de las Naciones Unidas" de Corea del Sur, ello dificultará las relaciones entre el Norte y el Sur y exacerbará la tensión en la península de Corea.

/...

La cuestión de la calidad de miembro de las Naciones Unidas debe seguir examinándose en las conversaciones futuras de alto nivel entre el Norte y el Sur.

Sin embargo, las autoridades de Corea del Sur, por extraño que parezca, intentan forzar su admisión unilateral como miembro de las Naciones Unidas, afirmando que la calidad de miembro de las Naciones Unidas no es una cuestión que deba ser tratada entre el Norte y el Sur.

Si las autoridades de Corea del Sur abandonan las negociaciones relativas a la calidad de miembro de las Naciones Unidas, como parte de las actuales conversaciones de alto nivel entre el Norte y el Sur y Corea del Sur ingresa unilateralmente como miembro de las Naciones Unidas, ello constituirá un acto de traición contra la otra parte en el diálogo y una declaración de ruptura del diálogo.

Si las autoridades de Corea del Sur, mediante su admisión unilateral como miembro de las Naciones Unidas, tratan de perpetuar la existencia de dos Coreas y de crear las condiciones internacionales para hacer realidad su sueño de "reunificación mediante la absorción" tendremos que interpretar ese acto como un desafío al deseo de reunificación nacional y como un insulto intolerable a nuestra soberanía.

Nadie puede predecir qué ocurrirá en la península de Corea si se acepta la admisión unilateral como miembro de las Naciones Unidas solicitada por Corea del Sur en momentos en que los enfrentamientos políticos y militares entre el Norte y el Sur se agudizan a causa del ejercicio militar conjunto "Team Spirit 91", entre los Estados Unidos y Corea del Sur.

Las autoridades de Corea del Sur deben abandonar su intento de admisión unilateral como miembro de las Naciones Unidas si están realmente interesadas en el diálogo, la reconciliación y la reunificación nacional.

Si las autoridades de Corea del Sur se atreven a ingresar unilateralmente a las Naciones Unidas, tendrán que asumir la plena responsabilidad de sus actos y recibirán inevitablemente el juicio severo de separatistas de nuestro pueblo y de la historia.

Estamos convencidos de que surgirán nuevas posibilidades para la solución de la cuestión de la admisión en calidad de miembro de las Naciones Unidas cuando se establezca un clima de reunificación, se logren progresos en el diálogo entre las dos Coreas y se apruebe una declaración de no agresión.

El Gobierno de la República Popular Democrática de Corea expresa su convicción de que todos los Estados Miembros de las Naciones Unidas amantes de la paz y que desean la reunificación pacífica en la península de Corea comprenderán y apoyarán nuestra posición tendiente a que la cuestión de la calidad de miembro de las Naciones Unidas se resuelva mediante el diálogo entre el Norte y el Sur y teniendo como meta la paz y la reunificación pacífica.

10-5

0094

Conseil de sécurité

S

Distr.
GENERALE

S/22253
22 février 1991
FRANCAIS
ORIGINAL : ANGLAIS

NOTE DU PRESIDENT DU CONSEIL DE SECURITE

La lettre ci-jointe, datée du 22 février 1991, a été adressée au Président du Conseil de sécurité par l'Observateur permanent de la République populaire démocratique de Corée auprès de l'Organisation des Nations Unies. Conformément à la demande qui y figure, le texte en est distribué comme document du Conseil de sécurité.

90-06020 5333R (F)

/...

10-6

0095

ANNEXE

Lettre datée du 22 février 1991, adressée au Président du Conseil de sécurité par l'Observateur permanent de la République populaire démocratique de Corée auprès de l'Organisation des Nations Unies

J'ai l'honneur de vous faire tenir ci-joint l'aide-mémoire du 20 février 1991, émanant du Ministère des affaires étrangères de la République populaire démocratique de Corée, concernant l'admission à l'Organisation des Nations Unies.

Je vous prie de bien vouloir faire distribuer la présente note, ainsi que l'aide-mémoire du Ministère des affaires étrangères, en tant que document du Conseil de sécurité.

L'Ambassadeur,

Observateur permanent

(Signé) PAK Gil Yon

/...

0096

Appendice

**Aide-mémoire daté du 20 février 1991, émanant du Ministère des affaires
étrangères de la République populaire démocratique de Corée, concernant
l'admission à l'Organisation des Nations Unies**

Le Ministère des affaires étrangères de la République populaire démocratique
de Corée tient à préciser sa position officielle en ce qui concerne la politique
d'"admission unilatérale à l'ONU" poursuivie par les autorités sud-coréennes, et
publie à cette fin le présent aide-mémoire.

A

La question de l'admission de notre pays à l'ONU doit être réglée sur la base
d'un accord entre le Nord et le Sud, favorable à la réunification nationale.

Le Gouvernement de la République populaire démocratique de Corée maintient
systématiquement, depuis sa fondation, que la question de l'admission à l'ONU est
directement et inséparablement liée à la réunification nationale.

Si une solution correcte n'est pas apportée à cette question, cela créera
inévitablement de nouveaux obstacles à la réunification du pays.

Par conséquent, dans le cadre de notre position immuable, nous continuons à
lancer, en ce qui concerne l'admission à l'ONU, des propositions tournées vers la
réunification et nous faisons tout notre possible pour qu'elles se réalisent.

Le Gouvernement de la République populaire démocratique de Corée considère
qu'il vaut mieux que le pays soit admis à l'ONU sous un seul nom après la
réunification sous forme de confédération. Cela dit, à condition toutefois que
le Nord et le Sud soient admis à l'Organisation des Nations Unies comme un seul
Membre, il n'aura pas d'objection à ce que l'admission à l'ONU se fasse même avant
la réunification.

Cette position procède de la ferme volonté de la nation coréenne de réaliser
la réunification le plus tôt possible et tient compte en même temps de la position
des autorités sud-coréennes qui souhaitent que la question de l'admission à l'ONU
soit réglée rapidement.

Si l'on admet l'idée de l'admission d'un seul Membre à l'ONU, une nouvelle ère
de paix et de réunification pacifique s'ouvrira dans la péninsule coréenne.

La possibilité que le Nord et le Sud occupent un seul siège à l'ONU paraît
réaliste actuellement.

Lors de la quatrième série des entretiens qu'ils ont tenus récemment à propos
de sports, le Nord et le Sud sont en effet convenus qu'ils enverraient des équipes
mixtes participer aux 41 championnats mondiaux de ping-pong et aux 6e championnats
mondiaux de football junior.

/...

Ce précédent montre éloquemment que, si le Nord et le Sud joignent leurs efforts conformément aux intérêts de la nation tout entière, la question de l'admission à l'ONU peut également être résolue de façon à promouvoir la réunification.

Pour qu'une solution équitable, favorable à la réunification, puisse être mise au point, il faut qu'elle soit fondée sur un accord entre le Nord et le Sud.

Si la question de l'admission à l'ONU est réglée suivant la position de l'une des parties sans qu'il y ait accord entre le Nord et le Sud, cela créera de nouveaux obstacles s'opposant à la réunification nationale et entraînera de graves conséquences, en intensifiant encore l'affrontement entre le Nord et le Sud.

Le Gouvernement de la République populaire démocratique de Corée a suggéré, dans cette optique, que la politique à suivre concernant l'admission à l'ONU devrait être le point prioritaire de l'ordre du jour des pourparlers de haut niveau entre les Premiers Ministres du Nord et du Sud, tenus pour la première fois depuis la division du pays.

Les autorités sud-coréennes ont également admis que la question de l'admission à l'ONU est une question interne qui doit être examinée et réglée entre le Nord et le Sud et elles ont accepté de la négocier en priorité aux entretiens de haut niveau entre le Nord et le Sud.

En conséquence, la question de l'admission d'un seul Membre à l'ONU, a été examinée aux trois séries d'entretiens de haut niveau entre le Nord et le Sud et à plusieurs entretiens de niveau inférieur.

Nous avons avancé, lors de ces entretiens, des propositions détaillées de coopération qui contribuent à garantir la confiance et l'unité entre le Nord et le Sud au sein de l'ONU.

Dans le cadre de ce processus, nous avons pu constater que le Nord et le Sud sont tous les deux désireux de réaliser l'unité nationale et de maintenir des relations de coopération orientées vers la réunification au sein de l'ONU et, en même temps, nous sommes devenus persuadés que, si les deux parties font preuve de souplesse dans les entretiens à venir, elles ne manqueront pas de s'entendre sur la question de l'admission à l'ONU.

Le Gouvernement de notre république considère que l'admission commune à l'ONU, avec un seul siège, est la façon la plus raisonnable de régler le problème; toutefois, il reste prêt à négocier toute solution qui soit propice à la réunification nationale.

B

Si la solution sud-coréenne d'"admission unilatérale à l'ONU" est retenue, cela perturbera à l'extrême les relations Nord-Sud et entraînera de nouvelles tensions dans la péninsule coréenne.

/...

10-9

0098

La question de l'admission à l'ONU doit continuer d'être examinée aux prochains entretiens de haut niveau entre le Nord et le Sud de façon à parvenir un accord.

Or, curieusement, les autorités sud-coréennes essaient de forcer leur solution d'"admission unilatérale à l'ONU", prétendant que cette question n'a pas à être réglée entre le Nord et le Sud.

Si les autorités sud-coréennes abandonnent les négociations relatives à l'admission à l'ONU lors des entretiens de haut niveau entre le Nord et le Sud, mais osent entrer unilatéralement à l'ONU, ce sera là un défi flagrant, un acte de traîtrise contre leur interlocuteur et une sorte de déclaration de rupture de dialogue.

Comme les autorités sud-coréennes, au moyen de leur politique d'"admission unilatérale à l'ONU", cherchent à perpétuer les "deux Corée" et ensuite à créer un environnement international propice à leur rêve de "réunification par absorption", nous ne pouvons que considérer qu'il s'agit là d'un affront au désir de réunification nationale et une insulte intolérable à notre souveraineté.

Nul ne peut prédire les événements qui pourraient se produire dans la péninsule coréenne si la formule d'"admission unilatérale à l'ONU" prônée par la Corée du Sud était imposée par la force, au moment où l'affrontement politique et militaire entre le Nord et le Sud devient plus dangereux que jamais du fait des manoeuvres militaires communes "Team Spirit 91" organisées par les Etats-Unis et les autorités sud-coréennes.

Les autorités sud-coréennes devraient mettre fin à leurs efforts dangereux d'"admission unilatérale à l'ONU", si elles sont véritablement intéressées par le dialogue, la réconciliation et la réunification nationale.

Si les autorités sud-coréennes osent entrer unilatéralement à l'ONU, par contre, elles porteront l'entière responsabilité de toutes les conséquences de leur acte et elles seront inévitablement considérées comme des séparatistes par notre peuple et par l'histoire.

Nous sommes persuadés que des perspectives nouvelles s'ouvriront certainement pour résoudre la question de l'admission à l'ONU, lorsqu'un climat propice à la réunification sera instauré, que le diaglogue intercoréen aura progressé et qu'une déclaration de non-agression sera adoptée.

Le Gouvernement de la République populaire démocratique de Corée est persuadé que tous les Etats Membres de l'Organisation des Nations Unies épris de paix et désireux de voir se réaliser une réunification pacifique dans la péninsule coréenne comprendront et soutiendront notre position visant à résoudre la question de l'admission à l'ONU par un dialogue Nord-Sud propice à la paix et à la réunification pacifique.

10-10

0099

공   란

공   란

STATEMENT OF THE MINISTRY OF FOREIGN AFFAIRS OF
THE REPUBLIC OF KOREA ON KOREA'S UNITED NATIONS MEMBERSHIP

27 February 1991

* In connection with the recent attempts of the North Korean
  government to distort and even slander the position of the
  Republic of Korea concerning Korea's United Nations
  membership, the Government of the Republic of Korea wishes
  to restate unequivocally its position as follows.

* It is our firm belief that the admission of both Koreas to the
  United Nations, as an interim measure pending reunification,
  should be realized at the earliest possible date, so that the
  South and the North may assume their legitimate roles as
  responsible members of the international community. However,
  in the case North Korea is unwilling or not yet ready to join
  the United Nations, the Republic of Korea intends to seek
  United Nations membership during this year in anticipation
  of the subsequent admission of North Korea. The vast majority
  of the States Members of the United Nations have expressed
  their full support for the Republic of Korea's position. This
  support, in recognition of the principle of universality of
  the United Nations and of the Republic of Korea's standing in
  the world community, was eloquently demonstrated during the
  general debate of the 45th session of the United Nations
  General Assembly in 1990.

* The Government of the Republic of Korea has made every effort
  in good faith to persuade the North to accept simultaneous
  United Nations membership, making use of all available
  occasions and channels, including Prime Ministers' talks. We
  have further proposed a means of cooperation between the South
  and the North, during their participation in the work of the
  United Nations after both have been admitted to the United
  Nations.

2~1

* Despite our exhaustive efforts, however, North Korea, through its Foreign Ministry's Aide-Memoire circulated as Security Council document S/22253 dated 22 February 1991, continues to adhere to its "single seat membership" formula, which has already been proven to be unrealistic and unworkable. North Korea also insists that neither Korea should submit an application for membership until an agreement is reached between the two Koreas, despite the fact that United Nations membership is clearly and essentially a matter between the United Nations and the State seeking membership. North Korea has even gone so far as to threaten that "no one can predict what sort of events may happen on the Korean peninsula", if the Republic of Korea is admitted to the United Nations. This attitude of North Korea not only makes the continuation of our patient pursuit of simultaneous membership practically impossible, but also runs counter to the wishes of the international community.

* The Government of the Republic of Korea once again urges North Korea to abandon its irrational and unrealistic position and join the United Nations with the Republic of Korea. We take this opportunity to state clearly that, if North Korea remains deaf to our just call, we will exercise our sovereign right to seek United Nations membership independently, before or during the 46th session of the United Nations General Assembly.

2-2

외 무 부

관리번호 91-5P2

종 별 : 지 급

번 호 : UNW-0469

일 시 : 91 0227 2030

수 신 : 장관(이규형 유엔과장)

발 신 : 주 유엔 대사

제 목 : 성명문 영문본

대:WUN-0406,0404

연:UNW(F)-088

연호 당관 수정안은 대호 본부안의 표현만 일부 수정한 것인바, 이중 주요 수정부분및 이유 아래와같음.

1.2 항 중반의 "..FIRST IN THIS YEAR." 에서 "FIRST" 를 빼고 "DURING THIS YEAR" 로함.

2.3 항에서 "DURING THE COURSE OF... TALKS " 를 "MAKING USE OF...TALKS"로수정

-유엔가입 문제가 남북대화의 의제내지 협의대상 이라는 인상을 가급적 피하기 위해 90.12.20 자 아국 안보리 문서 표현방식 사용(남북대화 계기를 활용협의) 3.3 항의 "SPECILA MODE OF COOPERATION" 은 "A MEANS OF COOPERATION" 으로 함.

-최근 한. 미 대표부 협의 과정에서 미측은 특수협력방안을 너무 강조하지 않는것이 좋겠다는 의견(홍보용이라면 별 문제이나 INSTITUTIONALIZE 하는것은 바람직하지 않다는 견해)피력.

4.4 항 말미 "...OUR ENDEAROUR MEANINGLESS" 를 "THE CONTINUATION OF OURPATIENT PURSUIT OF SIMULTANEOUS MEMBERSHIP PRACTICALLY IMPOSSIBLE" 로함.

-"ENDEAVOUR " 로만 할경우 대북한 설득 노력인지 우리의 유엔가입 노력인지 불분명하므로 부연함.

-단, 본부에서 동 표현(특히 IMPOSSIBLE) 이 너무 강하다고 생각할 경우 수정요망

5.5 항은 성명문 형태임을 감안, ROKG 로 시작하고 중반 "WISHES OF THE WORLD SOCIETY" 는 4 항에 나오므로 생략.끝

(주유엔 서대원)

미주국

검토필(1991.6.30)

공　　　　　란

남북한 유엔 가입 북한 유엔 가입 신청 및 대응 1

WUN(F)-14 1027154

Statement of the Ministry of Foreign Affairs of

the Republic of Korea

On Korea's UN Membership

Feb. 27th, 1991

o In connection with the North Korea's recent attempts to distort and
even slander the position of the Republic of Korea on Korea's UN
membership, the Government of the Republic of Korea feels obliged
to reiterate its position in an unequivocal manner as follows.

o It is our firm belief that the admission of both Koreas to the UN,
as an interim measure pending reunification, should be realized at an
earliest date, so that the South and the North can play their legitimate
roles as responsible members of the international community. However,
in case North Korea is unwilling or not yet ready to join the UN, the
Republic of Korea wants to seek UN membership first in this year in
anticipation of subsequent admission of North Korea. The vast majority
of the States Members of the UN have expressed their unswerving support
for the Republic of Korea's position in recognition of the principle of
universality set forth in the UN Charter and of the Republic of Korea's
standing in the world community. Their support was eloquently demonstrated
in their keynote speeches during the general debate of the 45th session
of the UN General Assembly in 1990.

o The Government of the Republic of Korea has made every effort in good
faith to persuade the North into accepting the simultaneous UN membership

0107

during the course of all inter-Korean meetings and contacts the including Prime Ministers' Talks. We have further proposed a concrete mode of cooperation between the two Koreas in the framework of the UN system after both Koreas being admitted to the UN.

o Despite our exhaustive efforts, North Korea, through its Foreign Ministry's Aide-Memoire circulated as Security Council document S/22253 dated 22nd February 1991, continues to stick to the so-called "Single Seat Membership" formula which already proved unrealistic and impracticable. North Korea also insists that neither Korea can file an application until an agreement is reached between the two Koreas, even though it is clear that UN membership is essentially a matter between the UN and the states wishing to join. North Korea even threatens that "no one can predict what sort of events may happen on the Korean peninsula," if the Republic of Korea is admitted to the UN. These unjustifiable attitudes of North Korea not only make our endeavour meaningless, but also run counter to the aspiration of the international community.

o Reiterating its hope that North Korea abandon, sooner than later, such an irrational and unrealistic position, the Government of the Republic of Korea urges North Korea, once again, to accept the simultaneous admission to the UN responding to the wishes of the world society. We wish to take this opportunity to make clear that, if North Korea continues to refuse our legitimate proposal, we will seek UN membership first, before or during the 46th session of the United Nations General Assembly.

0108

발 신 전 보

분류번호	보존기간

번   호 :　WUN-0413　　910227 1936　FD 종별 :

수   신 :　주　　유엔　　대사.◆◆◆◆◆아

발   신 :　장　관　　　(국연)

제   목 :　~~자료송부~~

　　　　연 :　WUN(F)-14

　　　연호■■ 별첨 FAX 자료로 대체바람.

　　　첨 부 : 동 자료 1부.　끝.

　　　　　　　　　　　　　(국제기구조약국장 문동석)

보 안 통 제	⑷⸱

양고재	91년2월2?일	유엔과	기안자성명 寿	과 장 ⑷~	국 장 전??	차 관	장 관	외신과통제

0109

Statement of the Ministry of Foreign Affairs of

the Republic of Korea

On Korea's UN Membership

Feb. 27th, 1991

o In connection with the North Korea's recent attempts to distort and even slander the position of the Republic of Korea on Korea's UN membership, the Government of the Republic of Korea wishes to reiterate its position in an unequivocal manner as follows.

o It is our firm belief that the admission of both Koreas to the UN, as an interim measure pending reunification, should be realized at an earliest date, so that the South and the North can play their legitimate roles as responsible members of the international community. However, in the case North Korea is unwilling or not yet ready to join the UN, the Republic of Korea wants to seek UN membership first in this year in anticipation of subsequent admission of North Korea. The vast majority of the States Members of the UN have expressed their unswerving support for the Republic of Korea's position in recognition of the principle of universality set forth in the UN Charter and of the Republic of Korea's standing in the world community. Their support was eloquently demonstrated in their keynote speeches during the general debate of the 45th session of the UN General Assembly in 1990.

o The Government of the Republic of Korea has made every effort in good faith to persuade the North into accepting the simultaneous UN membership

0110

during the course of all inter-Korean meetings and contacts the including Prime Ministers' Talks. We have further proposed a special mode of cooperation between the South and the North, as they participate in the work of the UN after both Koreas being admitted to the UN.

o Despite our exhaustive efforts, North Korea, through its Foreign Ministry's Aide-Memoire circulated as Security Council document S/22253 dated 22nd February 1991, continues to stick to the so-called "Single Seat Membership" formula which already proved unrealistic and imprac- ticable. North Korea also insists that neither Korea can submit an application until an agreement is reached between the two Koreas, even though it is clear that UN membership is essentially a matter between the UN and the states wishing to join. North Korea even threatens that "no one can predict what sort of events may happen on the Korean peninsula, " if the Republic of Korea is admitted to the UN. These unjustifiable attitudes of North Korea not only make our endeavour meaningless, but also run counter to the prevailing atmosphere of the international community.

o Reiterating its hope that North Korea will be abandoning soon such an irrational and unrealistic position, the Government of the Republic of Korea urges North Korea, once again, to join the U.N with the Republic of Korea responding to the wishes of the world society. We wish to take this opportunity to make clear that, if North Korea continues to refuse our legitimate proposal, we will exercise our sovereign right to seek UN membership independently before or during the 46th session of the United Nations General Assembly.

0111

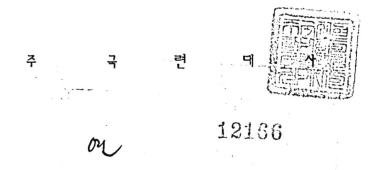

주 국 련 대 표 부

주국련 20312- **119**   1991. 2. 28.

수신 장관

참조 국제기구조약국장

제목 안보리 문서 송부 (북한 비망록)

　　　연 : UNW-0468, 0452

　　　연호, 안보리 문서로 배포된 북한 비망록 영어, 불어 및 스페인어본을
별첨 송부합니다.

　　　첨 부 : 상기 안보리 문서 각 2부.   끝.

　　　　　　　　　　　　　　　　주　　　국　　　련　　　대　　　사

　　　　　　　　　　　　　　　　　　　　　　　　　　12166

　　　　　　　　　　　　　　　　　　　　　　　　　　　　　　0112

Security Council

Distr.
GENERAL

S/22253
22 February 1991

ORIGINAL: ENGLISH

NOTE BY THE PRESIDENT OF THE SECURITY COUNCIL

The attached letter, dated 22 February 1991, was addressed to the President of the Security Council by the Permanent Observer of the Democratic People's Republic of Korea to the United Nations. In accordance with the request contained in the letter, the text is being circulated as a document of the Security Council.

91-06019 2281j (E)   /...

0113

<u>Annex</u>

<u>Letter dated 22 February 1991 from the Permanent Observer of the
Democratic People's Republic of Korea to the United Nations
addressed to the President of the Security Council</u>

I have the honour to forward to you the <u>aide-mémoire</u> of 20 February 1991 of the Ministry of Foreign Affairs of the Democratic People's Republic of Korea on United Nations membership.

I request that this letter, together with the enclosed <u>aide-mémoire</u> of the Ministry of Foreign Affairs, be circulated as a document of the Security Council.

(<u>Signed</u>) PAK Gil Yon
Ambassador
Permanent Observer

/...

0114

Enclosure

Aide-mémoire dated 20 February 1991 from the Ministry of
Foreign Affairs of the Democratic People's Republic of
Korea on United Nations membership

The Ministry of Foreign Affairs of the Democratic People's Republic of Korea deems it necessary to clarify its official position in connection with "unilateral United Nations membership" pursued by the south Korean authorities and makes public this aide-mémoire.

A

Our country's membership in the United Nations should be settled on the basis of agreement between the north and the south favourable to national reunification.

The Government of the Democratic People's Republic of Korea has maintained through the years, since its foundation, that United Nations membership is directly and inseparably related to national reunification.

The failure to achieve the correct solution to United Nations membership will inevitably raise further obstacles to the reunification of the country.

Accordingly, we maintain our consistent position to initiate reunification-oriented proposals in connection with United Nations membership and make every effort for their realization.

The Government of the Democratic People's Republic of Korea considers it best to enter the United Nations under a single State-name after reunification through confederation. But if it is on condition that the north and the south enter the United Nations with a single seat, it will have no objection to holding United Nations membership even before reunification.

Such position represents the firm will of the Korean nation to achieve the reunification at the earliest date as well as gives due consideration to the stand of the south Korean authorities calling for a hasty solution to United Nations membership.

If United Nations membership with a single seat is admitted, it will help to open up a new phase for peace and peaceful reunification on the Korean peninsula.

United Nations membership with a single seat for the north and the south appears realistic at present.

The north and the south have reached complete agreement on the participation of unified teams of the north and the south in the forty-first world table-tennis championships and the sixth world youth soccer championships at the recently held fourth inter-Korean sports talks.

/...

0115

This precedent eloquently shows that, if the north and the south pull together in conformity with the interests of the whole nation, United Nations membership could also be solved in a way conducive to the reunification.

If a fair solution to United Nations membership favourable to reunification is to be achieved, it should be based on agreement between the north and the south.

If United Nations membership is handled in favour of the stand of one side with no agreement between the north and the south, it will create other obstacles to national reunification and cause serious consequences by further aggravating the confrontation between the north and the south.

The Government of the Democratic People's Republic of Korea suggested, out of such a viewpoint, that the measures towards United Nations membership should appear as the top current agenda item for discussion in the north-south high-level talks led by prime ministers that have been held for the first time in the history of the country's division.

The south Korean authorities also admitted that United Nations membership is an internal question to be discussed and settled between the north and the south and agreed to negotiate it as a priority issue at the north-south high-level talks.

Accordingly, admission to the United Nations with a single seat has been discussed at the three rounds of the north-south high-level talks and several delegate-level talks.

We have suggested, at the talks, detailed proposals of cooperation, which substantially guarantee confidence and unity between the north and the south in the United Nations forum.

Through this process, we came to witness the commonness of the north and the south in achieving national unity and maintaining reunification-oriented relations of cooperation in the forum of the United Nations and, at the same time, became confident that, if both sides show flexibility in the coming talks, an agreement on United Nations membership is sure to be reached.

The Government of our Republic considers that the joint admission to the United Nations with a single seat is the most reasonable approach to the settlement of United Nations membership; however it keeps its big-minded position unchanged to negotiate on any solutions to United Nations membership if they are conducive to national reunification.

B

If south-Korea's "unilateral United Nations membership" is admitted, it will strain north-south relations to the extreme and eventually create further tension on the Korean peninsula.

The issue of United Nations membership should continue to be discussed at the forthcoming north-south high-level talks, to be agreed upon.

/...

0116

Notwithstanding this, the south Korean authorities, strange to say, attempt to force their "unilateral admission to the United Nations" claiming that United Nations membership is not a question to be dealt with between the north and the south.

If the south Korean authorities give up the negotiation on United Nations membership, the agenda item at the ongoing north-south high-level talks, but dare to enter the United Nations unilaterally, it will be an open challenge and treacherous act against the dialogue partner and a sort of declaration of breaking off the dialogue.

Since the south Korean authorities, through "unilateral admission to the United Nations", seek to perpetuate "two Koreas" and eventually create an international environment to realize their dream of "reunification by absorption", we cannot but take it seriously as a challenge to the desire for national reunification and an intolerable insult to our sovereignty.

No one can predict what sort of events may happen on the Korean peninsula if the "unilateral United Nations membership" of south Korea is forcibly admitted when the political and military confrontation between the north and the south grows more acute than ever before owing to the "Team Spirit '91" joint military exercises being staged by the United States and the south Korean authorities.

The south Korean authorities should put an end to their reckless attempt for "unilateral United Nations membership" if they are really interested in the dialogue, reconciliation and national reunification.

If the south Korean authorities dare to enter the United Nations unilaterally, however, they will have to take full responsibility for all consequences therefrom and inevitably get stern judgement as separatists from our people and history.

We are convinced that a new prospect will surely be brought up in the solution of United Nations membership when a reunification-oriented climate is ensured together with progress in the inter-Korean dialogue and adoption of a non-aggression declaration.

The Government of the Democratic People's Republic of Korea expresses its belief that all States Members of the United Nations desirous of peace and peaceful reunification on the Korean peninsula will show their understanding and support of our position to solve United Nations membership through the north-south dialogue conducive to the peace and peaceful reunification.

0117

NATIONS UNIES

Conseil de sécurité

S

Distr.
GENERALE

S/22253
22 février 1991
FRANCAIS
ORIGINAL : ANGLAIS

NOTE DU PRESIDENT DU CONSEIL DE SECURITE

La lettre ci-jointe, datée du 22 février 1991, a été adressée au Président du Conseil de sécurité par l'Observateur permanent de la République populaire démocratique de Corée auprès de l'Organisation des Nations Unies. Conformément à la demande qui y figure, le texte en est distribué comme document du Conseil de sécurité.

90-06020   5333R   (F)

/...

0118

ANNEXE

Lettre datée du 22 février 1991, adressée au Président
du Conseil de sécurité par l'Observateur permanent de
la République populaire démocratique de Corée auprès
de l'Organisation des Nations Unies

J'ai l'honneur de vous faire tenir ci-joint l'aide-mémoire du 20 février 1991, émanant du Ministère des affaires étrangères de la République populaire démocratique de Corée, concernant l'admission à l'Organisation des Nations Unies.

Je vous prie de bien vouloir faire distribuer la présente note, ainsi que l'aide-mémoire du Ministère des affaires étrangères, en tant que document du Conseil de sécurité.

L'Ambassadeur,

Observateur permanent

(Signé) PAK Gil Yon

/...

0119

Appendice

Aide-mémoire daté du 20 février 1991, émanant du Ministère des affaires
étrangères de la République populaire démocratique de Corée, concernant
l'admission à l'Organisation des Nations Unies

Le Ministère des affaires étrangères de la République populaire démocratique
de Corée tient à préciser sa position officielle en ce qui concerne la politique
d'"admission unilatérale à l'ONU" poursuivie par les autorités sud-coréennes, et
publie à cette fin le présent aide-mémoire.

A

La question de l'admission de notre pays à l'ONU doit être réglée sur la base
d'un accord entre le Nord et le Sud, favorable à la réunification nationale.

Le Gouvernement de la République populaire démocratique de Corée maintient
systématiquement, depuis sa fondation, que la question de l'admission à l'ONU est
directement et inséparablement liée à la réunification nationale.

Si une solution correcte n'est pas apportée à cette question, cela créera
inévitablement de nouveaux obstacles à la réunification du pays.

Par conséquent, dans le cadre de notre position immuable, nous continuons à
lancer, en ce qui concerne l'admission à l'ONU, des propositions tournées vers la
réunification et nous faisons tout notre possible pour qu'elles se réalisent.

Le Gouvernement de la République populaire démocratique de Corée considère
qu'il vaut mieux que le pays soit admis à l'ONU sous un seul nom après la
réunification sous forme de confédération. Cela dit, à condition toutefois que
le Nord et le Sud soient admis à l'Organisation des Nations Unies comme un seul
Membre, il n'aura pas d'objection à ce que l'admission à l'ONU se fasse même avant
la réunification.

Cette position procède de la ferme volonté de la nation coréenne de réaliser
la réunification le plus tôt possible et tient compte en même temps de la position
des autorités sud-coréennes qui souhaitent que la question de l'admission à l'ONU
soit réglée rapidement.

Si l'on admet l'idée de l'admission d'un seul Membre à l'ONU, une nouvelle ère
de paix et de réunification pacifique s'ouvrira dans la péninsule coréenne.

La possibilité que le Nord et le Sud occupent un seul siège à l'ONU paraît
réaliste actuellement.

Lors de la quatrième série des entretiens qu'ils ont tenus récemment à propos
de sports, le Nord et le Sud sont en effet convenus qu'ils enverraient des équipes
mixtes participer aux 41 championnats mondiaux de ping-pong et aux 6e championnats
mondiaux de football junior.

/...

0120

Ce précédent montre éloquemment que, si le Nord et le Sud joignent leurs efforts conformément aux intérêts de la nation tout entière, la question de l'admission à l'ONU peut également être résolue de façon à promouvoir la réunification.

Pour qu'une solution équitable, favorable à la réunification, puisse être mise au point, il faut qu'elle soit fondée sur un accord entre le Nord et le Sud.

Si la question de l'admission à l'ONU est réglée suivant la position de l'une des parties sans qu'il y ait accord entre le Nord et le Sud, cela créera de nouveaux obstacles s'opposant à la réunification nationale et entraînera de graves conséquences, en intensifiant encore l'affrontement entre le Nord et le Sud.

Le Gouvernement de la République populaire démocratique de Corée a suggéré, dans cette optique, que la politique à suivre concernant l'admission à l'ONU devrait être le point prioritaire de l'ordre du jour des pourparlers de haut niveau entre les Premiers Ministres du Nord et du Sud, tenus pour la première fois depuis la division du pays.

Les autorités sud-coréennes ont également admis que la question de l'admission à l'ONU est une question interne qui doit être examinée et réglée entre le Nord et le Sud et elles ont accepté de la négocier en priorité aux entretiens de haut niveau entre le Nord et le Sud.

En conséquence, la question de l'admission d'un seul Membre à l'ONU, a été examinée aux trois séries d'entretiens de haut niveau entre le Nord et le Sud et à plusieurs entretiens de niveau inférieur.

Nous avons avancé, lors de ces entretiens, des propositions détaillées de coopération qui contribuent à garantir la confiance et l'unité entre le Nord et le Sud au sein de l'ONU.

Dans le cadre de ce processus, nous avons pu constater que le Nord et le Sud sont tous les deux désireux de réaliser l'unité nationale et de maintenir des relations de coopération orientées vers la réunification au sein de l'ONU et, en même temps, nous sommes devenus persuadés que, si les deux parties font preuve de souplesse dans les entretiens à venir, elles ne manqueront pas de s'entendre sur la question de l'admission à l'ONU.

Le Gouvernement de notre république considère que l'admission commune à l'ONU, avec un seul siège, est la façon la plus raisonnable de régler le problème; toutefois, il reste prêt à négocier toute solution qui soit propice à la réunification nationale.

B

Si la solution sud-coréenne d'"admission unilatérale à l'ONU" est retenue, cela perturbera à l'extrême les relations Nord-Sud et entraînera de nouvelles tensions dans la péninsule coréenne.

/...

0121

La question de l'admission à l'ONU doit continuer d'être examinée aux prochains entretiens de haut niveau entre le Nord et le Sud de façon à parvenir un accord.

Or, curieusement, les autorités sud-coréennes essaient de forcer leur solution d'"admission unilatérale à l'ONU", prétendant que cette question n'a pas à être réglée entre le Nord et le Sud.

Si les autorités sud-coréennes abandonnent les négociations relatives à l'admission à l'ONU lors des entretiens de haut niveau entre le Nord et le Sud, mais osent entrer unilatéralement à l'ONU, ce sera là un défi flagrant, un acte de traîtrise contre leur interlocuteur et une sorte de déclaration de rupture de dialogue.

Comme les autorités sud-coréennes, au moyen de leur politique d'"admission unilatérale à l'ONU", cherchent à perpétuer les "deux Corée" et ensuite à créer un environnement international propice à leur rêve de "réunification par absorption", nous ne pouvons que considérer qu'il s'agit là d'un affront au désir de réunification nationale et une insulte intolérable à notre souveraineté.

Nul ne peut prédire les événements qui pourraient se produire dans la péninsule coréenne si la formule d'"admission unilatérale à l'ONU" prônée par la Corée du Sud était imposée par la force, au moment où l'affrontement politique et militaire entre le Nord et le Sud devient plus dangereux que jamais du fait des manoeuvres militaires communes "Team Spirit 91" organisées par les Etats-Unis et les autorités sud-coréennes.

Les autorités sud-coréennes devraient mettre fin à leurs efforts dangereux d'"admission unilatérale à l'ONU", si elles sont véritablement intéressées par le dialogue, la réconciliation et la réunification nationale.

Si les autorités sud-coréennes osent entrer unilatéralement à l'ONU, par contre, elles porteront l'entière responsabilité de toutes les conséquences de leur acte et elles seront inévitablement considérées comme des séparatistes par notre peuple et par l'histoire.

Nous sommes persuadés que des perspectives nouvelles s'ouvriront certainement pour résoudre la question de l'admission à l'ONU, lorsqu'un climat propice à la réunification sera instauré, que le diaglogue intercoréen aura progressé et qu'une déclaration de non-agression sera adoptée.

Le Gouvernement de la République populaire démocratique de Corée est persuadé que tous les Etats Membres de l'Organisation des Nations Unies épris de paix et désireux de voir se réaliser une réunification pacifique dans la péninsule coréenne comprendront et soutiendront notre position visant à résoudre la question de l'admission à l'ONU par un dialogue Nord-Sud propice à la paix et à la réunification pacifique.

0122

NACIONES UNIDAS

S

Consejo de Seguridad

Distr.
GENERAL

S/22253
22 de febrero de 1991
ESPAÑOL
ORIGINAL: INGLES

NOTA DEL PRESIDENTE DEL CONSEJO DE SEGURIDAD

La carta adjunta, de fecha 22 de febrero de 1991, fue dirigida al Presidente del Consejo de Seguridad por el Observador Permanente de la República Popular Democrática de Corea ante las Naciones Unidas. De conformidad con lo solicitado en la carta, el texto se distribuye como documento del Consejo de Seguridad.

91-06022 1217c

/...

ANEXO

**Carta de fecha 22 de febrero de 1991 dirigida al Presidente del
Consejo de Seguridad por el Observador Permanente de la República
Popular Democrática de Corea ante las Naciones Unidas**

Tengo el honor de enviarle el memorando de fecha 20 de febrero de 1991 del Ministerio de Relaciones Exteriores de la República Popular Democrática de Corea relativo a la calidad de miembro de las Naciones Unidas.

Solicito que esta carta, junto con el memorando adjunto del Ministerio de Relaciones Exteriores, se distribuya como documento del Consejo de Seguridad.

(Firmado) PAK Gil Yon
Embajador
Observador Permanente

/...

0124

Documento adjunto

Memorando de fecha 20 de febrero de 1991 del Ministerio de Relaciones
Exteriores de la República Popular Democrática de Corea relativo a la
calidad de miembro de las Naciones Unidas

El Ministerio de Relaciones Exteriores de la República Popular Democrática de
Corea considera necesario esclarecer su posición oficial en relación con la
solicitud de admisión unilateral como miembro de las Naciones Unidas de las
autoridades de Corea del Sur y que se da a conocer en este memorando.

A

1.   La calidad de miembro de las Naciones Unidas de nuestro país debería
resolverse sobre la base de un acuerdo entre el Norte y el Sur favorable a la
reunificación nacional.

El Gobierno de la República Popular Democrática de Corea ha sostenido a lo
largo de los años, desde su fundación, que la calidad de miembro de las Naciones
Unidas está directa e inseparablemente relacionada con la unificación nacional.

La falta de una solución adecuada con respecto a la calidad de miembro de las
Naciones Unidas inevitablemente dificultará aún más la reunificación del país.

En consecuencia, mantenemos nuestra firme posición de iniciar propuestas de
reunificación relacionadas con la calidad de miembro de las Naciones Unidas y de
hacer todo lo posible para alcanzar esa reunificación.

El Gobierno de la República Popular Democrática de Corea considera que la
manera más adecuada de entrar a formar parte de las Naciones Unidas es como un solo
Estado después de la reunificación mediante una confederación. Pero si la
condición es que el Norte y el Sur ocupen un solo puesto en las Naciones Unidas no
se opondrá a la obtención de la calidad de miembro de las Naciones Unidas incluso
antes de la reunificación.

Esta posición refleja la firme voluntad de la nación coreana de lograr la
reunificación lo antes posible, teniendo debidamente en cuenta la posición de las
autoridades de Corea del Sur en cuanto a una rápida solución de la cuestión de su
aceptación como miembro de las Naciones Unidas.

Si se acepta la calidad de miembro de las Naciones Unidas como un solo Estado,
ello ayudará a que se inicie una nueva etapa en el logro de la paz y reunificación
pacífica en la península de Corea.

La calidad de miembro de las Naciones Unidas del Norte y el Sur como una sola
entidad es una aspiración realista.

El Norte y el Sur se han puesto plenamente de acuerdo sobre la participación
de equipos unificados del Norte y el Sur en el 41° Campeonato Mundial de Tenis de
Mesa y en el Sexto Campeonato Mundial de Fútbol Juvenil celebrado como parte de las
cuartas reuniones deportivas entre las dos Coreas celebradas recientemente.

/...

0125

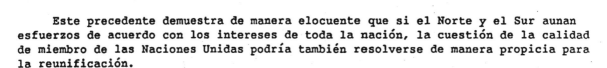

Este precedente demuestra de manera elocuente que si el Norte y el Sur aunan esfuerzos de acuerdo con los intereses de toda la nación, la cuestión de la calidad de miembro de las Naciones Unidas podría también resolverse de manera propicia para la reunificación.

Si quiere lograrse una solución justa y favorable a la reunificación de la cuestión de la calidad de miembro de las Naciones Unidas, esa solución deberá basarse en un acuerdo entre el Norte y el Sur.

Si la aceptación como miembro de las Naciones Unidas se otorga a una de las partes, sin un acuerdo previo entre el Norte y el Sur, se creará con ello un obstáculo más para la reunificación nacional, y se agravarán aún más las posibilidades de enfrentamiento entre el Norte y el Sur.

El Gobierno de la República Popular Democrática de Corea sugirió, partiendo de este punto de vista, que las cuestiones relativas a las Naciones Unidas sean el tema más importante del programa para el debate en las conversaciones de alto nivel entre el Norte y el Sur celebradas por los primeros ministros, por primera vez en la historia de la división del país.

Asimismo, las autoridades de Corea del Sur aceptaron que la calidad de miembro de las Naciones Unidas es una cuestión interna que debe discutirse y resolverse entre el Norte y el Sur y convinieron en negociar la cuestión con carácter prioritario en las conversaciones de alto nivel entre el Norte y el Sur.

En consecuencia, la admisión como un solo miembro de las Naciones Unidas se debatió en las tres rondas de conversaciones de alto nivel entre el Norte y el Sur y en varias conversaciones de delegados.

En esas conversaciones, formulamos una propuesta detallada de cooperación para garantizar de manera sustantiva la confianza y la unidad entre el Norte y el Sur en el foro de las Naciones Unidas.

A través de este proceso, hemos comprobado las coincidencias del Norte y el Sur en lo que hace a lograr la unidad nacional y mantener relaciones de cooperación con miras a la reunificación en el foro de las Naciones Unidas. Tenemos en consecuencia la esperanza de que, si ambas partes muestran flexibilidad en las conversaciones futuras, podrá sin duda llegarse a un acuerdo sobre la calidad de miembro de las Naciones Unidas.

El Gobierno de nuestra República entiende que la admisión conjunta como un solo miembro de las Naciones Unidas es el método más razonable; sin embargo, sigue dispuesto a negociar sobre la base de cualquier solución de la cuestión relativa a la calidad de miembro siempre que con ella se favorezca la reunificación nacional.

B

2.   Si se acepta la "solicitud de admisión unilateral como miembro de las Naciones Unidas" de Corea del Sur, ello dificultará las relaciones entre el Norte y el Sur y exacerbará la tensión en la península de Corea.

/...

0126

La cuestión de la calidad de miembro de las Naciones Unidas debe seguir examinándose en las conversaciones futuras de alto nivel entre el Norte y el Sur.

Sin embargo, las autoridades de Corea del Sur, por extraño que parezca, intentan forzar su admisión unilateral como miembro de las Naciones Unidas, afirmando que la calidad de miembro de las Naciones Unidas no es una cuestión que deba ser tratada entre el Norte y el Sur.

Si las autoridades de Corea del Sur abandonan las negociaciones relativas a la calidad de miembro de las Naciones Unidas, como parte de las actuales conversaciones de alto nivel entre el Norte y el Sur y Corea del Sur ingresa unilateralmente como miembro de las Naciones Unidas, ello constituirá un acto de traición contra la otra parte en el diálogo y una declaración de ruptura del diálogo.

Si las autoridades de Corea del Sur, mediante su admisión unilateral como miembro de las Naciones Unidas, tratan de perpetuar la existencia de dos Coreas y de crear las condiciones internacionales para hacer realidad su sueño de "reunificación mediante la absorción" tendremos que interpretar ese acto como un desafío al deseo de reunificación nacional y como un insulto intolerable a nuestra soberanía.

Nadie puede predecir qué ocurrirá en la península de Corea si se acepta la admisión unilateral como miembro de las Naciones Unidas solicitada por Corea del Sur en momentos en que los enfrentamientos políticos y militares entre el Norte y el Sur se agudizan a causa del ejercicio militar conjunto "Team Spirit 91", entre los Estados Unidos y Corea del Sur.

Las autoridades de Corea del Sur deben abandonar su intento de admisión unilateral como miembro de las Naciones Unidas si están realmente interesadas en el diálogo, la reconciliación y la reunificación nacional.

Si las autoridades de Corea del Sur se atreven a ingresar unilateralmente a las Naciones Unidas, tendrán que asumir la plena responsabilidad de sus actos y recibirán inevitablemente el juicio severo de separatistas de nuestro pueblo y de la historia.

Estamos convencidos de que surgirán nuevas posibilidades para la solución de la cuestión de la admisión en calidad de miembro de las Naciones Unidas cuando se establezca un clima de reunificación, se logren progresos en el diálogo entre las dos Coreas y se apruebe una declaración de no agresión.

El Gobierno de la República Popular Democrática de Corea expresa su convicción de que todos los Estados Miembros de las Naciones Unidas amantes de la paz y que desean la reunificación pacífica en la península de Corea comprenderán y apoyarán nuestra posición tendiente a que la cuestión de la calidad de miembro de las Naciones Unidas se resuelva mediante el diálogo entre el Norte y el Sur y teniendo como meta la paz y la reunificación pacífica.

0127

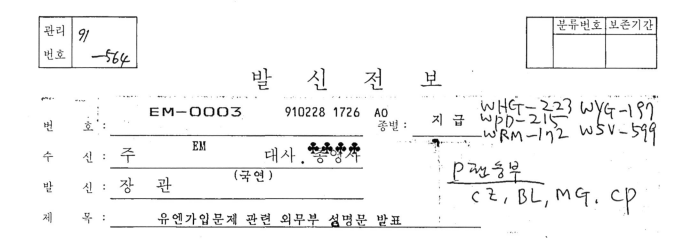

발 신 전 보

	분류번호	보존기간

번 호 : EM-0003   910228 1726 AO   종별 : 지급

수 신 : 주   EM   대사. 총영사
                    (국연)

발 신 : 장 관

제 목 : 유엔가입문제 관련 외무부 성명문 발표

연 : EM-0002

연호 북측외교부 비망록이 2.26. 유엔안보리 회람문서로 배포된데
대하여 본부는 2.27. 별첨 외무부성명을 발표하였는 바, 주재국측
접촉 및 대언론홍보시 적의 참고바람.

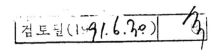

검토필(1991.6.30)

예 고 : 91.12.31. 일반고문에
        의거 일반문서로 재분류됨

(국제기구조약국장 문동석)

	보 안 통 제	내1,

앙 고 재	91년 2월 27일	유 민 과	기안자 성명 김승진	과 장 내1	국 장 전결	차 관	장 관 ㅏ	외신과통제

0128

관리				분류번호	보존기간
번호					

발 신 전 보

번   호 : **EM—0004**   910228 1732 FD종별 : 지 급

수   신 : 주   EM   대사.♣♣♣♣차

발   신 : 장   관   (국연)

제   목 : 외무부 성명문
유엔가이,문제과리견

2.27. 발표한 외무부 성명문 영문본 별첨 타전함.

첨   부 : 표제 성명문 1부.   끝.

(국제기구조약국장 문동석)

		보 안 통 제								외신과통제
앙 고 재	91 년 2 월 28 일	유 엔 과	기안자 성명 김성희	과 장	국 장 전결		차 관	장 관		

0129

관리	9/
번호	—563

분류번호	보존기간

발 신 전 보

번 호 : WUN-0420   910228 1756   FD종별 : 지급

수 신 : 주   유엔   대사 ♣ ♣ ♣ ♣ ♣ 사

발 신 : 장 관   (국연)

제 목 : 북한 비망록 대응

대 : UNW-0466

본부는 금후 적절한 시기에 우리의 기본입장을 종합적으로 정리, 안보리문서로 배포토록 할 예정인바, 금번 성명문은 대호 건의대로 귀관명의 Press Release로 배포바람.   끝.

예 고 : 91 2.31. 일반예고문에 검토필 91.6.30 의거 일반문서로 재분류함

(국제기구조약국장 문동석)

보 안 통 제	Uy.

앙 고 재	91년 2월 28일	유엔 과	기안 작성 자 명	과 장	국 장	차 관	장 관	외신과통제
		숭		Uy.	h		✗	

0130

6

주 국 련 대 표 부

주국련(공) 35260- 122   1991. 2. 28.

수신 장관

참조 국제기구조약국장, 해외공보관장, 정보문화국장

제목 프레스 릴리스 송부

    1. WUN-0420 의 관련입니다.

    2. 대호관련 당 대표부 제작 프레스 릴리스를 별첨과 같이 송부합니다.

첨 부 : 동 자료 1부.   끝.

                주   국   련   대

                                       12164

                    or   0131

REPUBLIC OF KOREA

PERMANENT OBSERVER MISSION TO THE UNITED NATIONS
866 UNITED NATIONS PLAZA, SUITE 300, NEW YORK, N.Y. 10017. TEL: 371-1280

No. 06/91   28 February 1991

PRESS RELEASE

STATEMENT OF THE MINISTRY OF FOREIGN AFFAIRS OF

THE REPUBLIC OF KOREA ON KOREA'S UNITED NATIONS MEMBERSHIP

ISSUED ON 27 FEBRUARY 1991

In connection with North Korea's recent attempts to distort
and even slander the position of the Republic of Korea
concerning Korea's United Nations membership, the Government
of the Republic of Korea wishes to restate unequivocally its
position as follows.

It is our firm belief that the admission of both Koreas to the
United Nations, as an interim measure pending reunification,
should be realized at the earliest possible date, so that the
South and the North may assume their legitimate roles as
responsible members of the international community. However,
in the case North Korea is unwilling or not yet ready to join
the United Nations, the Republic of Korea intends to seek
United Nations membership during this year in anticipation
of the subsequent admission of North Korea. The vast majority
of the States Members of the United Nations have expressed
their full support for the Republic of Korea's position. This
support, in recognition of the principle of universality of
the United Nations and of the Republic of Korea's standing in
the world community, was eloquently demonstrated during the
general debate of the 45th session of the United Nations
General Assembly in 1990.

0132

The Government of the Republic of Korea has made every effort in good faith to persuade the North to accept simultaneous United Nations membership, making use of all available occasions and channels, including Prime Ministers' talks. We have further proposed a means of cooperation between the South and the North, during their participation in the work of the United Nations after both have been admitted to the United Nations.

Despite our exhaustive efforts, North Korea, through its Foreign Ministry's Aide-Memoire circulated as Security Council document S/22253 dated 22 February 1991, continues to adhere to its "single seat membership" formula, which has already been proven to be unrealistic and unworkable. North Korea also insists that neither Korea can submit an application for membership until an agreement is reached between the two Koreas, despite the fact that United Nations membership is clearly and essentially a matter between the United Nations and the States seeking membership. North Korea has even gone so far as to threaten that "no one can predict what sort of events may happen on the Korean peninsula", if the Republic of Korea is admitted to the United Nations. This attitude of North Korea not only makes the continuation of our patient pursuit of simultaneous membership practically impossible, but also runs counter to the wishes of the international community.

The Government of the Republic of Korea once again urges North Korea to abandon its irrational and unrealistic position and join the United Nations with the Republic of Korea. We take this opportunity to state clearly that, if North Korea remains deaf to our just call, we will exercise our sovereign right to seek United Nations membership independently, before or during the 46th session of the United Nations General Assembly.

0133

원 본

외 무 부

종 별 :

번 호 : UNW-0483

일 시 : 91 0228 1800

수 신 : 장관(국연,해기,기정)(사본:노창희대사)

발 신 : 주 유엔 대사

제 목 : 북한 비망록대응

대:WUN-0420, EM-0004

연:UNW-0466

대호 아측 성명문을 금 2.28(금) 별첨과같이 당관 프레스릴리스로 작성, 배포하였음.

첨부:당관 프레스릴리스:UNW(F)-093

끝

(대사대리 신기복-국장)

예고:91.12.31..일반

검토필('91.6.30)

국기국 공보처	장관	차관	1차보	2차보	외연원	대사실	청와대	안기부

PAGE 1

91.03.01   11:17

외신 2과 통제관 DG

0134

#별첨

UNW(F)-093   10228 1800
(국연.해기. 기장) (사본: 노창희 대사)

REPUBLIC OF KOREA

총 2대

PERMANENT OBSERVER MISSION TO THE UNITED NATIONS
866 UNITED NATIONS PLAZA, SUITE 300, NEW YORK, N.Y. 10017. TEL: 371-1280

No. 06/91   28 February 1991

<u>PRESS RELEASE</u>

<u>STATEMENT OF THE MINISTRY OF FOREIGN AFFAIRS OF</u>

<u>THE REPUBLIC OF KOREA ON KOREA'S UNITED NATIONS MEMBERSHIP</u>

<u>ISSUED ON 27 FEBRUARY 1991</u>

In connection with North Korea's recent attempts to distort
and even slander the position of the Republic of Korea
concerning Korea's United Nations membership, the Government
of the Republic of Korea wishes to restate unequivocally its
position as follows.

It is our firm belief that the admission of both Koreas to the
United Nations, as an interim measure pending reunification,
should be realized at the earliest possible date, so that the
South and the North may assume their legitimate roles as
responsible members of the international community. However,
in the case North Korea is unwilling or not yet ready to join
the United Nations, the Republic of Korea intends to seek
United Nations membership during this year in anticipation
of the subsequent admission of North Korea. The vast majority
of the States Members of the United Nations have expressed
their full support for the Republic of Korea's position. This
support, in recognition of the principle of universality of
the United Nations and of the Republic of Korea's standing in
the world community, was eloquently demonstrated during the
general debate of the 45th session of the United Nations
General Assembly in 1990.

2 -1

0135

177 P07   LENINPROTOCOL   '91-03-01 07:51

The Government of the Republic of Korea has made every effort in good faith to persuade the North to accept simultaneous United Nations membership, making use of all available occasions and channels, including Prime Ministers' talks. We have further proposed a means of cooperation between the South and the North, during their participation in the work of the United Nations after both have been admitted to the United Nations.

Despite our exhaustive efforts, North Korea, through its Foreign Ministry's Aide-Memoire circulated as Security Council document S/22253 dated 22 February 1991, continues to adhere to its "single seat membership" formula, which has already been proven to be unrealistic and unworkable. North Korea also insists that neither Korea can submit an application for membership until an agreement is reached between the two Koreas, despite the fact that United Nations membership is clearly and essentially a matter between the United Nations and the States seeking membership. North Korea has even gone so far as to threaten that "no one can predict what sort of events may happen on the Korean peninsula", if the Republic of Korea is admitted to the United Nations. This attitude of North Korea not only makes the continuation of our patient pursuit of simultaneous membership practically impossible, but also runs counter to the wishes of the international community.

The Government of the Republic of Korea once again urges North Korea to abandon its irrational and unrealistic position and join the United Nations with the Republic of Korea. We take this opportunity to state clearly that, if North Korea remains deaf to our just call, we will exercise our sovereign right to seek United Nations membership independently, before or during the 46th session of the United Nations General Assembly.

2-2

0136

기 안 용 지

분류기호 문서번호	국연 ~~~0802~~ 7646	(전화:)	시 행 상 특별취급	
보존기간	영구·준영구· 10. 5. 3. 1	장		관
수 신 처 보존기간				
시행일자	1991. 2. 28.			

보조 기관	국 장	전 결	협 조 기 관		문서통제 1991. 3. 4
	과 장	*(서명)*			
기안책임자		여승배			발 송 인

경 유			발 신 명 의	반 수 승 1991. 2 4 외무부
수 신	전재외공관장			
참 조				

제 목	북한 외교부 비망록 ~~관련~~ 관련자료 송부

연 : EM-0002 (91.2.26)

연호 91.2.26. 안보리 회람문서로 배포된 북한외교부

비망록(2.20자) 관련 국내 언론에 홍보된 동 보도 참고자료를

별첨 송부하오니 귀관 업무에 참고하시기 바랍니다.

첨 부 : 표제자료 1부. 끝.

0137

대 한 민 국
외 무 부
(관인생략)

7646

국연 2031-   1991. 3. 2.

수신   전재외공관장

제목   북한 외교부 비망록 관련자료 송부

       연 : EM-0002 (91.2.26)

       연호 91.2.26. 안보리 회람문서로 배포된 북한외교부 비망록
(2.20자) 관련 국내 언론에 홍보된 동 보도 참고자료를 별첨 송부하오니
귀관 업무에 참고하시기 바랍니다.

첨 부 : 표제자료 1부.

외 무 부 장 관

국제기구조약국장 전결

0138

외 무 부

종 별 :

번 호 : TTW-0035　　　　　　　　　　　일 시 : 91 0304 1701

수 신 : 장관(국연,미중)

발 신 : 주 트리니 다드대사

제 목 : 유엔가입문제 관련 성명문

　　　대:EM-0003,0004

　　　당관은 유엔가입문제 관련 2.27 발표한 대호 성명문을 본직명의 서한(2.28 자)을 첨부, 관할 8 개국 외무장관에게 송보하였음을 우선 보고함. 끝

　　　(대사 박부열-국장)

국기국　　장관　　차관　　1차보　　2차보　　미주국

PAGE 1　　　　　　　　　　　　　　　　91.03.05　　08:46

유엔加入問題에 관한 外務部長官 言及內容

(定例記者會見. 1991.3.8.)

◦ 最近들어 北韓은 유엔加入 問題와 關聯하여, 우리의 立場을 歪曲하고 非難 하고 있음. 그들은 勞動新聞 論評(2.19. 및 3.2.字) 및 유엔 安保理文書로 配布된 外交部 備忘錄(2.20자)等을 통하여 單一議席 加入案을 固執하면서, 우리의 유엔加入 推進努力을 分斷 固着化 策動이라고 非難하고 있으며, 심지어 우리가 유엔에 加入하는 것은 獨逸式 吸收統一을 하자는 것으로서 韓半島가 戰爭의 危險에 直面할지 모른다고 威脅的인 言辭를 使用하였음.

◦ 우리는 이러한 北韓의 言動이 國際社會에서 通用되지 않는 극히 非正常的인 反應으로서 심히 유감스럽게 생각하는 바임.

◦ 주지하는 바와 같이 北韓의 '南北韓 單一議席 加入案'은 무엇보다도 우선 加入에 관한 유엔憲章의 規定(제 4조)에 違背되어 法的인 問題点이 있는 것은 말할것도 없고, 現實的으로도 實現不可能한 것임은 구태어 詳細하게 言及할 必要도 없을 것임.

0140

o 또한 北韓이 유엔加入은 分斷을 固着化한다고 主張하는 것은 昨年 分斷國
   이었던 예멘이나 獨逸이 統一을 達成한 예를 보더라도 아무런 說得力이 없는
   것임. 우리가 南北韓이 함께 유엔에 加入하자는 것은 유엔의 普遍性 原則에
   부합될 뿐만 아니라, 國際社會의 責任있는 一員으로서 응분의 役割을 하자
   는데 그 目的이 있지만, 우리가 分斷된 國家라는 特殊한 事情을 감안할때
   오히려 함께 加入하는 것이 統一을 促進할 것이며 統一을 妨害한다는 것은
   근거가 없음. 우리의 統一 努力이라는 側面에서 본다면 "統一하기 위해서도
   南北韓이 함께 유엔에 加入하자 "는 이야기가 合當하다고 봄.

o 또한 우리가 유엔加入을 통하여 獨逸式 吸收統一을 기도하고 있다는 北韓의
   非難과 관련, 우리가 유엔에 들어가 國際社會에서 韓半島에서 우리이외의
   存在를 否定하겠다는 것이 아님에도 不拘하고, 北側이 그렇게 말하고 있는
   것은 妥當치 않음. 우리가 北韓과 함께 유엔에 加入하려는 것은 무엇보다도
   南北韓이 現實을 土臺로 유엔의 目的과 精神을 尊重하는 가운데 交流와
   協力을 增進시키고 信賴를 쌓아, 窮極的으로 平和的 統一 달성에 寄與해
   나가자는 것임. 이와관련, 우리는 이미 南北韓이 유엔에 加入한 以後에도
   統一指向的인 協力方案을 摸索해 나갈 것을 具體的으로 提案한 바 있음을
   상기할 필요가 있음.

o 이 機會에 다시한번 우리의 立場을 分明히 하고자 함. 우리는 今年內 北韓이 우리와 함께 유엔에 加入할 것을 希望하고 있으며, 앞으로도 이의 實現을 위해 모든 可能한 努力을 다하고자 함. 北韓은 터무니없는 主張과 事實 歪曲을 中止하고 유엔加入 問題에 관해 하루빨리 現實的인 立場을 취해 주기를 촉구하는 바임.

o 政府로서는 北韓側이 계속 反對할 경우에는 우리가 먼저 加入하는 것이 北韓의 加入도 促進하는 契機가 될 것으로 믿고 있음.

0142

민족앞에 책임지게될 것이다.(로동신문 논평)

- 유엔단독가입문제관련

'91. 3. 11. 09:25, 북한 중앙방송

노00일당의 두 개조선 조작책동이 극히 엄중한 단계에 이르렀다.

지난 8일, 괴뢰외무부장관이라는 자가 기자간담회라는 데서 남북회담에서 유엔가입문제를 더이상 논의하는 것은 비생산적이며 저들의 유엔가입이 지연될뿐이라는 등의 망발을 늘어놓으면서 범죄적인 유엔단독 가입책동이 본격화 되고 있음을 공공연히 시사하였다.

괴뢰는 이보다 앞서 2일에 미국주재 남조선대사, 유엔주재 대사 임명자 등과 유엔가입 대책회의라는 것을 벌려놓고 만전재 종식에 따라 본격적인 유엔가입 노력을 기우릴데 대하여 모의하였다.

괴뢰들은 또한 다음달 16일에 재외공관장회의를 소집하고 유엔단독가입을 위해 해당나라 정부들과의 교섭을 강화하라는 외교 지침을 내릴것이라고 발표하였다.

이것은 노00일당의 유엔단독가입책동이 실제적인 범행단계에 들어서고 있음을 보여주는 것으로써 괴뢰들이야 말로 천추에 용납 못할 극악한 분열주의자, 매국역적의 무리라는 것을 보여주는 명백한 증거이다.

- 1 -

0143

분렬된 우리나라에서 북과 남이 유엔에 가입하는 문제는 민족의 사활적 요구인 조국통일문제와 직결된 매우 신중한 민족내부 문제이며 마땅이 민족적 합의에 의하여 이루어져야한다.

이로부터 우리는 이미 연방제통일이 실현된 다음 북과 남이 단일한 국호를 가지고 유엔에 가입하는 것이 가장 좋지만 그 전에 들어가는 경우에는 하나의 의석을 가지고 가입할 것을 제기하였으며 지난해부터 북남고위급회담에서 유엔가입문제를 긴급의제로 제기하고 협상을 통하여 토의 해결하기위해 성의있는 노력을 다하였다.

그러나 남조선괴뢰들은 우리가 내놓은 통일지향적인 유엔가입 대책안을 거부하고 한사코 유엔단독가입을 추구함으로써 유엔가입문제와 관련한 북남당국의 협상을 파괴하는 용납못할 반역의 길에 들어섰다.

괴뢰들이 유엔가입문제를 우리와 더 논의하지 않겠다는것은 범죄적인 유엔단독가입을 기정 사실화하고 우리와의 대화 결렬을 선포한 것이나 다름없는 사실상의 분렬선언이다.

외세에 의하여 근 반세기동안이나 분렬의 비극을 강요 당해온 우리 민족에게 있어서 통일은 더는 미룰수 없는 민족지상의 과제이다.

지금 온 겨레는 '90년대 통일을 목표로 거족적인 대진군에 떨쳐 나섰다.

－ 2 －

0144

온 겨레가 분열을 끝장내고 높이 나가는 때에 괴뢰들이 유엔단독 가입으로 분열을 국제적으로 합법화, 고착화 하려는 것은 온민족에 대한 전면 도전이며 흉악한 매국 배족 행위이다.

괴뢰들은 저들의 범죄행위를 정당화 하려고 누구의 태도변화에 대하여 떠버리고 있는데 다시한번 명백히 하건데 우리는 유엔 동시가입이건 단독가입이건 노00일당의 민족분열 책동에 절대로 보조를 같이 할수 없다.

남조선의 유엔단독 가입은 돌이킬수 없는 엄중한 후과를 빚어내게 될 것이다.

괴뢰들의 유엔단독 가입은 북남대화의 길을 막고 북남관계를 더욱 악화시켜 겨레에게 새로운 대결과 전쟁의 위험을 가져오게될 것이며 결국 조국통일의 앞길에 무거운 먹구름을 드리우게 할 것이다.

남조선 괴뢰들은 통일을 요구하는 온민족의 항의와 우리의 성의 있는 권고를 뿌리치고 스스로 분열의 길을 택한이상 세계 면전에서 분열의 책임을 그들 자신이 져야한다.

만일 노00일당이 끝끝내 유엔단독 가입을 강행한다면 나라를 팔아먹은 이완용, 송병준과 같이 민족과 역사, 후대들 앞에 영원히 매국역적의 오명을 쓰게될 것이며 역사와 민족의 준엄한 심판을 받을 것이다.

- 3 -

0145

주　몽　골　대　사　관

몽골 20311-77   1991.5.21

수신: 외무부장관

참조: 국제기구조약국장

제목: 유엔가입 북한 비망록 송부

　　　연: MGW-260

　　연호 북한의 유엔가입에 대한 비망록을 별첨 송부 합니다.

　　　첨부: 동비망록 및 번역문 사본 각 1부, 끝.

0146

1991.2.20 자 조선민주주의 인민공화국 외교부 비망록(내용)

1. 남·북한(Korea)의 유엔가입 문제는 통일에 유익하게 북·남간 협상과 합의에 따라 결정될 문제임.

단일의석하에의 유엔가입제안은 조국통일을 위한 한민족의 염원과 유엔가입문제를 조기해결코저하는 남한 지도층의 요구사항을 충족시키는 것임. 제4차 북·남체육 회담에서 제41차 세계테니스 선수권대회와 제6차 세계청소년 축구선수권대회에 단일팀을 보내기로 합의했음은 북·남민족의 이익과 통일에 합치되도록 공동의 노력으로써 유엔가입문제를 타결할수 있는 가능성을 보여주고 있음.

만약 동유엔가입문제를 어느 일방의 요구에 의해 해결한다면, 이는 통일을 어렵게 만들것이며, 북·남간 대결상황을 심화시키게 될것임. 단일의석으로 유엔에 가입하는것이 가장 정당한 방법이며 만약에 통일에 유익한다른 합리적인 방법이 있다면 이에대해 토의할 용의가 있다는것이 우리의 기본입장임.

2. 만약 남한이 일방적으로 유엔에 가입한다면, 북·남간 제반 관계가 악화될것이며, 한반도에 새로운 긴장상태가 야기될것임.

만약 남한의 지도층이 유엔가입문제 협의를 반대하고, 일방적으로 유엔에 가입키로 결정한다면, 이는 대화의 상대방에 대한 도발이며 또한 배신일뿐 아니라, 북·남간 대화의 중단을 선언하는것임을 의미하는것임.

특히 남한의 유엔 단독 가입은 북·남간 분단을 영구화 시키는것으로서, 이는 남한이 북한을 흡수하기 위한 국제적 분위기를 조성하려는 의향을 지니고 있음을 의미하는것임. 그러므로 이는 민족의 통일에 위배되는 범죄이며 북한의 주권에 대한 침해임.

남한은 소위 "팀스피릿 91" 합동군사훈련을 실시하면서 일방적 유엔가입을 결정하는등 분열책동을 시도하고 있는데 대해 엄중한 벌을 받게 될것임. 만약 북·남간교섭이 성공하여 상호불가침 조약을 체결하면, 유엔가입문제에 대한 새로운 전망이 있게 될것임.끝.

0147

БНАСАУ-ЫН ГАДААД ЯВДЛЫН ЯАМНЫ 1991 ОНЫ
ХОЁРДУГААР САРЫН 20-НЫ ӨДРИЙН МЕМОРАНДУМЫН
АГУУЛГА

I. НҮБ-д элсэн орох асуудал бол нэгдэлд ашигтайгаар умард, өмнөд хоёр хэлэлцэж тохиролцсны үндсэн дээр шийдвэрлэх асуудал мөн.

Нэг суудлаар НҮБ-д элсэн орох тухай санал нь эх орноо нэн_даруй нэгтгэх гэсэн манай үндэсний тууштай зориг болон НҮБ-д элсэн орох тухай асуудлыг эртхэн шийдвэрлэх гэсэн өмнөд Солонгосын эрх барих газрын шаардлагыг тусгаж байна.

Умард, өмнөдийн биеийн тамирын 4-р хэлэлцээнд дэлхийн ширээний тенисын аврага шалгаруулах 41-р тэмцээнд болон дэлхийн залуучуудын хөл бөмбөгийн аварга шалгаруулах 6-р тэмцээнд нэг багаар оролцох тухай хэлэлцэж тохирсон явдал бол НҮБ-д элсэн орох тухай асуудлыг ч умард, өмнөд хоёр үндэснийхээ эрх ашигт нийцүүлэн хүчээ нэгтгэж, хүчин чармайлт тавьбал нэгдэлд ашигтайгаар шийдвэрлэж болно гэдгийг харууллаа.

Нэг талын шаардлагын дагуу тус асуудал шийдэгдвэл нэгтгэх асуудлыг шийдвэрлэхэд шинэ саад бэрхшээл бий болж, умард, өмнөдийн хоорондын сөргөлдөөнтэй байдал хурцдах нөцтой үр дагавар бий болно.

Нэг суудлаар элсэн орох тухай саналыг хамгийн зөв зүйтэй санал гэж үзэж байгаа боловч нэгдэлд тус болж болох өөр арга зам байвал сайн санааны үүднээс үүнийг хэлэлцэх гэсэн манай байр суурь хөдөлшгүй байдаг.

- I -

0148

2。 Өмнөд Солонгос НҮБ-д дангаараа элсэн орвол умард, өм--
нөдийн харилцаа туйлын их хурцдаж, Солонгосын хойгт шинэ түг-
шүүртэй байдал бий болно.

Өмнөд Солонгосын эрх баригчид НҮБ-д элсэн орох асуудлыг
хэлэлцэхээс дангаар нь татгалзаж, "дангаар элсэн орвол" тэр
нь хэлэлцээний нэг талыг өдөөн хатгаж, урвасан хэрэг болох
бөгөөд уулзалт яриаг зогсоох тухай тунхаглах хэрэг. болно。

Ялангуяа Өмнөд Солонгосын эрх барих газар "дангаар элсэн
орсноор" "Хоёр Солонгосыг" хэвшүүлэх, цаашид "уусган авч нэгт-
гэх"-эд олон улсын нөхцөл байдлыг бий болгох зорилоготой байгаа
болохоор бид үүнийг үндэснээ нэгтгэх гэсэн хүсэл эрмэлзлийг
эсэргүүцэж. бидний бие даасан эрхийг доромжилж буй тэсэшгүй
хэрэг гэж үзэж байна.

Өнөөдөр "Тим Спирит 91" гэгч цэргийн хамтарсан хээрийн
сургуулийг хийж байгаагаар умард, өмнөдийн хоорондын цэргийн
сөргөлдөөнтэй байдал хэзээ хэзээнээс хурцдсан үед "НҮБ-д
дангаар элсэн орвол" хагалан бутаргагчийн хувьд ноцтой шийт-
гэлийг хүлээх болно.

Умард, өмнөдийн уулзалт яриаг амжилтад хүргэж, харилцан
үл довтлох тухай тунхаг бичгийг батлан нэгдлийн төлөө уур амьс-
гал бий бүрдвэл НҮБ-д элсэн орох асуудлыг шийдвэрлэхэд шинэ
төлөв нээгдэх болно.

정 리 보 존 문 서 목 록

기록물종류	일반공문서철	등록번호	2020070018	등록일자	2020-07-10
분류번호	731.12	국가코드		보존기간	영구
명 칭	남북한 유엔가입, 1991.9.17. 전41권				
생 산 과	국제연합1과	생산년도	1990~1991	담당그룹	
권 차 명	V.25 북한의 유엔가입신청 결정 발표(5.27) I : 우리의 대응 및 홍보활동				
내용목차	1. 기본자료 - 5.27 북한 외교부, 유엔가입 신청서 제출 의사 표명관련 성명 발표 (안보리문서 배포, S/22642) - 5.28 한국 외무부 대변인 논평 발표 2. 홍보활동(언론자료 기자회견 자료) - 언론자료, 기자회견 자료 등				

0001

1. 기본 자료

```
┌─────────────────────────────┐
│   북한, 유엔가입 의사 표명    │
│     - 외교부 성명            │
└─────────────────────────────┘
```

'91. 5. 28, 10:00, 중.평방

조선민주주의인민공화국 외교부는 27일 유엔가입문제와 관련한 공화국정부의 입장을 밝히는 성명을 발표했습니다.

성명은 다음과 같습니다.

" 조선민주주의인민공화국 외교부 성명 "

조선의 유엔가입문제는 분열된 나라와 민족의 혈맥을 다시 잇고 통일을 실현하려는 우리인민의 사활적인 이익과 직접 관련되는 중대한 문제이다.

조선민주주의인민공화국 정부는 국제평화 및 안전유지와 민족들 사이의 친선관계 발전을 목적으로 하고 있는 유엔헌장을 시종일관 존중하여 왔으며, 유엔에 들어갈것을 희망하여 왔다.

우리 공화국은 당당한 자주독립국가로서 유엔성원국이 될 수 있는 충분한 자격을 가지고 있다.

- 1 -

0003

그러나 분열되어 있는 우리나라의 특수한 실정에서 우리는 유엔 가입문제를 온 민족의 염원에 부합되게 조국통일의 견지에서 고찰하여 왔으며, 어디까지나 이 문제를 통일위업 실현에 이롭게 해결하기 위하여 인내성있는 노력을 견지하여 왔다.

우리의 공화국정부는 이러한 입장으로부터 유엔가입문제와 관련하여 연방제가 실현된 다음 통일된 하나의 조선으로 유엔에 들어갈 것을 일관하게 주장하였으며, 통일이 실현되기 전에 북과 남이 유엔에 들어가는 경우에는 두 개의 의석으로 제각기 들어갈 것이 아니라 하나의 의석을 가지고 공동으로 들어갈데 대한 합리적인 제안을 내놓았다.

우리는 유엔대책문제를 북과남이 먼저 협의하고 합의된 결과를 유엔에 내도록 하기 위하여 북남 고위급 회담에 이 문제를 중요한 안건으로 제기하고 그 실현을 위하여 성의있는 모든 노력을 다하였다.

세계의 많은 나라들도 조선의 유엔가입문제를 북과남이 협의하여 통일지향적으로 해결할것을 기대하였다.

그러나 남조선당국자들은 저들의 분열주의적인 유엔가입안만을 고집하면서 북남 고위급 회담에서 단일의석에 의한 유엔가입제안을

- 2 -

0004

반대하였을뿐 아니라 앞으로의 회담에서 이 문제에 대해서는 더 논의조차 하지 않겠다고 하였다.

더욱이 최근 남조선당국자들은 저들의 유엔 단독가입을 완전히 정착화 하고 국제정세의 급격한 변화를 기화로 이를 일방적으로 실현할 목적밑에 이와 관련한 정부비망록을 유엔안전보장이사회에 정식 제출하는 데까지 이르렀다.

우리는 북남고위급회담이 남조선측에 의하여 중단상태에 빠지고 현 남조선정세로 하여 언제 그것이 재개될지 알수 없는 형편에서 유엔대책문제를 조속히 풀어나가기 위하여 유엔주재 북남상임 옵서버대표들 사이에 접촉을 가지었다.

이 접촉에서도 남조선측은 유엔단독가입정책은 불변이라는 것을 거듭 주장하면서 그 어떤 타협의 여지도 보이지 않았다.

이러한 사실을 통하여 우리는 남조선당국자들의 유엔단독가입 시도가 요지부동이라는 것을 명백히 확인하게 되었다.

남조선당국자들은 전 조선민족의 통일염원에 역행하여 끝끝내 유엔단독가입을 강행하려함으로써 유엔무대를 통하여 하나의 조선을 둘로 갈라놓는 천추에 용서못할 대죄를 저지르고 있다.

- 3 -

0005

남조선당국자들은 이에 대한 책임을 역사와 민족앞에서 그리고 후대들앞에서 영원히 면할 수 없게되었다.

남조선당국자들이 기어이 유엔에 단독으로 가입하겠다고 하는 조건에서 이것을 그대로 방임해둔다면 유엔무대에서 전 조선민족의 이익과 관련된 중대한 문제들이 편견적으로 논의될 수 있고 그로부터 엄중한 후과가 초래될 수 있다.

우리는 이것을 결코 수수방관할 수 없다.

조선민주주의인민공화국 정부는 남조선당국자들에 의하여 조성된 이러한 일시적 난국을 타개하기 위한 조치로써 현단계에서 유엔에 가입하는 길을 택하지 않을수 없게 되었다.

조선민주주의인민공화국 정부는 유엔헌장을 시종일관 지지하여 온 입장으로 부터 출발하여 해당한 절차에 따라 유엔사무총장에게 정식으로 유엔가입신청서를 제출할 것이다.

우리가 유엔에 가입하기로 한것은 남조선당국자들의 분열주의적 책동으로 말미암아 조성된 정세에 대처하여 불가피하게 취하게 되는 조치이다.

- 4 -

0006

조선의 북과남이 유엔에 각각 가입하지 않으면 안되게 된 오늘의 비정상적인 사태는 조국통일을 실현하는 길에서 또 하나의 커다란 난국으로 된다.

남조선의 각계각층 인민들과 재야세력들이 우리나라의 유엔가입문제를 나라의 통일전도문제와 연관시켜보면서 남조선의 유엔단독가입 시도를 반대하여 투쟁하여 온것은 나라와 민족의 영구분열을 막고 통일을 성취하려는데 있었다.

남조선당국자들에 의하여 통일도상에 새롭게 조성된 난국은 온 민족의 단합된 힘과 막을수 없는 통일열망에 의하여 반드시 극복될것이다.

조선의 북과남이 유엔에 따로 들어가지 않으면 안되게된 오늘의 사태는 절대로 고착되지 말아야 한다.

우리는 앞으로도 변함없이 유엔에서 북과남이 하나의 국호를 가지고 하나의 의석을 차지하게 되기를 기대하고 있다.

공화국정부는 유엔무대에서 조선의 통일문제와 국제문제들이 우리민족의 이익과 세계평화와 안전의 요구에 맞게 해결되도록 하기 위하여 적극노력할 것이다.

1991. 5. 27, 평양

- 5 -

0007

관리 번호	91 -3607

외 무 부

종 별 : 긴 급

번 호 : CPW-0991   일 시 : 91 0528 1050

수 신 : 장 관(아이,국연,기정)

발 신 : 주 북경 대표

제 목 : 북한 유엔가입 결정설

　　1. 당지 REUTER 통신이 금 5.28(화) 10:35 당관에 알려온바에 의하면 금일 아침 북한 외교부는 유엔가입 결정을 발표하였다고 함.

　　2. 당지 REUTER 는 동사의 동경지국이 청취한 북한조선통신사 발표내용을 통보받은 것이라 함.끝.

　　(대사 노재원-국장)

예고 : 91.12.31.일 일반문서로 재분류됨

검토필(1791 . 6. 30 .)

아주국　　장관　　차관　　1차보　　2차보　　국기국　　정와대　　안기부

91.05.28　　10:56
외신 2과 통제관 BS
0008

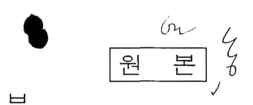

외 무 부

종 별 :

번 호 : DEW-0286   일 시 : 91 0528 1040

수 신 : 장 관(국연)

발 신 : 주 덴마크 대사

제 목 : 유엔가입

대:AM-0115

1. 당관은 금 5.28. 대호 대변인논평 내용을주재국 외무부를 비롯한 정부기관, 언론사,정당등 각계기관과 각국공관에 PRESS RELEASE로 배포하였음.

2. 주재국 정부및 언론반응 추후 보고 예정임. 끝.

(대사 김세택-국장)

국기국

PAGE 1   91.05.28   20:23 DN
                                외신 1과 통제관
                                0003

관리 번호	91 -530						분류번호	보존기간

발 신 전 보

번 호 : WUN-1497   910528 1141 DQ   종별 : 긴급

WUS -2328

수 신 : 주   수신처참조   대사♣♣총♣♣영사

발 신 : 장 관   (국연)

제 목 : 북한 외교부 성명

　　　　　유엔가입문제에 관한 5.28자 북한 외교부 성명을 별첨 타전함.

　　첩부 : 북한, 유엔가입 의사표명-외교부 성명. 끝.

　　　　　[1991.6.30 에 대한
의거 입발문서로 별첨]

　　　　　　　　　　　　(국제기구조약국장 문동석)

　　수신처참조 : 주유엔, 미국, 일본, 영국, 불란서, 카나다, 벨지움 대사

		보안 통제	씨

앙 고 재	91 년 0 월 일 유엔 과	기안자 성명	정	과 장 씨	국 장 전결	차 관	장 관 서명	외신과통제

0010

Democratic People's Republic of Korea

PERMANENT OBSERVER MISSION

TO THE UNITED NATIONS

225 E. 86th St., 14th Floor, New York, N. Y. 10028 – Tel. (212) 722–3536

Press Release

No.19
May 28, 1991

THE GOVERNMENT OF THE DEMOCRATIC PEOPLE'S REPUBLIC OF KOREA DECIDES TO ENTER U.N. AS A STEP TO TIDE OVER TEMPORARY DIFFICULTIES (STATEMENT OF THE FOREIGN MINISTRY OF THE DEMOCRATIC PEOPLE'S REPUBLIC OF KOREA)

The Ministry of Foreign Affairs of the Democratic People's Republic of Korea on May 27 published a statement concerning the fact that the DPRK Government had no alternative but to enter the United Nations at the present moment as a step to tide over the temporary difficulties caused by the south Korean authorities.

Follows the full text of the statement.

Korea's entry into the United Nations is a crucial issue directly related to the vital interests of our people who desire to rejoin the severed blood vein of the divided country and the nation and achieve reunification.

The Government of the Democratic People's Republic of Korea has consistently respected the Charter of the United Nations aimed at the preservation of international peace and security and the development of friendly relations among nations and hoped to join the United Nations.

Our Republic, a full-fledged independent and sovereign state, is fully qualified to become a member state of the United Nations.

However, under the specific conditions of our divided country, we have considered our U.N. membership in the light of national reunification in conformity with the desire of the whole nation and made patient efforts to resolve this issue under all circumstances in the interest of the cause of reunification

It is from this standpoint that, with regard to the U.N. membership, the Government of our Republic has consistently called for entry into the United Nations as one reunified Korea after the establishment of confederation and advanced a reasonable proposal that the north and

0011

south should share one seat, not seeking separate membership, if the north and south should join it before reunification.

Hoping that the north and the south would debate on the issue related to the U.N. first and submit the results to the United Nations, we proposed this issue as an important agenda item at the north-south high-level talks and made every sincere effort towards its solution.

Many countries of the world have also hoped that the issue of Korea's U.N. membership would be settled in favour of reunification through north-south consultations.

The south Korean authorities, however, insisting on their splittist idea of U.N. membership, have not only turned down our proposal for one-seat U.N. membership at the north-south high-level talks but also stated that they would no more talk about this issue at the forthcoming round of the talks.

Moreover, the south Korean authorities recently made their "unilateral entry into the U.N." their policy and went the length of formally submitting a "Government Memorandum" to the Security Council of the United Nations in this connection to attain their unilateral purpose, taking advantage of the rapid changes in the international situation.

Since the north-south high-level talks have been brought to a deadlock by the south Korean side and it is unpredictable when the talks would be resumed in view of the present situation of south Korea, we had contacts between the permanent observers of the north and south to the U.N., for an early settlement of the U.N. problem.

At these contacts, the south Korean side repeated its contention that the policy of the "unilateral U.N. membership" is inalterable and left no room for any compromise.

The fact led us to clearly confirm that the scheme of the south Korean authorities for "unilateral U.N. membership" is adamantine.

The south Korean authorities are committing the never-to-be condoned treason to divide Korea into two parts through the U.N. arena by trying to force their way into the United Nations against the desire of the entire Korean nation for reunification.

The south Korean authorities wounded the posterity. As the south Korean authorities insist on their unilateral U.N. membership, if we leave this alone, important issues related to the interests of the entire Korean nations would be dealt with in a biased manner on the U.N. rostrum and this would entail grave consequences.

We can never let it go that way.

The Government of the Democratic People's Republic of Korea has no alternative but to enter the United Nations at the present stage as a step to tide over such temporary difficulties created by the south Korean authorities.

0012

Proceeding from its consistent standpoint of supporting the U.N. Charter, the Government of the Democratic People's republic of Korea will submit an official application for its U.N. membership to the Secretary-General of the United Nations through appropriate formalities.

This is a decision we have taken under unavoidable circumstances created by the splittist moves of the south Korean authorities.

Today's abnormal situation under which the north and south of Korea have to apply for U.N. membership separately is another big difficulty in the way of achieving national reunification.

The people from all walks of life and the opposition forces of south Korea have struggled against south Korea's "unilateral U.N. membership", linking our country's entry into the U.N. with the prospect of its reunification. In this they sought to prevent the permanent division of the country and the nation and accomplish reunification.

The new difficulty created in the way to reunification by the south Korean authorities will certainly be overcome by the unified efforts of the whole nation and its irresistible desire for reunification.

The present-day situation in which the north and the south of Korea have to apply for the U.N. membership separately must never remain unchanged permanently.

We will remain invariable in our hope that the north and south will occupy one seat at the United Nations with a single state nomenclature.

The Government of the Republic will actively strive on the U.N. rostrum to see that the problem of Korea's reunification and international issues will be resolved in the interest of our nation and in conformity with the requirements of world peace and security.

0013

외무부 재외공관 총제과 (기획20-2686) 발신: 안기부 (통보실)
(273-7138)

北側, 「UN加入 決定」外交部 聲明 發表

1. 槪況

北側은 5.28 10:27 中央放送을 통해 「北韓政府가 이번 UN總會에 UN加入 申請書를 提出할 것」이라는 公式立場을 밝히는 外交部 聲明을 다음과 같이 發表하였음

< 外交部 聲明 要旨 >

南朝鮮 當局이 기어이 UN에 單獨加入하겠다고 하는 條件에서 이것을 放置해 둔다면 UN에서 偏見的으로 民族問題가 論議될 수 있고 嚴重한 後果가 招來될 수 있어 우리는 결코 이것을 袖手傍觀할 수 없음

朝鮮民主主義人民共和國 政府는 難局打開를 위한 措置로서 UN에 加入하는 길을 택하지 않을수 없게 됐으며 該當한 節次에 따라 UN事務總長에게 定式으로 加入申請書를 提出할 것임

우리는 앞으로도 변함없이 하나의 國號를 가지고 하나의 議席을 차지하게 되기를 期待하고 있으며 UN 舞臺에서 統一問題와 諸問題들이 民族利益과 世界平和와 安全에 맞게 解決되도록 하기 위해 積極 努力할 것임

1

2. 評價 및 對策

o 이번 北側이 그동안 固守해온 이른바「單一議席 共同加入」
  主張을 撤回하고 南北韓 UN同時加入 立場으로 旋回한것은

  - 加重되고 있는 國際的 孤立 脫皮와 當面한 對日關係
    正常化를 위한 苦肉之計의 一環으로서

  - 이같은 政策轉換이 不可避하게된 背景은 南北韓 UN同時
    加入에 대한 國際的 支持大勢下 우리側이 지난 4.5 UN
    加入立場을 밝히는 備忘錄을 UN安保理에 提出, 더이상
    UN加入을 牽制하기 어려운 狀況에 直面한데다가

  - 특히 李鵬 中國總理의 訪北 (5.3 - 6) 說得이 奏效한데
    起因한 것으로 評價됨

o 結論的으로 이번 北側의 UN加入 決定은 現實的 合理性을
  바탕으로한 우리側의 正攻法에 立脚한 對北戰略의 結實로서
  이는 우리의 政策推進 如何에 따라 金日成 治下에서도
  主要政策의 轉換 誘導가 可能함을 示唆하는 것인바

2

0015

o 올가을 UN總會에서 南北韓 UN同時加入이 이루어질때 豫想
　되는 波及效果는

- 基本的으로 같은 分斷國이었던 獨逸이 獨·蘇, 獨·波
　不可侵條約(70.8,11月), 兩獨 頂上會談(70.3,70.5), 兩獨
　基本條約(72.12), UN 加入 (73.9) 順으로 關係改善을 이루
　었던 事實에 비추어 볼때 南北間에도 앞으로 頂上會談
　및 南北 基本關係 合意가 促進되고

- 北側이 일단 南北 分斷現實을 認定한만큼 韓半島 平和
　定着의 外的 環境造成과 南北對話 進展에 有利한 局面이
　展開될 것으로 보임

o 따라서 우리側으로서는 우선 오늘중 外務部代辯人 論評을
　통해 北側態度轉換을 歡迎하면서「南北韓 UN加入이 韓半島의
　緊張緩和 및 平和統一에 寄與할 것을 期待한다」는 立場을
　表明토록 하는 한편

o 나아가서는 우리의 主導아래 南北高位級會談을 早速히 再開
　하고 北方政策의 最終課題인 韓·中修交를 앞당기는 努力을
　倍加해 나가도록 하겠음

3

0016

발 신 전 보

분류번호	보존기간

번 호 : AM-0112   910528 1147   DQ종별 : 긴급

수 신 : 주 AM 대사. ~~총영사~~
(국연)

발 신 : 장 관

제 목 : 유엔가입

　　　1. 금 5.28(화) 북한 외교부는 성명을 통하여 정식으로 유엔가입 신청서를 제출할 것이라고 발표함.

　　　2. 상기 북한외교부 성명 발표와 관련, 당부는 금 5.28. 대변인 논평을 아래와 같이 발표하였음.

　　　대한민국 외무부 대변인 논평

　　- 우리는 북한이 오늘 외교부 성명을 통해 정식으로 유엔가입 신청서를 제출할 것이라고 발표한 것을 환영하는 바이다.

　　- 대한민국정부는 이미 누차 밝힌바와 같이 남북한의 유엔동시가입이 통일시까지의 잠정조치이며, 남북한이 유엔에 함께 가입함으로써 한반도 에서의 긴장완화와 평화적인 통일에 기여하게 될 것임을 확신한다.

　　- 우리는 남북한의 유엔가입이 한반도 뿐만 아니라 동북아세아 지역의 평화와 안정을 정착시키는데에도 큰 전기가 될 것을 기대하는 바이다. 끝.

（장 관）~~이상옥~~

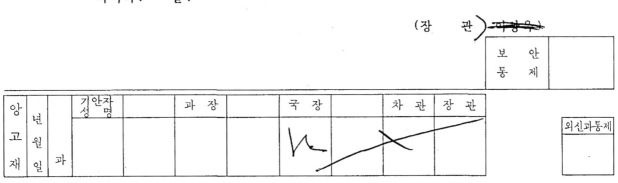

		기안자 성 명		과 장		국 장		차 관	장 관		
앙 고 재	년 월 일 과										외신과통제

보 안 통	제	

0017

출입기자단 설명내용

(91.5.28. 11:55~12:40, 기자실)

(국제기구조약국장 문동석)

북한외교부의 유엔가입신청 발표와 관련하여 기자단 여러분들께 몇가지 말씀드리고자 함.

북한은 작년 5.30. 유엔가입문제에 대한 그들의 입장을 조정해서 통일된 이후에 유엔에 가입하는 것이 좋겠으나 단, 통일이 되기전에 가입할 경우 남북한이 유엔에서 하나의 의석을 갖는 것이 좋겠음을 밝히고 국제사회에서 이에 대한 지지를 적극 요청해 왔음.

우리는 당초부터 북한측의 단일의석하 가입안이 유엔헌장의 가입규정에도 배치되고, 비현실적인 방안임을 분명히 한 한편, 북한의 새로운 제의가 통일 이전에라도 유엔에 가입하겠다는 점에 유의한다는 성명을 발표한 바 있음. 우리는 통일이 될때까지 남북한이 유엔에 함께 가입하여 국제사회에서 응분의 역할을 하는것이 매우 의미가 있고 바람직하다고 믿으면서, 남·북에맨, 동. 서독의 통일에 비추어 남북한의 유엔가입이 분단을 영구화, 합법화하는 것이 아니라 오히려 유엔내에서 남북한의 교류와 협력을 증진시킬 것이라는 입장을 국제사회에 밝히고 이에 대한 지지를 요청하였음.

작년 제45차 유엔총회시 각국의 기조연설에서 분명히 나타난 바와 같이, 기조연설을 한 155개국가중에 한반도문제 관련 포괄적으로 언급한 국가는 118 개국이었고, 그중에 우리의 유엔가입 정책, 즉 남북한이 함께 유엔에 가입하길 바라지만, 북한이 준비가 되어 있지 않거나 의사가 없을 경우 한국이라도 먼저

- 1 -

0018

유엔에 가입해야 한다는데 대해 지지발언한 국가가 71개국이었으며, 북한의 '단일의석 가입안'을 지지한 나라는 한나라도 없었음. 이와 같이 북한의 단일의석 가입안이 실현불가능하고 유엔헌장에도 배치된다는 것이 작년도 엔총회에서 입증된 바 있었음.

이러한 과정에서 북한은 작년 10.2일 유엔안보리에 제출한 문서를 통하여 그들의 단일의석가입안이 절대적인 것이 아니며, 다른 안에 대해서도 협의할 수 있다는 입장을 표명한 바 있음. 그당시 저희들의 분석은 한국의 가입이 더이상 늦추어져서는 안된다는 국제적 분위기속에서 북한측이 그들의 단일 의석 가입안을 고집할 수 없게 되어 일응 신축적인 입장을 표명함으로써 작년 유엔총회만을 넘겨보려는 의도였던 것으로 판단되었음.

금년초부터 대통령께서는 연두기자회견 및 외무부 연두업무보고시 금년내 유엔가입에 대한 강력한 의지를 천명하셨고, 외무부가 이를 실현키 위하여 전 외교역량을 기울여 노력할 것을 지시하신 바 있음.

작년에 있었던 남북고위급회담과 판문점에서 개최된 3차례의 유엔가입문제 관련 실무대표 접촉을 통하여, 우리는 북한측에 대해 단일의석안이 비현실적임을 조목조목 지적했고, 또한 현 남북한관계를 고려하여 통일을 하루속히 달성하기 위한 구체적 방안으로서 남북한이 유엔에 함께 가입하여 유엔의 테두리내에서 협력과 교류를 증진하는 방안을 제시하면서 북한측을 설득했음.

금년에 들어와 우리는 지난 3월초부터 연내 유엔가입 실현의 확고한 입장 하에 다각적인 외교노력을 전개했음. 구체적으로 전재외공관을 통하여 "남북한 유엔 동시가입 희망 입장이나 북한이 가입준비가 않되거나 의사가 없는 경우, 우리의 선가입은 마땅하며, 우리의 선가입시 북한의 후속가입을 촉진시켜 결국 남북한의 동시가입이 실현되길 기대한다"는 우리의 유엔가입 정책에 대한 각국의 지지확보 교섭을 추진했음. 이와 병행하여 미, 영, 불, 일등 여러 우방들과도 우리의 연내가입 실현을 위한 대책을 협의하는 동시에 측면지원도 받은 바 있음.

- 2 -

0019

그리고 우리는 그간 직.간접적인 방법으로 유엔가입문제와 관련하여 중국
측과 꾸준한 대화를 했고, 특히 ESCAP 총회에 중국 수석대표로 참석한 류화추
외교부 부부장에게 우리의 가입정책을 소상히 설명했고, 특히 걸프전 이후
새로운 국제질서가 형성되고 있는 가운데 더욱 고양되고 있는 유엔의 중심적
역할에 비추어 남북한이 하루속히 유엔에 가입하는 것이 한반도 뿐만 아니라
동북아의 긴장완화와 평화정책에도 긍정적으로 작용할 것이고, 이는 장기적으로
중국의 이해에도 부합되는 것이라는 점을 적극 설득한 바 있음. 이에 대해
류화추 부부장은 우리의입장을 본국에 소상히 보고하겠다는 반응을 보인 바
있음. 또한 최근 중국을 방문한 여러나라(불란서, 이태리, 호주, 일본등)들의
고위인사들도 중국측에 대해서 남북한의 유엔가입문제에 대한 그들의 인식을
잘 전한 것으로 통보받았음. 그리고 최근 북한을 방문한 이붕 중국총리도 북한
요로와의 면담시 북한의 단일의석안이 비현실적임을 분명히 하고, 남북한이
상호 협의와 대화를 통하여 양측이 수락할 수 있는 방안을 모색할 것을 북한측에
강력히 촉구한 것으로 알고 있음.

소련과 관련하여서는 작년 9.30. 정식 외교관계가 수립되었기 때문에
소련으로서는 유엔보편성 원칙에 따라 남북한이 유엔에 가입하는 것이 바람직
하는 입장을 견지해 왔습니다만, 북한이 현실적으로 유엔가입에 불응하는 입장
이므로 우리가 직접 대화를 통하여 북측을 잘 설득하는 것이 필요하다는 입장을
취해 왔음. 지난 4월 제주도 한.소 정상회담시 고르바쵸프대통령도 노대통령께
유엔가입문제와 관련 우리가 만족할만한 내용의 그러한 입장 표명을 한 바
있었음.

남북한간 동시가입 노력과 관련하여 말씀드리면, 그동안 일부 야당에서
정부가 단독가입만 추진한다고 하면서 정부의 유엔가입추진 입장에 대하여 다소
오해가 있었습니다만, 정부는 지난 4.5자 유엔안보리에 제출한 각서를 통하여
두가지 점을 분명히 한 바 있음. 즉, 첫째 우리는 금년내 유엔가입을 실현

- 3 -

0020

할 것이며, 또한 북한도 우리와 함께 가입하는 것이 가장 바람직하며, 이를 위해서 우리는 계속 노력할 것이라는 점과, 둘째 북한이 끝내 불응하면 우리가 먼저 유엔에 가입해야 한다는 점이었음.

우리의 남북한 동시가입 노력은 우리가 직접한 바도 있고 또한 제3국을 통하여 한 바도 있음. 직접적인 노력은 작년에 있은 각각 3차례의 남북한 고위급회담 및 실무대표 접촉과 함께, 그동안 비공개리에 진행되어 왔지만, 북한이 이사실을 이미 보도했기 때문에 말씀드리겠습니다만, 유엔에서 작년부터 어제 새벽까지 진행되어온 남북한 대사간 접촉이었음. 우리는 남북유엔대사간 접촉을 통하여 북한이 우리와 함께 유엔에 가입하는 것이 현실적으로 최상책 이라고 꾸준히 진지하게 설득해 왔음. 그리고 북한을 방문한 각국 고위인사들을 통해서도 북한이 한국과 함께 유엔에 가입하는 것이 가장 바람직하고 북한이 금년중 한국의 유엔가입 실현을 저지할 수 있는 국제적 여건이 아님을 북한측 에게 분명히 인식시켜 왔음.

최근 9개반 특사파견의 목적이 물론 방문국의 우리의 연내 유엔가입에 대한 지지입장 확보에도 있었지만, 어떤식으로든지 북한이 그들의 체면을 손상받지 않으면서 국제사회의 책임있는 일원으로 우리와 함께 유엔에 가입할 수 있도록 북한측에 대하여 설득해 주도록 요청하기 위한 것이었음. 이에 따라 인도, 이란, 루마니아, 체코등 여러나라에 대하여 북한을 진지하게 설득해 줄 것을 요청한 바 있고, 이들 나라들이 우리의 요청에 따라 현재까지 북한을 설득한 내용을 우리에게 알려온 바 있음.

- 4 -

0021

우리는 1949.1.월 당시 고창일 외무장관 서리 명의로 가입신청한 이래,
75.9월 김동조 외무장관의 가입신청 재심요구시까지 5번 직접 신청했고,
우리 우방을 통하여서는 49.4월 자유중국이 대신 신청해준 이래 58년
미국등 4개국이 공동신청한 것을 포함 총 9번 신청한 바 있음. 그리고 북한
측은 박헌영 외교부장 명의로 49.2.월 및 52.1월 2번 직접 신청했고, 북한의
우방을 통한 신청은 57년-58년간 소련을 통하여 3번 신청한 바 있음.

유엔가입 절차에 대하여 말씀드리면, 먼저 우리가 유엔가입 신청서를
사무총장에게 제출하면, 사무총장은 안보리의장에게 동 사실을 통보하여
안보리에서 가입심사가 개시됨. 가입심사 절차는 우선 안보리에서 의제로
채택하고 안보리 가입심사위원회에 회보하며, 안보리 15개국이 참석하는 가입
심사위의 검토후 유엔총회 개최일 기준은 적어도 35일전에 심사결과를 보고서로
작성, 안보리에 제출함. 안보리에서의 심사기준은 신청국가의 평화애호성, 유엔
헌장준수 의무등이며, 이 기준에 따라 나름대로 심사, 회원국으로서 추천할
것인지 여부를 심사하게되며, 이러한 안보리 추천여부 심사에 상임이사국의
Veto권 행사가 있게 됨. (가입심사위에서는 Veto권 불적용 2/3이상 찬성,
안보리 추천은 상임이사국 5개국의 거부권이 없는 2/3이상 찬성이 필요)

안보리에서 가입심사후 회원국으로 추천키로 한 경우에는 총회개막일
기준 적어도 25일 이전에 총회에 회부해야 하여,가입문제에 대한 총회에서의
최종 결정은 금년 유엔총회 개막일인 9.17에 하게 될 것임. 총회시 결정은
출석 및 투표수의 2/3 이상 찬성으로 이루어지게되나, 남북한 유엔가입은
표결처리 방식보다는 박수로 결정될 것으로 전망됨.

- 5 -

0022

발 신 전 보

	분류번호	보존기간

번   호 :   AM-0114   910528 1548 FN   종별 :

수   신 :   주   A M   대사. 총영사/

발   신 :   장 관   (정의)

제   목 :   북한 외교부 성명

연 : AM - 0112

연호 5.27자 북한 외교부 성명(5.28, 10:00 중앙.평양방송) 요지는 아래와 같음.

o 북한은 유엔헌장을 존중하고 유엔가입을 희망하여 왔으며, 유엔성원국이 될
  충분한 자격을 가지고 있음.

o 북한은 유엔가입 문제에 있어 연방제 통일후 가입을, 통일전 가입경우에는 단일
  의석하 가입을 제시하고 이를 위해 성의있는 노력을 하였으나, 남측은 유엔단독
  가입정책을 고수하면서 이를 강행하여 왔음.

o 북한은 남측이 유엔 단독가입 경우, 유엔무대에서 전조선민족의 이익과 관련된
  중요한 문제들이 편견적으로 논의될 우려가 있다고 보며, 이러한 사태를 방지키
  위해 불가피하게 유엔가입을 택하게 되었음.

o 북한은 해당절차에 따라 유엔사무총장에게 정식으로 유엔가입 신청서를 제출할
  것임.

o 그러나, 북과 남의 유엔 별도가입이 초래된 오늘의 상황은 결코 고착화
  되어서는 안되며, 유엔에서 하나의 국호, 하나의 의석이 실현되길 기대함. 끝.

(정문국장 신 성 오)

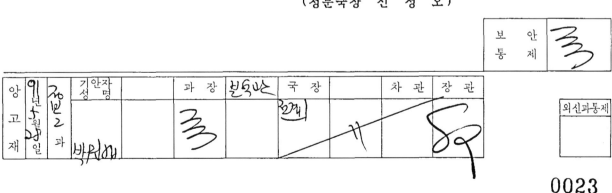

0023

발 신 전 보

	분류번호	보존기간

번   호 : AM-0115   910528 1613 FN 종별 : <u>지급</u>

수   신 : 주 AM   대사.✿✿✿✿✿아

발   신 : 장 관   (국연)

제   목 : 유엔가입

연 : AM-0112

연호, 당부 5.28자 대변인 논평의 영문을 아래 타전하니 참고바람.

- 아   래 -

Comments by ROK Foreign Ministry Spokesman

1. We sincerely welcome North Korea's decision of formally submitting its application for United Nations membership, which was announced this morning through an official statement of the Ministry of Foreign Affairs of North Korea.

2. The Government of the Republic of Korea wishes to reiterate its position that parallel UN membership of both Koreas is an interim measure pending unification and firmly believes that it will greatly contribute to easing tension on the Korean peninsula and also facilitate the process of peaceful unification.

/계속...

		보 안 통 제	

앙고재	21년 5월 28일	기안자 성명	과 장	국 장	차 관	장 관	외신과통제
	유엔과						

0024

3. We hope that the entry of both Koreas into the United Nations will make a milestone in consolidating peace and stability in Northeast Asia as well as the Korean peninsula.   끝.

(국제기구조약국장 문동석)

발 신 전 보

	분류번호	보존기간

번 호 : WUN-1503   910528 1615   FN 종별 : 02 초용선
(신기복 대사님)

수 신 : 주   유엔   대사. 총영사
(문동석 배상)

발 신 : 장 관   안

제 목 : 업 연

　　　　북측이 유엔에 가입키로 결정한 것과 관련하여, 그간 대사님을

모시고 나름대로 노력해온 저희들로서도 매우 기쁘게 생각하오며, 그간

대사님의 노고에 대해 ━━ 경의를 표하는 바입니다.　　끝.

보 안 통 제	

앙고재	91년 5월 28일	유엔과	기안자 성명	과 장	국 장	차 관	장 관	외신과통제
		긴성린						

0026

발 신 전 보

분류번호	보존기간

번 호: WUN-1504   910528 1616 FN 종별: 암호송신

수 신: 주   유엔   대사. ~~송영식~~
　　　　　　　(문동석 배상)

발 신: 장 관

제 목: 업 연

　　　　북측이 유엔에 가입키로 결정한 것과 관련하여, 그간 대사님을

모시고　나름대로 노력해온 저희들로서도 매우 기쁘게 생각하오며, 그간

대사님의 노고에 대해 ~~충충~~ 경의를 표하는 바입니다.　아울러 대장님

께서 항상 건승하시길 기원드리고자 합니다.　　끝.

보 안 통 제	

앙고재	91년 5월 28일	유엔과	기안자 성명		과 장		국 장		차 관	장 관

김상권

외신과통제

0027

<table>
<tr><td>관리
번호</td><td>91
-3605</td></tr>
</table>

<table>
<tr><td>분류번호</td><td>보존기간</td></tr>
<tr><td></td><td></td></tr>
</table>

발 신 전 보

번   호 : WUN-1513   910528 1829 ED   종별:지급

수   신 : 주   유엔   대사♣♣♣♣총영사 (사본: 주미. 영.백A. 쏘/68. 캐나다.1벨히미 대사)
　　　　　　　　　　　　　　　　　　　　　WUS-2343 WUK-1003
　　　　　　　　　　　　　　　　　　　　　WCN-0542 WBB-0258

발   신 : 장   관   (국연)

제   목 : 유엔가입

연 : AM-0112

〃 연호, 핵심우방국 대사를 접촉하여 외무부 대변인 논평을 ~~설명하고~~ 적의
북한의 유엔~~가입~~ ~~결정은~~ 핵심우방국의 아국입장에 대한 확고한
　　　　가입신청서 제출
지지 ■ 및 대중국 설득등 적극적인 지원과 협조를 제공한데
힘입은 것으로 이에대한 한국정부의 깊은 사의를 전달■~~바람~~ 하고

〃 아국은 앞으로도 핵심우방국과의 긴밀한 협조하에 유엔가입문제를
매듭지을 것임을 밝히기 바람. 끝.

(장   관)

19 91.12.31. 대 여고문대
의거 일반문서 : 분류됨

예고 : 91.12.31.일반

검 토 필 (1991. 6.30.)

<table>
<tr><td>보안
통제</td><td>W</td></tr>
</table>

<table>
<tr><td rowspan="2">앙
고
재</td><td>년
월
일</td><td rowspan="2">기안자
성명</td><td rowspan="2">과 장</td><td rowspan="2">국 장</td><td>1차본</td><td rowspan="2">차 관</td><td rowspan="2">장 관</td></tr>
<tr><td>과</td><td></td></tr>
</table>

외신과통제

0028

관리 9/
번호 -536

외 무 부

종 별 : 지 급

번 호 : JAW-3276

일 시 : 91 0528 1633

수 신 : 장관(국련,아일,국기)

발 신 : 주 일 대사(일정)

제 목 : 유엔가입

AM-0112, WJA-2428

1. 대호, 북한의 유엔가입신청 발표와 관련, 교또 개최 유엔군축회의에 참석중인 북한 외교부 이용호 군축과장은 금 5.28(화) 12:18 일본기자단의 인터뷰 요청에 따라 회견한바, 동 내용 아래 보고함.

0 질문: 금번 조치의 배경은 무엇이라고 보는가

0 답변:(통일후 가입 또는 단일의석 가입을 중심으로 한 북한의 유엔가입 기본입장을 설명한뒤) 한국이 단독 유엔가입을 추진하고 있는 상황하에서 한국만이 유엔에 가입하게 되면, 유엔의 태도가 한국측 입장에만 치우치게 되는바, 금번 조치는 이를 피하기 위한 잠정조치임. 북한은 금후에도 계속해서 단일의석이 되도록 노력할 것임.

0 질문: 금후 가입에 따른 조치는 어떻게 밟아 나갈것인가

0 답변: 구체적인 것은 모르겠으나, 유엔의 소정절차에 따르게 될것임.

2. 동 과장은 상기 회견에 앞서 북한에 국제전화를 걸여 답변요지를 받은후 회견에 임하였음. 끝.

(대사 오재희-국장)

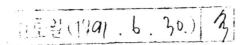

예고:91.12.31 일반

통원(1991. 6. 30.)

국기국	장관	차관	1차보	2차보	아주국	국기국	청와대	안기부

PAGE 1

91.05.28 17:32

외신 2과 통제관 BA

0029

외 무 부

원 본

종 별 :

번 호 : PUW-0441　　　　　　　　　　　일 시 : 91 0528 1700

수 신 : 장관(국연,미남)

발 신 : 주 페루 대사

제 목 : 유엔가입

　　　대: AM-0115

　　　당관은 5.28 대호 대변인 성명문을 스페인어로 번역, 주재국 외무부 BELEVAN
아주국장및 SOLARI아주과장에게 전달하였음.끝

　　　(대사 윤태현-국기국장)

국기국　　　1차보　　　미주국

PAGE 1　　　　　　　　　　　　　　　　　　　91.05.29　　08:39 BX

　　　　　　　　　　　　　　　　　　　　　　외신 1과 통제관

　　　　　　　　　　　　　　　　　　　　　　　　0030

외 무 부

종   별 :

번   호 : CLW-0322   일   시 : 90 0528 1700

수   신 : 장 관(국연,미남,기정)

발   신 : 주 콜롬비아 대사

제   목 : 유엔가입

대: AM-0112

1. 대호 5.28 일 당관은 북한 외교부의 성명에 대한 본부 성명을 프레스릴리스로 제작, 외무성, 언론사, 외교단등에 배포 하였음.

2. 동건 관련 주재국 반응은 추후 보고 위계임. 끝.

(대사 안영철-국장)

국기국   미주국   안기부

대한민국 외무부 대변인 논평

1991. 5. 28.

1. 우리는 북한이 오늘 외교부 성명을 통해 정식으로 유엔가입 신청서를 제출할 것이라고 발표한 것을 환영하는 바이다.

2. 대한민국정부는 이미 누차 밝힌바와 같이 남북한의 유엔동시가입이 통일시 까지의 잠정조치이며, 남북한이 유엔에 함께 가입함으로써 한반도에서의 긴장완화와 평화적인 통일에 기여하게 될 것임을 확신한다.

3. 우리는 남북한의 유엔가입이 한반도뿐만 아니라 동북아세아지역의 평화와 안정을 정착시키는데에도 큰 전기가 될 것을 기대하는 바이다. 끝.

0032

Comments by ROK Foreign Ministry Spokesman

28 May 1991

1. We sincerely welcome North Korea's decision of formally submitting its application for United Nations membership, which was announced this morning through an official statement of the Ministry of Foreign Affairs of North Korea.

2. The Government of the Republic of Korea wishes to reiterate its position that parallel UN membership of both Koreas is an interim measure pending unification and firmly believes that it will greatly contribute to easing tension on the Korean peninsula and also facilitate the process of peaceful unification.

3. We hope that the entry of both Koreas into the United Nations will make a milestone in consolidating peace and stability in Northeast Asia as well as the Korean peninsula.

0033

외 무 부

관리번호 91
-542

종 별 :

번 호 : UNW-1384   일 시 : 91 0528 1800

수 신 : 장 관(국연,해신,기정)

발 신 : 주 유엔 대사

제 목 : 유엔가입

대:AM-0112,0115

1. 대호관련 5.28 당대표부의 홍보조치 상황을 다음보고함.

  가. 외무부 대변인 논평을 프레스릴리스로 제작, 유엔사무국 요로, 출입기자및 각국 대표부등에 배포(450 부)

  나. 전세계 배포망을 가지고있는 VISNEWS 및 WTN (WORLDWIDE TELEVISION NEWS), AP, REUTERS, DPA, KYODO, YOMIURI 등 당지 주요 외신과의 본직 개별회견

  다.MBC 및 KBS 와의 TV 회견, 당지 한국 특파원과의 오찬 간담을 갖고 북한태도변화 배경및 향후 대책등을 설명하고 질의 응답을 가졌음.

  2. 북한대표부는 5.28 외교부 성명을 프레스릴리스로 배포한바, 별전보고함. 한편 북한대표부 차석대사 허종은 당지 뉴욕 한국일보 송혜란 기자 논평요구에대해

  가. 북한은 유엔에가입한 후라도 단일의석을 위해 노력할것이며

  나. 총리회담은 남한 국내사정에 비추어 당분간 개최되기가 어려울것같고

  다. 유엔에 남북한이 가입한다면 남한은 보안법등을 철폐해야 할 것이라고 답했다함.

  첨부:북한 프레스릴리스 3 매:UNW(F)-227

  끝

  (대사 노창희-국장, 관장)

  예고:91.12.31. 까지

  검 토 필(1991.6.30)

국기국	장관	차관	1차보	2차보	청와대	안기부	안기부	공보처

PAGE 1   91.05.29   08:28
                                              외신 2과 통제관 BS

0034

Democratic People's Republic of Korea

PERMANENT OBSERVER MISSION

TO THE UNITED NATIONS

225 E. 86th St., 14th Floor, New York, N. Y. 10028 – Tel. (212) 722-3536

Press Release

No.19
May 28, 1991

THE GOVERNMENT OF THE DEMOCRATIC PEOPLE'S REPUBLIC OF KOREA DECIDES TO ENTER U.N. AS A STEP TO TIDE OVER TEMPORARY DIFFICULTIES (STATEMENT OF THE FOREIGN MINISTRY OF THE DEMOCRATIC PEOPLE'S REPUBLIC OF KOREA)

The Ministry of Foreign Affairs of the Democratic People's Republic of Korea on May 27 published a statement concerning the fact that the DPRK Government had no alternative but to enter the United Nations at the present moment as a step to tide over the temporary difficulties caused by the south Korean authorities.

Follows the full text of the statement.

Korea's entry into the United Nations is a crucial issue directly related to the vital interests of our people who desire to rejoin the severed blood vein of the divided country and the nation and achieve reunification.

The Government of the Democratic People's Republic of Korea has consistently respected the Charter of the United Nations aimed at the preservation of international peace and security and the development of friendly relations among nations and hoped to join the United Nations.

Our Republic, a full-fledged independent and sovereign state, is fully qualified to become a member state of the United Nations.

However, under the specific conditions of our divided country, we have considered our U.N. membership in the light of national reunification in conformity with the desire of the whole nation and made patient efforts to resolve this issue under all circumstances in the interest of the cause of reunification

It is from this standpoint that, with regard to the U.N. membership, the Government of our Republic has consistently called for entry into the United Nations as one reunified Korea after the establishment of confederation and advanced a reasonable proposal that the north and

3 – 1

0035

2

south should share one seat, not seeking separate membership, if the north and south should join it before reunification.

Hoping that the north and the south would debate on the issue related to the U.N. first and submit the results to the United Nations, we proposed this issue as an important agenda item at the north-south high-level talks and made every sincere effort towards its solution.

Many countries of the world have also hoped that the issue of Korea's U.N. membership would be settled in favour of reunification through north-south consultations.

The south Korean authorities, however, insisting on their splittist idea of U.N. membership, have not only turned down our proposal for one-seat U.N. membership at the north-south high-level talks but also stated that they would no more talk about this issue at the forthcoming round of the talks.

Moreover, the south Korean authorities recently made their "unilateral entry into the U.N." their policy and went the length of formally submitting a "Government Memorandum" to the Security Council of the United Nations in this connection to attain their unilateral purpose, taking advantage of the rapid changes in the international situation.

Since the north-south high-level talks have been brought to a deadlock by the south Korean side and it is unpredictable when the talks would be resumed in view of the present situation of south Korea, we had contacts between the permanent observers of the north and south to the U.N., for an early settlement of the U.N. problem.

At these contacts, the south Korean side repeated its contention that the policy of the "unilateral U.N. membership" is inalterable and left no room for any compromise.

The fact led us to clearly confirm that the scheme of the south Korean authorities for "unilateral U.N. membership" is adamantine.

The south Korean authorities are committing the never-to-be condoned treason to divide Korea into two parts through the U.N. arena by trying to force their way into the United Nations against the desire of the entire Korean nation for reunification.

The south Korean authorities wounded the posterity. As the south Korean authorities insist on their unilateral U.N. membership, if we leave this alone, important issues related to the interests of the entire Korean nations would be dealt with in a biased manner on the U.N. rostrum and this would entail grave consequences.

We can never let it go that way.

The Government of the Democratic People's Republic of Korea has no alternative but to enter the United Nations at the present stage as a step to tide over such temporary difficulties created by the south Korean authorities.

3-2

0036

3

Proceeding from its consistent standpoint of supporting the U.N. Charter, the Government of the Democratic People's republic of Korea will submit an official application for its U.N. membership to the Secretary-General of the United Nations through appropriate formalities.

This is a decision we have taken under unavoidable circumstances created by the splittist moves of the south Korean authorities.

Today's abnormal situation under which the north and south of Korea have to apply for U.N. membership separately is another big difficulty in the way of achieving national reunification.

The people from all walks of life and the opposition forces of south Korea have struggled against south Korea's "unilateral U.N. membership", linking our country's entry into the U.N. with the prospect of its reunification. In this they sought to prevent the permanent division of the country and the nation and accomplish reunification.

The new difficulty created in the way to reunification by the south Korean authorities will certainly be overcome by the unified efforts of the whole nation and its irresistible desire for reunification.

The present-day situation in which the north and the south of Korea have to apply for the U.N. membership separately must never remain unchanged permanently.

We will remain invariable in our hope that the north and south will occupy one seat at the United Nations with a single state nomenclature.

The Government of the Republic will actively strive on the U.N. rostrum to see that the problem of Korea's reunification and international issues will be resolved in the interest of our nation and in conformity with the requirements of world peace and security.

3-3

0037

관리 91
번호 -532

외 무 부

종 별 : 지급

번 호 : UNW-1389

수 신 : 장 관(국연)

발 신 : 주 유엔 대사

제 목 : 북한 외교부 성명배포

일 시 : 91 0528 1900

대:WUN-1497, AM-114

연:UNW-1384

1. 연호, 주유엔 북한대표부는 금 5.28 자 박길연대사의 안보리의장앞 서한(첨부)을 통해 동 성명을 안보리문서로 배포하여 줄것을 요청하였음. 또한 당관이 파악한바에 의하면 북한대표부측은 SPIERS 총회담당 사무차장에게도 동 성명을 대사명의 서한 (COVER LETTER) 과 함께 송부하였는바, 동 서한에는 성명문중 "GOV'T OF DPRK WILL SUBMIT ON OFFICIAL APPLICATION FOR ITS UN MEMBERSHIP TO THE SECRETARY-GENERAL OF THE UN THROUGH APPROPRIATE FORMALITIES" 부분이 재언급되어 있다고함.

2. 금일안보리 사무국 담당관에 확인한바에 의하면 상기 북한 외교부 성명문은 명 5.29 경 안보리문서로 배포될 것이라고함.

첨부:상기 안보리문서 요청서한:UNW(F)-231

끝

19 . (대사 노창희-국장)
의거 일반문서로 재분류됨
예고:91.12.31. 까지

토끼(1991.6.20.)

국기국	장관	차관	1차보	2차보	미주국	정와대	안기부

PAGE 1

91.05.29   08:25

외신 2과 통제관 BS

0038

Democratic People's Republic of Korea
Permanent Observer Mission to the United Nations
225 East 66th Street, 14th Floor, New York, N.Y. 10028
Tel. (212) 722-3589   722-3536

New York,   28 May 1991

H.E. Mr. LI DAOYU
President of the Security Council
United Nations

I have the honour to forward to you the Statement of
27 May 1991 of the Ministry of Foreign Affairs of the Democratic
People's Republic of Korea.

I request that this letter, together the enclosed Statement
of the Ministry of Foreign Affairs, be circulated as a document
of the Security Council.

Pak Gil Yon
Ambassador
Parmanent Observer

4 - 1

STATEMENT OF THE FOREIGN MINISTRY
OF THE DEMOCRATIC PEOPLE'S REPUBLIC OF KOREA

Korea's entry into the United Nations is a crucial issue directly related to the vital interests of our people who desire to rejoin the severed blood vein of the divided country and the nation and achieve reunification.

The Government of the Democratic People's Republic of Korea has consistently respected the Charter of the United Nations aimed at the preservation of international peace and security and the development of friendly relations among nations and hoped to join the United Nations.

Our Republic, a full-fledged independent and sovereign state, is fully qualified to become a member state of the United Nations.

However, under the specific conditions of our divided country, we have considered our U.N. membership in the light of national reunification in conformity with the desire of the whole nation and made patient efforts to resolve this issue under all circumstances in the interest of the cause of reunification

It is from this standpoint that, with regard to the U.N. membership, the Government of our Republic has consistently called for entry into the United Nations as one reunified Korea after the establishment of confederation and advanced a reasonable proposal that the north and south should share one seat, not seeking separate membership, if the north and south should join it before reunification.

Hoping that the north and the south would debate on the issue related to the U.N. first and submit the results to the United Nations, we proposed this issue as an important agenda item at the north-south high-level talks and made every sincere effort towards its solution.

Many countries of the world have also hoped that the issue of Korea's U.N. membership would be settled in favour of reunification through north-south consultations.

The south Korean authorities, however, insisting on their splittist idea of U.N. membership, have not only turned down our proposal for one-seat U.N. membership at the north-south high-level talks but also stated that they would no more talk about this issue at the forthcoming round of the talks.

Moreover, the south Korean authorities recently made their "unilateral entry into the U.N." their policy and went the length of formally submitting a "Government Memorandum" to the

4 - 2

2

Security Council of the United Nations in this connection to attain their unilateral purpose, taking advantage of the rapid changes in the international situation.

Since the north-south high-level talks have been brought to a deadlock by the south Korean side and it is unpredictable when the talks would be resumed in view of the present situation of south Korea, we had contacts between the permanent observers of the north and south to the U.N., for an early settlement of the U.N. problem.

At these contacts, the south Korean side repeated its contention that the policy of the "unilateral U.N. membership" is inalterable and left no room for any compromise.

The fact led us to clearly confirm that the scheme of the south Korean authorities for "unilateral U.N. membership" is adamantine.

· The south Korean authorities are committing the never-to-be condoned treason to divide Korea into two parts through the U.N. arena by trying to force their way into the United Nations against the desire of the entire Korean nation for reunification.

The south Korean authorities wounded the posterity. As the south Korean authorities insist on their unilateral U.N. membership, if we leave this alone, important issues related to the interests of the entire Korean nations would be dealt with in a biased manner on the U.N. rostrum and this would entail grave consequences.

We can never let it go that way.

The Government of the Democratic People's Republic of Korea has no alternative but to enter the United Nations at the present stage as a step to tide over such temporary difficulties created by the south Korean authorities.

Proceeding from its consistent standpoint of supporting the U.N. Charter, the Government of the Democratic People's republic of Korea will submit an official application for its U.N. membership to the Secretary-General of the United Nations through appropriate formalities.

This is a decision we have taken under unavoidable circumstances created by the splittist moves of the south Korean authorities.

Today's abnormal situation under which the north and south of Korea have to apply for U.N. membership separately is another big difficulty in the way of achieving national reunification.

The people from all walks of life and the opposition forces of south Korea have struggled against south Korea's "unilateral U.N. membership", linking our country's entry into the U.N. with the prospect of its reunification. In this they sought to prevent the permanent division of the country and the nation and accomplish reunification.

4-3

3

The new difficulty created in the way to reunification by the south Korean authorities will certainly be overcome by the unified efforts of the whole nation and its irresistible desire for reunification.

The present-day situation in which the north and the south of Korea have to apply for the U.N. membership separately must never remain unchanged permanently.

We will remain invariable in our hope that the north and south will occupy one seat at the United Nations with a single state nomenclature.

The Government of the Republic will actively strive on the U.N. rostrum to see that the problem of Korea's reunification and international issues will be resolved in the interest of our nation and in conformity with the requirements of world peace and security.

May 27, 1991

Pyongyang

4 - 4

北韓 外交部 聲明에 대한 措置事項

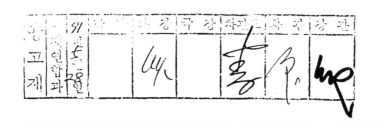

1991. 5. 28.

外　務　部

5.28. 유엔加入 申請書 提出 意思를 밝힌 北韓外交部 聲明發表와 관련, 外務部가 취한 措置事項 및 向後 計劃에 관하여 아래 報告드립니다.

1. 旣 措置事項

   ○ 外務部 代辯人 論評發表 (5.28. 11:00시)

   - 北韓 聲明內容에 歡迎 表明

   - 南北韓의 유엔同時加入이 統一時까지의 暫定措置
     로서 韓半島의 緊張緩和와 平和的 統一에 寄與
     確信 表明

   ○ 全在外公館에 通報

   - 北側 聲明要旨 및 外務部代辯人 論評 全文 打電

   - 駐在國에 대한 說明 및 弘報措置 指示

   ○ 核心友邦國에 대한 謝意 表明

   - 核心友邦國(미.일.영.불.카나다.벨기에) 駐在
     大使를 통하여 그동안의 恪別한 協調에 대한
     謝意 表明 및 向後 持續的인 協力 確保토록 指示

0043

○ 各政黨 및 言論機關에 대한 弘報措置
 - 民自黨, 新民黨等 各政黨에 北韓 發表内容 및
   外務部 代辯人 論評内容 通報
 - 國内外 記者에 대한 背景説明等 弘報措置

2. 向後 措置計劃
 ○ 유엔加入을 위한 國内節次 檢討
 - 加入申請書 提出에 앞서 憲法 第89條에 依據
   國務會議의 審議와 憲法 第60條에 依據 國會의
   加入同意를 얻는 措置를 취하여야 함.
 - 日本 및 獨逸도 유엔加入申請에 앞서서 유사한
   國内節次를 취한 바 있음.
 ○ 유엔加入同意案 처리를 위한 臨時國會 召集檢討
   (6월 상순)
 ○ 유엔가입 申請書 提出等 具體的 推進計劃에 관하여
   友邦國과 긴밀히 協議 推進
 ○ 주유엔 南北大使間 接觸問題
 - 北側의 反應接受後 愼重對處
 ○ 유엔加入後 大統領閣下의 總會 基調演説 檢討
                                   - 끝 -

北韓 外交部 聲明에 대한 措置事項

1991. 5. 28.

外 務 部

> 5.28. 유엔加入 申請書 提出 意思를 밝힌 北韓外交部
> 聲明發表와 관련, 外務部가 취한 措置事項 및 向後 計劃에
> 관하여 아래 報告드립니다.

1. 旣 措置事項

   ㅇ 外務部 代辯人 論評發表 (5.28. 11:00시)

   ㅇ 全在外公館에 通報

   - 北側 聲明要旨 및 外務部代辯人 論評 全文 打電

   - 駐在國에 대한 說明 및 弘報措置 指示

   ㅇ 核心友邦國에 대한 謝意 表明

   - 核心友邦國(미.일.영.불.카나다.벨기에) 駐在
     大使를 통하여 그동안의 恪別한 協調에 대한
     謝意 表明 및 向後 持續的인 協力 確保토록 指示

   ㅇ 各政黨 및 言論機關에 대한 弘報措置

   - 民自黨, 新民黨等 各政黨에 北韓 發表內容 및
     外務部 代辯人 論評內容 通報

   - 國內外 記者에 대한 背景說明等 弘報措置

0045

* 中國外交部 代辯人 論評發表(5.28, 19:00)
  - 北韓側 決定을 歡迎함.
  - 中國은 一貫되게 南北 雙方間의 合意를 통한
    問題解決을 希望해 왔는 바, 今番 北韓의 決定은
    여기에 符合되는 것임.
  - 同 措置가 韓半島 平和安全維持에 도움이 될 것임.

2. 向後 措置計劃
  ○ 유엔加入을 위한 國內節次 檢討
    - 加入申請書 提出에 앞서 憲法 第89條에 依據
      國務會議의 審議와 憲法 第60條에 依據 國會의
      加入同意를 얻는 措置를 취하여야 함.
    - 日本 및 獨逸도 유엔加入申請에 앞서서 유사한
      國內節次를 취한 바 있음.
  ○ 유엔加入同意案 처리를 위한 臨時國會 召集檢討
    (6월하순)
  ○ 유엔가입 申請書 提出等 具體的 推進計劃에 관하여
    友邦國과 긴밀히 協議 推進
  ○ 주유엔 南北大使間 接觸問題
    - 北側의 反應接受後 愼重對處
  ○ 유엔加入後 大統領閣下의 總會 基調演說 檢討

                                              - 끝 -

                                              0046

1. 북측 입장변경 배경

  o 남북한 유엔가입문제에 대한 국제적 분위기 인식

    - 아국입장을 지지하는 압도적인 국제적 여론

    - 북측안(단일의석 가입안)에 대한 지지 전무

  o 북한측이 믿었던 중.소의 태도변화

    - 한.소수교, 제주도 한.소 정상회담시 소련의 분명한 입장표명

    - 한.중간 무역대표부 설치, 최근 이붕총리 방문시, 유엔가입문제에
      대한 중국입장에 회의(가능성)

  o 우리의 확고한 가입의지 인식

    - 대통령각하의 년내가입 실현 의지

    - 4.5자 아국정부 각서를 통한 우리측 의지(동시가입 불가시 선가입
      불가피) 확인

    - 우리의 단독가입 반대명분 부재 및 가입저지 자신 상실

0047

o 국내외적으로 북한측의 반대논리 무용화

  - 분단고착화, 남북한 합의 우선, 단일의석 가입안의 설득력 상실

  - 남한정부 추진입장에 대한 국내 지지여론 강화

o 북한이 처해있는 국제적 곤경 탈피

  - 유엔가입을 통한 외교적, 경제적 고립 탈피 도모

  - 실질적으로 국제적 지위향상 고려

2. 정부대처방향

o 남북한의 유엔가입이 가시화된 현시점에서 남북관계의 새로운
  전환점 모색 노력

  - 대북관계에 있어 확고한 기본원칙하 유연성 발휘 필요

  - 북한을 국제사회의 책임있는 일원으로서 행동하게 하는 전기로
    활용

o 새로운 동북아지역 질서구축에 능동적 참여방안 모색

  - 동북아지역의 평화구조 확보노력

  - 중국과의 관계개선 노력 계속 추진

o 유엔가입실현을 통하여 우리의 대외관계의 새로운 도약발판 마련

0048

3. 향후 전망 및 계획

  ㅇ 북한은 남북한의 유엔가입 후, 대일 수교교섭 노력, 대서방 관계
     개선 노력을 강화시킴으로써 그들이 현재 처해있는 심각한 외교적,
     경제적 고립상태 탈피를 위한 계기로 활용코자 할 것으로 봄.

  ㅇ 금년도 제46차 유엔총회 개막일인 9.17에 남북한의 유엔가입이
     무난히 이루어질 것으로 전망되며, 가입에 필요한 국내법 절차등
     세부문제는 앞으로 차분한 가운데 차질없이 추진해 나갈 계획임.

0049

발 신 전 보

UUN-1517   910528 2021 FO

번   호 : _____   종별 : _____

USV -1631

수   신 : 주 유엔, 소련 대사. ♣♣♣♣

                     (국연)

발   신 : 장 관

제   목 : 유엔가입

연 : AM-0112

    귀지 소련대표부(모스크바는 소련당국)와 접촉하여, 북한의 유엔가입

신청서 제출결정 관련, 그간 남북한 유엔가입에 관한 소련측의 관심과

이해에 대하여 아측이 이를 평가하고 있다는 점을 적절히 전달하면서

연호 아국 외무부 대변인 논평내용을 설명하고 결과 보고바람. 끝.

(장   관)

예고 : 91.12.31.일반

검 토 필 (1991 6.30)

19 P(12. 31. 에 리고문에
의거 일반문서 ≥ 1분류됨

앙 고 재	년 월 일	과	기안자 성명	과 장	국 장	차 관	장 관	외신과통제
				Uy.	ん			

0050

	분류번호	보존기간

발 신 전 보

WUN-1518   910528 2023 FO

번   호 :   종별 :   MCP -0674

수   신 : 주   유엔, 주북경대표 대사. ♣♣♣♣

(국연)

발   신 : 장   관

제   목 : 유엔가입

연 : AM-0112

귀지 중국대표부(북경은 중국당국)와 접촉하여, 북한의 유엔가입
신청서 제출결정 관련, 그간 남북한 유엔가입에 관한 중국측의 관심과
이해에 대하여 아측이 이를 평가하고 있다는 점을 적절히 전달하면서
연호 아국 외무부 대변인 논평내용을 설명하고 결과 보고바람. 끝.

(장   관)

예고 : 91.12.31.일반

검 토 필(199! 6.30)

19*P1.12.3/.*에 *분에
의거 일반문서.* *분류됨

	보 안 통 제	*Uy*

	년월일	기안자 성명		과 장	국 장	차 관	장 관		외신과통제
앙 고 재			과						

유엔가입실현 노력

91. 5. 28.

1. 대통령의 연내 유엔가입 실현의지 표명

   ㅇ 금년중 우리의 유엔가입 실현은 최우선 외교목표의 하나로서 연내가입
   실현을 위한 노력 지시

   - 대통령 연두기자회견시(1.8)

   - 청와대 연두보고시(1.24)

   - 유엔가입 추진계획에 관한 대통령보고시(3.7)

   - ESCAP 서울총회 개막연설시(4.1)

   - 91년도 해외공관장회의 참석공관장 격려시(4.17)

   - 청와대 국무회의시 한.소 정상회담 결과 평가후 유엔가입실현 의지
   재천명(4.22)

2. 우리의 유엔가입 지지분위기 활성화 노력

   가. 각국수도 및 뉴욕에서 우리입장에 대한 지지활동

   나. 특별교섭 사절단 파견

   　　ㅇ 9개반 37개국 순방 (91.4월말-5월)

   다. 국내개최 국제회의시 아국입장 강력 표명

   　　ㅇ 제47차 ESCAP 총회시 개회사를 통하여 남북한 유엔가입이 아.태지역
   　　평화에 기여할 것임을 연설(4.1)

   라. 주요인사 방한시 아국의 유엔가입 실현의지 전달

   　　ㅇ 카이후 일본총리(1.9-10), 바이체커 독일대통령(2.25), 불란서수상
   　　(5.2), 터키수상(5.16) 방한시

0052

o 고르바쵸프 소련대통령 방한시(4.20)

o 미대통령에 대한 친서전달(5.1)

o 기타 헝가리, 벨기에, 멕시코, 이태리, 몽골, 파라과이, 루마니아,
스페인, 브라질외상을 비롯 유엔사무국 사무차장(3명)등 주요인사
방한 적극 추진 및 아국의 유엔가입 지지확산에 주력

3. 유엔안보리의 주도적인 해결노력 유도

가. 우리의 가입문제에 관한 미.중간 공식협의채널 적극 활용

나. EC등 우방을 통한 중.소 설득노력 병행

다. 한.소 직접교섭

   - 한.소 정상회담등 계기활용

4. 중국설득 및 북한의 태도변화 유도 노력

가. 중국 설득

   o 한.중간 직접 접촉계기 활용

     - 유엔 및 북경대표부 활동 강화

     - 서울개최 제47차 ESCAP총회 계기 활용

     - 중국의 아.태 각료회의(APEC) 가입문제 협의계기등 활용

   o 미국 및 우방국의 적극적 협조 확보

     - 우방국 주요인사의 중국방문시 및 중국 고위층의 우방국 방문
       계기 활용, 중국 설득노력 강화

   o 동구권 및 주요 비동맹국의 협조 확보

   o 제45차 유엔총회의장 (몰타 외상)의 역할 활용

0053

나. 북한의 태도변화 유도 노력

　　ㅇ 남.북한간 직접접촉을 통한 설득

　　　- 남북한 주유엔대사 접촉(5.27)

　　ㅇ 중.소를 통한 북한설득

　　ㅇ 우방국을 통한 설득

　　　- 일.북한 수교협상 계기 활용

　　　- 북한의 대서방관계 개선을 위한 각종 접촉시도 계기활용

　　ㅇ 제45차 유엔총회의장 및 안보리의장의 협조 확보

　　　- 주유엔 북한대사의 면담신청시 대북설득

5. 우방국과의 협조체제 강화

　가. 미국의 협조.지원 확보

　　ㅇ 부쉬 대통령의 특별한 관심 및 지원확보

　나. 핵심우방국회의 적극 활용

　　ㅇ 미, 영, 불, 일, 카나다, 벨기에의 적극적 역할 확보

6. 유엔사무국 협조확보

　ㅇ 유엔사무총장 및 사무국 주요간부의 협조 확보

0054

40. 나토 국방상회의 브뤼셀에서 진행

　　(북경 91.05.29 2000)

　　　　　　나토 국방상회의는 어제 브뤼셀 나토 본부에서 나토 군사기구에 대해 .. 하기로 했습니다. 여러나라들은 와르샤와 조약기구 해체와 소련의 군사적 위협이 줄어들고 있는 조건에서 나토군사기구를 다시 소규모적이고도 용활성있는 다국적 부대로 개편하는데 동의했습니다. 영국 국방성은 보도 발표모임에서 여러나라 국방상들은 또한 돌발적인 군사적 위협앞에서 신속히 군사적 배치를 할수있는 쾌속 반응부대를 조직할데 대해서 동의했습니다.

41. 유엔주재 중국 상임대표, 북한 유엔가입 신청서 접수

　　(북경 91.05.29 2100)

　　　　　　안보이사회 이달 의장이며 유엔주재 중국 상임대표는 어제 유엔에 가입할것을 요구한 조선민주주의인민공화국 정부의 신청서를 받았습니다. 그는 어제 이 신청서를 안보이사회 성원들에게 배포했습니다. 워싱턴 주재 본방송국 기자가 전한데 의하면 미 국무성 대변인은 어제 미국은 조선민주주의인민공화국은 유엔에 가입하려 한다고 선포한것을 환영한다고 했습니다.

　* 흑룡강성 방송

-1. 영안현 약품공업공사, 약품판매 성과

　　(흑룡강 91.05.29 1030)

외　무　부

종　별 : 지 급

번　호 : JAW-3310　　　　　　　　　일　시 : 91 0529 1446

수　신 : 장관(국연,정이,아일)

발　신 : 주 일 대사(일정)

제　목 : 북한 대문협위원장 UN 가입문제 관련업급

　　1. 금 5.29. 자 당지 공동통신 보도에 따르면 북한의 정준기 대외문화연락협회 위원장은 5.29. 오전 동사와의 인터뷰시, "북한이 발표한 UN 가입 방침은 한국이 단독가입을 추진하고 있는 상황에서 어쩔수없이 취한 조치이며, UN 가입후에도 하나의 의석이 될것을 희망하고 있다" 고 언급 하였다함.

　　2. 또한 정준기는 "본래 통일전 UN 가입에는 반대이며 연방제 통일이 실현된후 단일의석으로 가입한다는 것이 북측의 기본적 입장임" 을 강조하고 "동 문제는 남. 북 총리회담에서도　논의되었으나,　한국의　당국자는　단독가입을　고집하였다"　고 비난하였다함. 끝

　　(대사오재희-국장)

국기국	장관	차관	1차보	2차보	아주국	정문국	청와대	안기부

외 무 부

종 별 :

번 호 : NYW-0795　　　　　　　　　　일 시 : 91 0529 1520

수 신 : 장관(해기.정홍.국연)

발 신 : 주 뉴욕 총영사(문)

제 목 : 남북한 유엔 가입 홍보

　　대:AM-0118

　　1. 북한 유엔동시 가입 결정관련 당관은 NYT, WSJ, CSM 등 현지 주요언론 논설진 및 외신부장을 대상으로 아래와같은 요지의 영문 배경자료 작성 배포함.

　　2. 북한의 유엔정책 선회는 6 공화국 북방정책의 결정적인 성과라는데 이론의 여지가 없으며, 한국 정부는 더 나아가 남북한 관계 정상화를 위한 중요한 청신호로 받아들이고 있음.

　　특히 남북한 정상회담을 추진해온 한국정부로서는 이번 북한의 정책선회로 까가운 장래에 정상회담 실현을 기대하고 있음.

　　3. 영문 TEXT 별송함.

　　(원장-관장)

　　예고:91.6.31. 까지

공보처　　1차보　　국기국　　정문국

PAGE 1　　　　　　　　　　　　　　　　　　91.05.30　　08:33

　　　　　　　　　　　　　　　　　　　　　외신 2과　통제관 CE

분류번호	보존기간

발 신 전 보

AM-0118   910529 1957 FN   종별:

번   호 :

수   신 : 주   AM   대사.✿✿✿✿영사

발   신 : 장 관   (국연)

제   목 : 남북한 유엔가입문제(홍보)

1. 5.28. 북한의 유엔가입 신청서 제출발표와 관련, 연호 외무부 대변인
    논평요지에 따라 북한의 결정을 환영한다는 선에서 대응바라며, 필요시
    금번 북한의 결정이 주재국을 포함한 우방국들의 일치된 우리입장
    지지에 따라 있게된 것으로 본다는 정도로 언급바람.

2. 본건관련, 각종 예상질문에 대한 답변요령을 하기 통보하니 활용바라며,
    북한 태도변화의 배경분석에 관하여는 추후 타전예정임.

    가. 가입신청방법등 관련 북한과의 협의문제
        ○ 우리는 5.27. 유엔가입문제와 관련한 남북한 주유엔대사간 협의를
          제의한 바 있음. 우리로서는 북한측이 우리의 제의에 응해온다면
          언제든지 북한측과 협의할 용의가 있음.(더이상의 부연설명은 자제)

    나. 남북한 가입 신청서 제출문제
        ○ 북한이 정식으로 가입을 신청하겠다고 결정한 점에 비추어
          현시점에서는 남북한이 각각 가입신청서를 제출하게 될것으로 봄.
          그러나 구체적 가입방안에 관해서는 여러가지 가능성도 생각해볼수
          있음. 우리로서는 북측이 우리와 함께 유엔에 가입하는 구체적
          방안에 관하여 협의코자 한다면 아예 응할것임.
          / 계속...

보 안 통 제	

앙고재	기안자 성명	과 장	국 장	차 관	장 관
91년 5월 일 유엔과					

외신과통제

다. 신청시기

　　　ㅇ 지난 4.5자 우리정부 각서에서 밝혔듯이 금추 총회개막전에

　　　　가입신청서를 제출한다는 기본원칙하에 만반의 준비를 하고

　　　　있음.

　　　ㅇ 이와 관련하여서는 국내 절차완료등 제반상황을 고려

　　　　결정할 예정임.

라. 남북한 가입의의

　　　ㅇ 국제적 위상과 능력에 합당한 남북한의 역할과 기여

　　　　- 국제문제 의사결정에 능동적이고도 완전한 참여

　　　ㅇ 남북한 관계의 발전과 정상화에 기여

　　　　- 유엔체제내에서 상호교류와 협력증진, 신뢰구축 강화에 기여

　　　　- 궁극적으로 남북한의 평화통일 촉진계기 마련

　　　ㅇ 새로운 동북아지역 질서구축에 능동적 참여. 끝.

　　　　　　　　　　　　　　　（ 장　　　　　관 ）

예고 : 91.12.31.일반

ZM. MG. ET. 파면홍수으치 한.

WHG-0465   910529 1959   FN

WPD -0509	WYG -0428
WRM -0388	WSV -1641
WBL -0349	WCZ -0421

0060

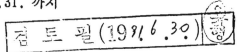

외 무 부

종 별 :

번 호 : UNW-1405

일 시 : 91 0529 2000

수 신 : 장관(국연,해신,정홍,기정)

발 신 : 주 유엔 대사

제 목 : 유엔가입

연:UNW-1384

1. 본직은 5.29 일본 YOMIURI SHIMBUN 특파원 MASAOMI TERADA 와 회견을 갖고, 북한의 유엔가입 결정환영등 아국정부 입장을 설명하고 관련 질의에 응답했음. 또한 5.30 NIHON KEIZAI SHIMBUN 특파원 MASAKI MORITA 요청으로 회견예정임.

2. 공보관은 5.28 소련 IZVESTIA 특파원 ALEXANDER SHALNEV 의 KBS-TV 회견, 5.29 친한기고가 WORLD WATCH COLUMN , JOHN METZLER 와의 MBC-TV 회견을 주선하고 연합통신의 주유엔일본대사 회견등 당지특파원 대내순환 취재관련 지원했음.

3. 한편 5.29 유엔 부대변인(FREED ECKHARD) 의 출입기자단(UNCA)과의 정례브리핑(NOON BRIEFING)에서 GUIDO DE MARCO 총회의장의 5.28 방북관련 별전(1) 내용의 브리핑이 있었으며 방문결과에 대한 개별질문에 대해 별전(2)내용의 자료를 제공했다함.

첨부:1. 유엔 부대변인 브리핑, 2. 추가 답변자료:UNW(F)-233

끝

(대사 노창희-국장, 관장)

예고:91.12.31. 까지

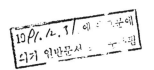

검 토 필(1991.6.30)

국기국	장관	차관	1차보	2차보	정문국	청와대	안기부	공보처

PAGE 1

91.05.30   09:28

외신 2과   통제관 BS

0061

UNW(元)-233 10529 2000
(국련.해련.정총.기정)   총 3 매

청부 1: 유엔북대변인 브러핑 내용

The President of the General Assembly, Guido de Marco (Malta), had
arrived in Pyongyang yesterday, Mr. Eckhard continued. There he met with
President Kim Il Sung and other senior officials of the Democratic People's
Republic of Korea. The Assembly President would go to the Republic of Korea
on Thursday, for meetings with President Roh Tae Woo and other senior
officials in Seoul before returning to Malta.

He was asked whether Mr. de Marco's visit to the Democratic People's
Republic of Korea had anything to do with that country's request for United
Nations membership. Mr. Eckhard said that country's announcement of intent to
apply for membership had been made just hours before Mr. de Marco arrived. As
a result, that was a principal topic discussed during the visit.

\# 별첩   3-1   0062

첨부 2: 국가 답변 진술

The President of the United Nations General Assembly, Prof. Guido de Marco arrived in Pyongyong on ~~Wednesday~~ Tuesday. 28th May, 1991, on the first leg of his announced tour to Korea for talks in Pyongyong and Seoul.

In Pyongyong the talks were primarily centred on the decision of the Government of the Democratic People's Republic of Korea to submit an official application for United Nations membership. This decision was made public only a few hours prior to the arrival of the United Nations General Assembly President in Pyongyong.

During his twenty-four hour stay in Pyongyong the President, Prof. Guido de Marco and his delegation were received by President Kim il Sung and had a two-hour meeting with the Deputy Prime Minister and Minister of Foreign Affairs Kim Yong Nam.

At these meetings the authorities of the Democratic People's Republic of Korea explained that the unification of the nation is the aspiration of the Korean people. The Democratic People's Republic of Korea's decision to apply for U.N. membership was taken in full awareness of its responsibilities to their own

3 — 2

0063

that the interests of the entire Korean nation (ㄷ)
be safeguarded and this in the light of the declared
intent of the Government of the Republic of Korea
to proceed with its application for U.N. membership.

The Government of the Democratic People's Republic
of Korea further explained that it had consistently
respected the Charter of the United Nations aimed
at the preservation of international peace and
security and the development of friendly relations
among nations.

The President of the United Nations General Assembly
welcomed the Democratic People's Republic of
Korea's decision to apply for U.N. membership.
Prof. de Marco said that though the process
of unification could not reflect itself in any
other, he expressed the hope that as had
happened with Yemen and with Germany,
the people of Korea will, through peaceful
negotiations, eventually find the right historical
moment ~~for which~~ the unification of Korea to
becomes a reality.

3-3

0064

주 콜 롬 비 아 대 사 관

콜롬(정) 700 - 138   1991. 5. 29

수 신 : 장 관

참 조 : 국제기구조약국장, 정보문화국장

제 목 : 유엔가입

　　　대 : AM - 0112

　　　연 : CLW - 0322

　　　대호, 북한 외교부의 성명에 대한 본부 대변인 논평을 별첨과 같이
당관 프레스릴리스로 외무성, 외교단, 언론사등에 배포하였음을 보고합니다.

첨 부 : 상동 프레스릴리스 사본 1부. 끝.

주 콜 롬 비 아 대 사

COMUNICADO DEL MINISTERIO DE RELACIONES EXTERIORES

DE LA REPUBLICA DE COREA

El Ministerio de Relaciones Exteriores de la República de
Corea expidió un comunicado en el día de hoy, el que se
menciona a continuación, mediante el cual manifiesta la de-
cisión que ha tomado Corea del Norte de ingresar como Miem-
bro de las Naciones Unidas, según su declaración de fecha
28 de Mayo de 1991:

1. Nos alegramos sinceramente de la decisión que ha tomado
   Corea del Norte de presentar oficialmente su aplicación
   para ser Miembro de las Naciones Unidas, según se anun-
   ció en la mañana del día de hoy, a través de una decla-
   ración oficial del Ministerio de Relaciones Exteriores
   de Norcorea.

2. El Gobierno de la República de Corea desea reiterar su
   posición con respecto al ingreso paralelo de las dos
   Coreas a las Naciones Unidas, considerando que sería
   una medida interina mientras se logra la unificación,
   y cree firmemente que esto contribuiría en gran parte
   a aliviar las tensiones en la Península Coreana y tam-
   bién facilitaría el proceso de unficación pacífica.

3. Esperamos que el ingreso de las dos Coreas a las Nacio-
   nes Unidas, sea la base para consolidar la paz y la es-
   tabilidad, tanto en Asia Nororiental, como en la Penín-
   sula Coreana.

Seúl, Mayo 28 de 1991

0066

외 무 부

종 별 :

번 호 : SGW-0330

일 시 : 91 0530 1700

수 신 : 장관(미안,아동,정이,국연)

발 신 : 주 싱가폴 대사

제 목 : 북한 동향

1. 본직이 금 5.30. 당지주재 스웨덴 대사로부터 청취한 바에 의하면, 북한당국이 지난주에 중립국 감시위원단을 초치하여 앞으로 북한은 중립국 감시위원단을 더이상 인정할수 없으며 만일 동 위원단이 그대로 남겠다면 모든 비용은 자비로 충당하라고 통고했다함. 동 대사에 의하면 중립국 감시위원단은 상기 북한의 통보가 무슨 의미인지 분석중이라고 하였음.

2. 작 5.29. 당지주재 독일대사를 예방한 자리에서 본직이 북한의 유엔 가입의사 발표와 관련하여 독일의 대북한 태도 변화 가능성을 문의하였던바, 동 대사는 독일의 대북한 태도 변화 가능성은 없다고 말하고 현재 주평양 스웨덴 대사관에 ATTACHED 된 독일외교관 2 명(서기관급)이 평양에 있는 구동독재산을 계속 관리하고 있다고 언급하였음. 끝.

(대사-장관)

미주국	장관	차관	1차보	아주국	국기국	문협국	안기부

외 무 부

종 별 : 지 급

번 호 : UNW-1417

일 시 : 91 0530 1830

수 신 : 장 관(국연,정이,기정)

발 신 : 주 유엔대사

제 목 : 북한 안보리문서 배포

연:UNW-1389

연호, 외교부 성명이 5.29 자 안보리문서로 금 5.30 배포된바, 별첨 FAX 송부함

첨부:상기 FAX:UNW(F)-234

끝

(대사 노창희-국장)

예곤:91.12.31. 일반

검토필(191. 6. 30.)

국기국	장관	차관	1차보	2차보	미주국	문협국	청와대	안기부

UNW(F)-234 105= 1830
(국연·저의·기정)   총504   S

UNITED
NATIONS

Security Council

Distr.
GENERAL

S/22642
29 May 1991

ORIGINAL: ENGLISH

NOTE BY THE PRESIDENT OF THE SECURITY COUNCIL

The attached letter dated 28 May 1991 from the Permanent Observer of the Democratic People's Republic of Korea to the United Nations was addressed to the President of the Security Council. In accordance with the request therein contained, the letter is being circulated as a document of the Security Council.

91-17257   2385h (E)   /...

#별첨   5 -1

0069

<u>Annex</u>

<u>Letter dated 28 May 1991 from the Permanent Observer of the
Democratic People's Republic of Korea to the United Nations
addressed to the President of the Security Council</u>

I have the honour to forward to you the Statement of 27 May 1991 of the
Ministry of Foreign Affairs of the Democratic People's Republic of Korea.

I request that this letter, together with the enclosed Statement of the
Ministry of Foreign Affairs, be circulated as a document of the Security
Council.

                                   (<u>Signed</u>)   PAK Gil Yon
                                               Ambassador
                                          Permanent Observer

5-2

/...

0070

S/22642
English
Page 3

Enclosure

**Statement issued on 27 May 1991 by the Ministry of Foreign
Affairs of the Democratic People's Republic of Korea**

Korea's entry into the United Nations is a crucial issue directly related
to the vital interests of our people who desire to rejoin the severed blood
vein of the divided country and the nation and achieve reunification.

The Government of the Democratic People's Republic of Korea has
consistently respected the Charter of the United Nations aimed at the
preservation of international peace and security and the development of
friendly relations among nations and hoped to join the United Nations.

Our Republic, a full-fledged independent and sovereign state, is fully
qualified to become a Member State of the United Nations.

However, under the specific conditions of our divided country, we have
considered our United Nations membership in the light of national
reunification in conformity with the desire of the whole nation and made
patient efforts to resolve this issue under all circumstances in the interest
of the cause of reunification.

It is from this standpoint that, with regard to the United Nations
membership, the Government of our Republic has consistently called for entry
into the United Nations as one reunified Korea after the establishment of
confederation and advanced a reasonable proposal that the north and south
should share one seat, not seeking separate membership, if the north and south
should join it before reunification.

Hoping that the north and the south would debate on the issue related to
the United Nations first and submit the results to the United Nations, we
proposed this issue as an important agenda item at the north-south high-level
talks and made every sincere effort towards its solution.

Many countries of the world have also hoped that the issue of Korea's
United Nations membership would be settled in favour of reunification through
north-south consultations.

The south Korean authorities, however, insisting on their splittist idea
of United Nations membership, have not only turned down our proposal for
one-seat United Nations membership at the north-south high-level talks but
also stated that they would no more talk about this issue at the forthcoming
round of the talks.

Moreover, the south Korean authorities recently made their "unilateral
entry into the United Nations" their policy and went the length of formally
submitting a "Government Memorandum" to the Security Council of the United

5 - 3

/...

0071

S/22642
English
Page 4

Nations in this connection to attain their unilateral purpose, taking
advantage of the rapid changes in the international situation.

    Since the north-south high-level talks have been brought to a deadlock by
the south Korean side and it is unpredictable when the talks would be resumed
in view of the present situation of south Korea, we had contacts between the
permanent observers of the north and south to the United Nations, for an early
settlement of the United Nations problem.

    At these contacts, the south Korean side repeated its contention that the
policy of the "unilateral United Nations membership" is inalterable and left
no room for any compromise.

    The fact led us to clearly confirm that the scheme of the south Korean
authorities for "unilateral United Nations membership" is adamantine.

    The south Korean authorities are committing the never-to-be condoned
treason to divide Korea into two parts through the United Nations arena by
trying to force their way into the United Nations against the desire of the
entire Korean nation for reunification.

    The south Korean authorities wounded the posterity. As the south Korean
authorities insist on their unilateral United Nations membership, if we leave
this alone, important issues related to the interests of the entire Korean
nations would be dealt with in a biased manner on the United Nations rostrum
and this would entail grave consequences.

    We can never let it go that way.

    The Government of the Democratic People's Republic of Korea has no
alternative but to enter the United Nations at the present stage as a step to
tide over such temporary difficulties created by the south Korean authorities.

    Proceeding from its consistent standpoint of supporting the United
Nations Charter, the Government of the Democratic People's Republic of Korea
will submit an official application for its United Nations membership to the
Secretary-General of the United Nations through appropriate formalities.

    This is a decision we have taken under unavoidable circumstances created
by the splittist moves of the south Korean authorities.

    Today's abnormal situation under which the north and south of Korea have
to apply for United Nations membership separately is another big difficulty in
the way of achieving national reunification.

    The people from all walks of life and the opposition forces of south
Korea have struggled against south Korea's "unilateral United Nations
membership", linking our country's entry into the United Nations with the
prospect of its reunification. In this they sought to prevent the permanent
division of the country and the nation and accomplish reunification.

5-4

/...

0072

The new difficulty created in the way to reunification by the south
Korean authorities will certainly be overcome by the unified efforts of the
whole nation and its irresistible desire for reunification.

The present-day situation in which the north and the south of Korea have
to apply for the United Nations membership separately must never remain
unchanged permanently.

We will remain invariable in our hope that the north and south will
occupy one seat at the United Nations with a single state nomenclature.

The Government of the Republic will actively strive on the United Nations
rostrum to see that the problem of Korea's reunification and international
issues will be resolved in the interest of our nation and in conformity with
the requirements of world peace and security.

27 May 1991
Pyongyang

5-5

0073

관리 번호	91 ―552

외 무 부

종   별 :

번   호 : UNW-1421   일   시 : 91 0530 1945

수   신 : 장 관(국연,해신,정홍,기정)

발   신 : 주 유엔 대사

제   목 : 유엔가입

연:UNW-1405

1. 유엔대변인 FRANCOIS GIULIANE 는 5.30 정오 브리핑에서 북한의 유엔가입신청 결정에 관한 안보리문서 배포관련 유엔사무총장의 논평을 요구받고, 사무총장은 "남북한의 유엔가입 신청결정을 환영하며 유엔의 보편성원칙을 항상 지지해왔다 "는 요지로 답했는바, 관련내용 다음보고함.

CONCERNING THE APPLICATION OF THE DEMOCRATIC PEOPLE'S REPUBLIC OF KOREA FOR MEMBERSHIP IN THE UNITED NATIONS , MR.GIULIANI DREW ATTENTION TO A LETTER FROM THAT GOVERNMENT (DOCUMENT S/22642), EXPRESSING ITS INTENTION TOSEEK MEMBERSHIP IN THE UNITED NATIONS. HE ALSO DREW ATTENTION TO A PREVIOUS LETTER OF 5 APRIL FROM REPUBLIC OF KOREA, WHICH HAD EXPRESSED A SIMILARINTENTION (DOCUMENT S/22455), TO REQUESTS FOR A COMMENT BY THE SECRETARY-GENERAL ON THIS QUESTION , MR.GIULIANI SAID THE SECRETARY-GENERAL "WELCOME" THESE REQUESTS AND HAD ALWAYS BELIEVED IN THE UNIVERSALITY OF THE UNITED NATIONS.

2. 본직은 연호보고와 같이 5.30 니혼게자이 특파원과 회견했음. 끝

(대사 노창희-국장, 관장)

예고:91.12.31. 까지

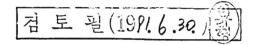

검 토 필(1991. 6.30.)

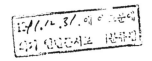

국기국 공보처	장관	차관	1차보	2차보	문협국	정와대	안기부	안기부

PAGE 1   91.05.31   09:49

외신 2과 통제관 BS

0074

발 신 전 보

번 호 : AM-0121   910530 2040 DU   종별 : 지그ㅗ

수 신 : 주   AM   대사. ♣♣♧♥♠♣
(국연)

발 신 : 장 관

제 목 : 남북한 유엔가입문제(홍보)

연 : AM-0118

1. 금일 본직이 국회 외무통일위에 보고한 하기내용을 통보하니 연호
북한태도 변화의 배경분석 관련 설명시 활용바람.

　　가. 정부의 성공적인 북방외교의 추진은 우리의 대외정책에 대한
　　　　국제적인 지지기반을 확대시켰고, 그 결과 우리의 유엔가입
　　　　정책에 대한 국제적 지지 분위기가 압도적으로 확산된 반면
　　　　북한의 단일의석 가입안은 외면당하게 되었음.

　　나. 한.소 수교 및 3차에 걸친 한.소 정상회담의 결과로 소련이
　　　　유엔가입관련 우리의 입장을 지지하게 되었으며, 중국도 최근
　　　　한.중간의 실질관계 증진 및 우리의 유엔가입이 더이상 늦추어
　　　　져서는 안된다는 국제적 분위기를 의식하여, 북한에 대한
　　　　거부권행사와 관련 확약을 하지 않은 것으로 알려졌음.

　　다. 대통령께서 연두기자회견, 외무부 업무보고시 뿐 아니라
　　　　지난달 ESCAP 총회에서도 금년내 우리의 유엔가입실현 의지를
　　　　천명, 우리정부의 금년내 유엔가입 의지가 확고하다는 점이
　　　　여러 경로를 통해 확인되었으며,

/ 계속 /

보 안 통 제	(서명)

앙고재	91년5월30일	기안자 성명 유민과 (서명)	과장 (서명)	국장 (서명)	1차보	차관	장관 3

외신과통제

0075

- 미, 영, 불등 우리 우방국과 주요비동맹국들이 과거 어느때
  보다도 우리입장에 대한 적극적인 지원과 협조를 보였고,

- 북한이 그간 우리의 유엔가입을 반대하는 명분으로 내세웠던
  소위 분단고착화 논리가 설득력을 상실하였을 뿐 아니라,

- 정부가 4.5.자 각서를 유엔안보리에 배포하였을때 우리언론이
  사설등을 통해 이를 지지하여 국내의 지지분위기가 고양되어
  북한으로서도 우리 국내여론 분열을 통한 유엔가입 저지가
  소기의 성과를 거두지 못하리라고 판단한 것으로 보임.

라. 상기에 비추어 북한은 우리의 유엔가입을 더이상 저지내지는
  연기시킬 수 없다는 판단에 도달하였을 뿐 아니라,

- 결국 우리의 선가입으로 북한의 외교적.경제적 고립이 더욱
  심화될 것이라는 불안감이 점증함에 따라,

- 우리와 함께 금년에 유엔가입하는 것이 스스로 자초한 국제적
  곤경을 극복함과 동시에 일.북한 수교와 대서방 관계개선등
  실리에 맞는 선택이라고 판단하게 된 것으로 보임.

2. 상기관련, 귀지 교민등 한인단체들에 대해서는 금번 북측태도 변화가
6공화국 출범이래 강력히 추진한 북방정책의 성과와 특히 노대통령의 금년내
가입실현에 대한 확고한 의지의 결과임을 중점적으로 부각시켜 홍보바람. 끝.

예 고 : 1991.12.31. 일반.

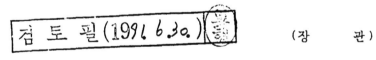

검 토 필 (1991. 6. 30.)   (장   관)

19 91. 12. 31.에 예고문에
의거 일반문서로 분류됨

0076

주 코트디브와르 대사관

주 코트디(정)720-147   91. 5.30

수 신 : 외무부 장관

참 조 : 국제기구 조약국장

제 목 : UN 가입관련 북한외교부 성명

　　　　대 : AM-0112

　　　　대호 관련, 당지 북한 대사 리재림은 5.28 주재국 외무성 DIEUDONNE차관
을 면담, 별첨 북한 외교부 성명(불문)을 전달 하였음을 보고합니다.

검토필(1991. 6.30.)

전 편			접 재 (공 람)		
접수일자 1991. 6.10	번호 233P				
처 리 과					

첨 부 : 상기 성명 전문. 끝.

일반문서로 재분류(1991.)

주 코트디브와르 대사

DECLARATION

du Ministère des Affaires Etrangères de la République
Populaire Démocratique de Corée

le 27 mai 1991

Pyongyang

Le problème de l'adhésion de la Corée à l'ONU constitue
une question d'importance qui concerne directement l'intérêt
vital de notre peuple désireux de renouer les liens du sang
de la nation et de réunifier le pays divisé.

Le gouvernement de la République Populaire Démocratique
de Corée respecte invariablement la Charte de l'ONU se posant
comme objectif de maintenir la paix et la sécurité dans le monde
et de promouvoir les relations d'amitié entre les nations, et
souhaite y adhérer.

En tant qu'Etat digne, souverain et indépendant, notre
République a la compétence suffisante pour être pays membre
de l'ONU.

Pourtant, eu égard à la circonstance particulière de notre
pays divisé, nous avons traité le problème de l'adhésion à l'ONU
au point de vue de la réunification de la patrie conformément à
l'aspiration de toute la nation et consenti avec patience tous
nos efforts en vue de le résoudre en faveur de la réunification.

A cet effet, le gouvernement de notre République a
maintenu constamment que la Corée devrait adhérer à l'ONU
en Etat unique après la réalisation d'une confédération, et
a fait la proposition juste consistant à ce que le Nord et le
Sud occupent un siège en commun, au lieu de deux sièges, à l'ONU
dans le cas où ils veulent y adhérer avant la réunification.

Nous avons présenté ce problème comme un sujet majeur
à l'ordre du jour des pourparlers Nord-Sud de haut rang et
consenti nos efforts sincères pour trouver une solution, et
ceci afin de saisir l'ONU du résultat convenu entre le Nord
et le Sud dans le cadre de leurs négociations.

- 1 -

0078

Mais,les autorités sud-coréennes se sont opposées,lors
des pourparlers Nord-Sud de haut rang,à notre proposition
d'adhérer à l'ONU avec un siège et ont déclaré qu'elles n'avaient
plus d'intention de discuter ce problème avec nous,en ne s'obsti-
nant que dans leur projet de l'"adhésion séparé" de nature
scissionniste.

De plus,elles ont adopté ce projet comme leur politique
et ont fini par présenter officiellement le "mémorandum gouver-
nemental" au Conseil de Sécurité de l'ONU dans le but de réaliser
unilatéralement leur adhésion en profitant du changement de la
situation internationale.

Etant donné que les pourparlers Nord-Sud de haut rang
sont bloqués à cause de l'attitude du côté sud-coréen,nous avons
eu les contacts entre les représentants observateurs du Nord et
du Sud auprès de l'ONU en vue de résoudre rapidement le problème
de l'adhésion à l'ONU.

Malgré cela,le côté sud-coréen n'a montré aucun signe de
compromis en réitérant qu'il n'y aura de changement dans sa
politique de l'adhésion séparé à l'ONU.

En forçant l'adhésion séparé à l'ONU à l'encontre de
l'aspiration de toute la nation coréenne à la réunification,
les autorités sud-coréennes commettent le crime impardonnable
de diviser la Corée en deux dans la scène de l'ONU.Elles ne
pourront jamais se débarasser de leur responsabilité devant
l'histoire,la nation et la postérité.

Dans les conditions où les autorités sud-coréennes
affirment d'adhérer séparément à l'ONU, on ne peut laisser
tout aller,car,les problèmes d'importance qui concernent les
intérêts de toute la nation coréenne pourraient être délibérés
avec préoccupation dans la scène de l'ONU,produisant,de là,
des conséquences graves.

Nous ne pouvons rester les bras croisés devant cette
situation.

- 2 -

0073

Le gouvernement de la République Populaire Démocratique
de Corée est forcé de choisir le chemin allant à l'adhésion
à l'ONU au stade actuel.Il s'agit de la mesure destinée à
dégager la situation difficille créée momentanément par les
autorités sud-coréennes.

A partir de sa position constante de soutenir la Charte
de l'ONU,le gouvernement de la R.P.D. de Corée présentera
officiellement,selon le procédé établi,sa demande d'adhésion
à l'ONU à son Secrétaire Général.

La décision prise par le gouvernement de la R.P.D.de
Corée est une mesure inévitable pour faire face à la situation
créée du fait des manoeuvres scissionnistes des autorités
sud-coréennes.

Le fait anormal que le Nord et le Sud de la Corée sont
obligés à adhérer séparément à l'ONU constitue un grand obstacle
dans la voie de la réunification de la patrie.

Il est clair que le nouveau obstacle dressé sur le chemin
de la réunification sera éliminé par les forces unies de toute
la nation .

Il ne faut jamais fixer l'état actuel où le Nord et
le Sud de la Corée sont obligés à adhérer en deux à l'ONU.

Nous souhaitons toujours que le Nord et le Sud occupent
un siège,avec une appellation de l'Etat unique,à l'ONU.

Le gouvernement de la R.P.D. de Corée ne ménagera
aucun effort sur la scène de l'ONU pour que le problème de
la réunification de la Corée et les problèmes internationaux se
résolvent en conformité avec l'intérêt de notre nation et
en faveur de la paix et de la sécurité dans le monde./

0080

주 국 련 대 표 부

주국련 (공)35260-   1991 . 5 . 30 .
432
수신 장관
참조 국제기구조약국장, 해외공보관장, 정보문화국장
제목 유엔가입

1. UNW - 1384의 관련입니다.

2. 연호관련 당대표부 및 북한대표부의 프레스릴리스를 별첨과
같이 송부합니다.

첨 부 : 관련자료 2종 각 1부.   끝.

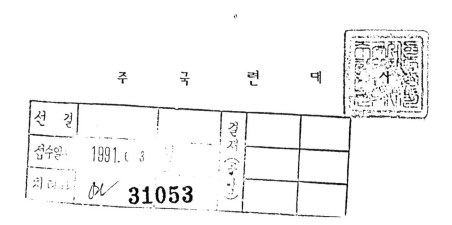

주   국   련   대

선결			결재(공란)		
접수일 1991.(3					
처리 ɑ ✓ 31053					

0081

REPUBLIC OF KOREA

PERMANENT OBSERVER MISSION TO THE UNITED NATIONS
866 UNITED NATIONS PLAZA, SUITE 300, NEW YORK N.Y. 10017. TEL: 371-1280

No. 12/91   28 May 1991

<u>PRESS RELEASE</u>

<u>Comments by the Spokesman of the</u>

<u>Ministry of Foreign Affairs of the Republic of Korea</u>

<u>on North Korea's Decision to Apply for U.N. Membership</u>

We sincerely welcome North Korea's decision to formally submit its application for United Nations membership, which was announced this morning in an official statement of the Ministry of Foreign Affairs of North Korea.

The Government of the Republic of Korea wishes to reiterate its position that parallel United Nations membership of both Koreas is an interim measure pending unification, and firmly believes that it will greatly contribute to easing tension on the Korean peninsula and also facilitate the process of peaceful unification.

We hope that the entry of both Koreas into the United Nations will mark a milestone in consolidating peace and stability in Northeast Asia as well as the Korean peninsula.

0082

報告資料 91-15(企行)
第154回 國會(臨時會) 閉會中
外務統一委員會

南北韓 유엔加入問題에 關한 報告

1991. 5. 30

外 務 部

目 次

0084

1. 北韓發表 內容 (요지)

  ㅇ 北韓은 5.27字 外交部 聲明을 통하여,

    - 南韓의 유엔 單獨加入 試圖가 搖之不動이라는 것을 明白히 確認한
      이상 이를 袖手傍觀할 수 없기 때문에

    - 南韓當局者들에 의하여 造成된 一時的 難局을 打開하기 위한
      措置로서 유엔에 加入하는 길을 택하지 않을 수 없게 되었다고
      말하고

    - 所定의 節次에 따라 유엔事務總長에게 正式으로 유엔 加入申請書를
      提出할 것이라고 發表함.

  ㅇ 또한 同 聲明은

    - 北韓이 유엔에 加入하기로 한 것은 南韓의 分裂主義的 策動으로
      말미암아 造成된 情勢에 대처하여 不可避하게 취하게 된 措置이며

    - 이같이 南北이 유엔에 따로 들어가지 않으면 안되게 된 오늘의
      事態는 절대로 固着되지 말아야 한다고 말함.

- 1 -

2. 政府의 對應措置

o 5.28. 外務部 代辯人名義로 下記와 같은 論評을 즉각 發表하였음.

- 우리는 北韓이 오늘 外交部 聲明을 통해 正式으로 유엔加入 申請書를 提出할 것이라고 발표한 것을 歡迎하는 바이다.

- 大韓民國政府는 이미 누차 밝힌바와 같이 南北韓의 유엔同時 加入이 統一時까지의 暫定措置이며, 南北韓이 유엔에 함께 加入함으로써 韓半島에서의 緊張緩和와 平和的인 統一에 寄與하게 될 것임을 確信한다.

- 우리는 南北韓의 유엔加入이 韓半島 뿐만 아니라 東北亞細亞 地域의 平和와 安定을 定着시키는데에도 큰 轉機가 될 것을 期待하는 바이다.

o 全在外公館에 대하여 北韓側 聲明要旨 및 外務部代辯人 論評全文을 打電하여, 駐在國에 대하여 적의 설명토록 措置함.

- 2 -

0086

o 또한 美國, 英國, 佛蘭西, 日本等 友邦國 政府에 대해서는

- 유엔 및 現地를 통하여 그동안 각별한 協調를 해준데 대해 謝意를 表明하는 동시에,

- 남북한의 유엔加入이 성취될 수 있도록 이들국가 政府의 계속적인 協助를 구하도록 指示함.

o 한편, 中.蘇에 대하여도 그간의 理解와 관심표명에 대하여 아측이 評價하고 있음을 적절히 表明하도록 조치함.

- 3 -

3. 北韓側 立場變化 背景

ㅇ 북한이 그간 계속 강력히 反對해오던 남북한 同時加入을 갑작스럽게
  받아들이지 않을 수 없었던 理由를 分析해보면 대체로 다음 네가지로
  요약할 수 있음.

첫째, 政府의 成功的인 北方外交의 推進은 우리의 對外政策에 대한 국제
적인 支持基盤을 확대시켰고 그 결과 우리의 유엔가입 정책에 대한 國際的
支持 雰圍氣가 압도적으로 擴散된 반면 北韓의 單一議席 加入案은 外面
당하게 되었고,

둘째, 韓·蘇 修交 및 3차에 걸친 韓·蘇 頂上會談의 결과로 소련이 유엔
가입관련 우리의 立場을 支持하게 되었으며,

- 中國도 최근 韓·中間의 實質關係 증진 및 우리의 유엔가입이 더이상
  늦추어져서는 안된다는 國際的 雰圍氣를 의식하여, 북한에 대해 拒否權
  行使와 관련 確約을 하지 않은 것으로 알려졌고,

세째, 盧大統領께서 연두기자회견, 外務部 업무보고시 뿐 아니라
지난달 ESCAP 총회에서도 금년내 우리의 유엔加入실현 意志를 천명

— 4 —

0088

하여, 우리政府의 금년내 유엔가입 의지가 確固하다는 점이 여러

경로를 통해 확인되었으며,

- 미, 영, 불등 우리 友邦國과 主要非同盟國들이 과거 어느때보다도

  우리입장에 대한 적극적인 支援과 協調를 보였고,

- 북한이 그간 우리의 유엔加入을 반대하는 名分으로 내세웠던 소위

  分斷固着化 논리가 說得力을 喪失하였을 뿐 아니라,

- 政府가 4.5자 覺書를 유엔안보리에 배포하였을때 우리言論이

  社說等을 통해 이를 支持하여 국내의 支持雰圍氣가 高潮되어

  북한으로서도 우리 國內輿論 분열을 통한 유엔 加入 沮止가 소기의

  성과를 거두지 못하리라고 판단한 것으로 보임.

네째, 상기에 비추어 북한은 우리의 유엔加入을 더이상 沮止내지는 遲延

시킬 수 없다는 판단에 도달하였을 뿐 아니라

- 결국 우리의 先加入으로 북한의 外交的.經濟的 孤立이 더욱

  심화될 것이라는 不安感이 점증함에 따라

- 우리와 함께 금년에 유엔가입하는 것이 스스로 자초한 國際的 困境을

  脫皮함과 동시에 日-北韓 修交와 對西方 關係改善等 實利에 맞는

  선택이라고 판단하게 된것으로 보임.

- 5 -

0083

4. 主要國 反應

o 美 國 (국무부대변인, 5.28)

- 북한의 성명을 歡迎하며, 南北韓의 유엔加入은 南北對話와 窮極的인 韓半島 統一에 寄與할 것임.

- 普遍性의 原則에 입각해서 남북한이 유엔에 個別的으로 加入하는 것을 支援 할 것임.

o 日 本 (외무성대변인, 5.28)

- 우리는 아직 北韓이 正確히 무엇을 意圖하는지에 대한 情報를 얻지 못하고 있으나,

- 만약 北韓이 眞實로 유엔에 加入하려한다면, 이것은 日-北韓의 關係를 增進시키는데 도움이 될것으로 歡迎함.

o 英 國 (외무성당국자, 5.28)

- 北韓의 決定은 아주 반가운 소식으로

- 北韓이 유엔加入 申請을 계기로 國際社會에서 正常的으로 行動하는 것이 重要하다는 認識을 갖게 되기를 期待함.

o 프랑스 (외무부대변인, 5.28)

- 北韓의 決定을 歡迎하며,

- 이는 緊張緩和와 平和定着을 위한 韓國의 努力과도 合致되므로
  韓半島 問題 解決을 위한 進一步한 계기로 評價함.

o 蘇 聯 (대통령대변인, 5.28)

- 유엔에 加入하겠다는 北韓의 決定을 歡迎하며 北韓指導部가 國際
  社會의 常識을 인식한 것으로 보며,

- 蘇聯은 이러한 움직임이 南北間의 對話와 全體 亞.太地域의 安全을
  促進시킬 것을 희망함.

o 中 國 (외교부대변인, 5.28)

- 우리는 南北韓의 유엔加入問題와 관련, 南北間의 協商과
  妥協을 통해 解決되어야 한다고 主張해 왔는 바,

- 北韓이 현재 유엔加入申請을 決定한 것은 南北間의 對話, 韓半島의
  平和와 安定의 促進에 寄與하게 될 것임.

5. 그간 政府의 努力

o 盧大統領께서는 年頭記者會見(1.8), 外務部 年頭業務報告(1.24),
ESCAP 開幕演說(4.1), 韓.蘇 頂上會談 後續 國務會議(4.22)등 수차에
걸쳐 직접 우리의 確固한 今年內 유엔加入意志를 對內外에 表明함으로써
우리 友邦들의 積極的인 協調와 支援을 確保하였음.

o 그간 政府는 우리의 유엔加入 問題에 대한 各國의 支持確保를 위하여
  - 年初부터 유엔 및 海外公館을 통한 各國과의 交涉을 한층 强化하고
  - 뉴욕에서는 關聯 友邦國들이 참여하는 會議를 수시로 개최하여
    유엔加入을 위한 구체적 對策에 관해 긴밀히 협의해 왔으며,
  - 首相, 外相등 高位級人士의 交換訪問을 통하여 我國立場에 대한 主要
    國家들의 確固한 支持를 획득하고,
  - 특히 4月末부터 5月中旬까지 大統領特使를 9개반으로 편성,
    총 37개국에 派遣하여 全世界에 걸쳐 폭넓은 支持를 確保하는 노력을
    傾注한 바 있음.
  - 또한 國會 차원에서도 국회의장의 巡訪外交 및 평양 IPU 총회
    참석 활동등, 議員外交를 통하여 우리의 유엔가입 실현노력을 적극
    支援해 주었음.

o 또한 우리의 유엔加入 實現을 위하여는 무엇보다 中國의 態度가 關鍵임을

감안,

- 美國等 友邦國과 東歐圈 및 非同盟 主要國의 協調를 확보하여 중국

高位人士의 海外訪問時 및 外國 高位人士의 中國訪問時 我國立場을

적극 傳達하는 한편,

- 韓.中間 直接 接觸 契機를 活用하여 우리의 유엔가입에 대한 中國의

肯定的 態度 진전을 위해 노력함.

o 이밖에 北韓이 유엔가입 문제에 관해 보다 現實的인 視角을 갖도록

하기 위한 노력도 그 어느때 보다도 진지하게 施行하였는 바,

- 昨年에 南北高位級會談, 實務代表 接觸을 통해 우리 立場을 설명하였고

- 특히 昨年 및 올해에 걸쳐 유엔駐在 南北大使가 接觸을 갖고 現時點

에서 統一前 暫定措置로서 南北韓이 다함께 유엔에 들어가는 것이

가장 바람직함을 說明하였음은 물론,

- 中.蘇를 통한 對北韓 接觸과 北韓과도 친근한 關係에 있는 主要

非同盟國을 통한 접촉도 적극 전개하였음.

o 이러한 努力에 있어서 특히 우리측은

- 남북한 유엔가입이 韓半島의 平和와 安定에 기여할 뿐 아니라 平和的 統一을 촉진하게 될 것이라는 것과

- 유엔가입은 북한의 對日本 修交와 對西方關係 改善에도 도움이 될 것이며

- 유엔가입은 걸프事態이후 유엔의 役割이 크게 고양되고 있음에 비추어 한국이 그 국력과 國際的 地位向上에 상응하는 역할을 수행하기를 바라는 국제사회의 여망에도 부합되며,

- 유엔가입은 南北韓 關係에 있어서도 相互交流와 協力을 增進시킴으로써 相互 信賴構築과 關係 正常化에 큰 轉機를 마련케 할 것이라는 점을 특히 강조하였음.

6. 今後 推進方向

가. 加入申請書 提出時期

o 지난 4.5자 政府 覺書에서 밝혔듯이 유엔안보리 議事規則을 감안,

   今秋 제46차 總會開幕(9.17)前에 늦어도 8월초까지는 加入申請書를

   提出한다는 基本原則下에 準備를 해왔는 바,

o 國內 節次를 마치는대로 友邦國과 협의하여 申請時期를 決定하고자 함.

나. 申請書 處理等 對策

o 加入申請書는 남북한이 각기 提出할 것이나, 安保理에서는 하나의

   결의안으로 一括處理(가입권고)하고, 總會에서 承認하는 방안을 고려

   할 수 있으나,

o 申請書 처리등 諸般 節次問題는 앞으로 유엔憲章 및 安保理議事規則과

   유엔의 慣行등을 토대로 友邦國과 긴밀히 협의하여 대처해 나가고자 함.

다. 南北韓 協議

o 우리는 5.27. 유엔가입문제와 관련한 유엔주재 南北韓 大使간 협의를

   제의한 바 있고,

- 북한측이 우리의 이와같은 提議에 응해온다면 북한측과 加入申請과 관련된 細部節次 問題를 협의하는 방안도 검토하고자 함.

라. 國內節次 問題

ㅇ 유엔加入 申請國은 安保理 議事規則 第58條에 따라

 - 유엔事務總長에게 유엔加入 申請書 提出時 유엔憲章上 義務를 受諾하는 宣言書(Declaration)도 提出해야 하며

 - 유엔總會에서 新規會員國의 加入에 관한 決議案이 採擇됨과 同時에 유엔加入國은 유엔憲章 遵守義務를 지게됨.

ㅇ 유엔加入을 위한 憲章受諾(국제사법재판소 규정포함)은 憲法 第60條 上의 "重要한 國際組織에 관한 條約"에 해당되므로 유엔憲章 受諾을 위해서는 國務會議 審議를 거쳐 國會의 同意節次를 거쳐야 함.

ㅇ 따라서 政府는 我國의 유엔加入 申請書를 유엔事務總長에 提出하기 전에 유엔憲章 受諾에 관한 國務會議審議 및 國會同意 節次를 完了할 豫定임.

- 끝 -

- 12 -

0096

요청사항 (총리실)

91. 5. 30.

o 간담회 자료 작성

　　* 6.3(월) 09:00한 간담회자료 10부 송부요망

o 간담회자료 내용

　　⊖ 북한의 유엔가입 결정관련 정부 후속조치

　　⊖ 정부의 대언론 홍보조치 계획

　　- 북한의 변화 전망 및 대응책

　　* 회의종료후 총리 당부말씀 별도작성,

　　　송부요망 (5.31중)

0097

分野別 關係長官 懇談會 開催

□ 日　　時 : 91.6.4(火), 12:00~14:00

□ 場　　所 : 國務總理 公館

□ 開催分野 : 外交.安保長官 懇談會 ; 북한의 유엔가입 의사 발표와 관련한 향후전망및 우리의 대응

　- 討議主題 : UN加入關聯 南北關係展望과

　　　　　　　對策 方向 (통일원)

□ 參席範圍(12名)

　- 國務總理

　- 統一副總理, 外務部長官, 國防部長官,

　　非常企劃委員會委員長

　- 靑瓦臺 外交安保補佐官

　- 外交安保研究院長, 이동복 總理特別補佐官

　- 國務總理秘書室長, 行政調整室長

　- 第1行政調整官, 政務補佐官

0098

공   란

공 란

공   란

공   란

공   란

공   란

공　　　　란

<u>외교.안보장관 간담회(6.4)시 총리 말씀자료(안)</u>

1991.5.31.
외 무 부

o 금추 유엔총회를 계기로 남북한이 함께 유엔에 가입할 것으로 예상되며,

   남북한의 유엔가입은 남북한간의 협력과 교류를 증진시켜 나감으로써

   한반도의 안정과 평화정착에 크게 기여할 것으로 봄.

o 우리가 정부수립이래 꾸준히 추진해 온 외교과제인 남북한의 유엔가입이

   가까운 시일내에 이루어지게 된것은 제6공화국 출범이래 무엇보다도

   대통령각하께서 북방정책을 진두진휘, 능동적으로 추진해 온 결과로

   평가함.
   - 88. 7. 7 선언
   - 88. 유엔총회연설
   - 동구권 1년2
   - 한소수교   - 신년명 ~ ~ ~ ~ ~ 하십시오.

o 앞으로 금추 유엔총회가 개막되면 우리나라가 유엔에 가입하게 될것인바,

   이와 관련하여 몇가지 당부하고자 함.

   - 우선, 외무장관께서 보고해주신대로 국내절차등 유엔가입 신청에

     따른 제반 준비사항을 차질없이 시행해 나가야 할것이고,

0106

- 또한 남북한 유엔가입을 통하여 남북 관계개선에도 새로운 전기를
  마련한다는 차원에서 여러가지 상정가능한 북한의 예상태도에 대한
  대비책을 충분히 수립, 대처해야 할것인 바, 이점 통일원에서
  잘 해주실 것으로 믿음.

- 앞으로 적절한 시점에 대통령께 이문제와 관련하여 종합적인 보고를
  드리는 것이 필요할 것으로 봄.

0107

<u>외교.안보장관 간담회(6.4)시 총리 말씀자료(안)</u>

1991.5.31.
외 무 부

ㅇ 금추 유엔총회를 계기로 남북한이 함께 유엔에 가입할 것으로 예상되며,
  남북한의 유엔가입은 남북한간의 협력과 교류를 증진시켜 나감으로써
  한반도의 안정과 평화정착에 크게 기여할 것으로 봄.

ㅇ 우리가 정부수립이래 꾸준히 추진해 온 외교과제인 남북한의 유엔가입이
  가까운 시일내에 이루어지게 된것은 제6공화국 출범이래 무엇보다도
  대통령각하께서 북방정책을 진두진휘, 능동적으로 추진해 온 결과로
  평가함.
  - 88년 7.7성명
  - 88년 유엔총회연설
  - 90년 9월 한.소수교 및 90년 12월 소련 공식방문
  - 91년 4월 한.소 제주도 정상회담

0108

o 앞으로 금추 유엔총회가 개막되면 우리나라가 유엔에 가입하게 될것인바,
  이와 관련하여 몇가지 당부하고자 함.

  - 우선, 외무장관께서 보고해주신대로 국내절차등 유엔가입 신청에
    따른 제반 준비사항을 차질없이 시행해 나가야 할것이고,

  - 또한 남북한 유엔가입을 통하여 남북 관계개선에도 새로운 전기를
    마련한다는 차원에서 여러가지 상정가능한 북한의 예상태도에 대한
    대비책을 충분히 수립, 대처해야 할것인 바, 이점 통일원에서
    잘 해주실 것으로 믿음.

  - 앞으로 적절한 시점에 대통령께 이문제와 관련하여 종합적인 보고를
    드리는 것이 필요할 것으로 봄.

0103

北韓의 유엔加入申請 決定以後 弘報活動

1991. 5. 31.

外　務　部

北韓이 5.28. 外交部 聲明을 통해 유엔加入을 申請할
것임을 發表한 이래 外務部가 취한 對內外 弘報措置를
아래 報告드립니다.

1. 弘報 主眼點
   o 今番 北韓의 유엔加入決定은 第6共和國 出帆以後
     大統領께서 能動的으로 展開하신 北方外交의
     具體的 成果
     - 濟州島 韓.蘇 頂上會談의 成果
   o 韓半島 緊張緩和 및 平和定着을 追求하는 我國
     政府의 平和統一政策 浮刻

2. 國內 弘報措置
   가. 長　官
   o KBS/MBC TV 저녁9시 뉴스 會見 (5.29)
   o 主要言論社 政治部長 招請 午餐懇談 (5.30)
   o 國會 外務委員會 參席, 報告 (5.30)

0110

나.　主要幹部(次官，1次官補，擔當局長)

　　　o　綜合廳舍出入記者團 合同會見(5.28)

　　　o　外信記者團에 대한 브리핑(5.28)

　　　o　AP, AFP, 로이터 記者 인터뷰(5.28-30)

　　　o　KBS/MBC TV 및 主要言論에 대한 브리핑(5.28-30)

　　　o　釜山 世界交流協會(WAC) 創立總會 晩餐演說 및
　　　　　記者會見(5.30)

3.　海外 弘報措置 : 全在外公館을 통한 駐在國 政府 및
　　　　　　　　　　　　　　現地言論 弘報

　　　o　北韓 外交部 聲明內容(要旨) 및 이에대한 我側
　　　　　論評 傳達(5.28)

　　　o　南北韓의 유엔加入 意義 및 豫想質問에 대한
　　　　　答辯指針 打電(5.29)

　　　o　北韓態度變化의 背景分析 및 弘報指針 打電(5.30)
　　　　　-　특히 僑胞들에 대한 弘報活動 强化 指示

4.　向後 推進計劃

　　┌─────────────────────────────┐
　　│　各界各層을 對象으로 持續的 弘報活動 展開　│
　　└─────────────────────────────┘

0111

o   長官, '대한뉴스' 南北韓의 유엔加入 특집프로에

   出演, 加入意義 및 加入後 我國活動 説明

   (6.7부터 全國 260개 劇場에서 上映豫定)

o   長官, KBS '오늘의 問題' 對談프로 出演, 유엔

   加入意義 説明(6.2. 放映豫定)

o   長官, 月刊誌 'Diplomacy' 主催 學界,言論界

   重鎭招請 朝餐會 参席, 유엔加入意義 説明(6.8)

o   韓國日報 '포럼'欄에 深層 解説記事 揭載(6.3)

                                        - 끝 -

0112

北韓의 「UN加入申請」 發表에 따른 高位弘報對策會議 結果報告(Ⅲ)

1991. 5. 31 (金)

> 5. 30(木) 16:30 北韓의 「UN加入申請」 발표와 관련한 短期的인 弘報推進計劃을 점검하고 제2단계 弘報戰略을 樹立하기 위해 國務總理 참석하에 高位級 弘報對策會議를 開催하였기에 會議 結果를 要約·報告드립니다

○ 參席人士: 國務總理, 副總理겸 統一院長官, 安企部長, 秘書室長, 公報處長官, 政務首席, 外交安保補佐官, 小職

○ 短期 弘報計劃

- 5. 31(金) 北韓의 「UN加入申請」 관련 輿論調查 結果 언론 배포
- 6. 1(土) 10:00 「韓·蘇關係의 展望」 학술세미나 개최, 言論報道 유도
  · 慶熙大 인류사회재건연구원·한국유럽연구협회 공동주최, 公報處 후원
- 6. 4(火) 14:00 「韓·蘇頂上會談과 南北韓 關係」 학술세미나 개최, 言論報道 유도
  · 延世大 동서문제연구원 주최, 公報處 후원
- 6. 1(土) KBS 1TV 「심야토론」 기획 유도
- 6. 7(金) 대한뉴스 北方政策 特輯프로 製作, 전국 극장에 배포·상영

○ 向後 弘報戰略

- 6. 3(月)로 예정된 「동대문계획」의 발표와 함께, 北韓의 「UN加入申請」 결정과 관련한 言論의 報道熱氣는 자연스럽게 韓·美友好關係로 옮겨 지게 될 것으로 예상되는 바, 6. 5(水) 샌프란시스코 「韓·蘇頂上會談」 1주년부터 9. 30(月) 올림픽유치 10주년까지 약 4개월 동안의 主要 弘報 契機를 최대한 활용, 北韓의 「UN加入申請」 결정은 閣下의 積極的인 北方政策 推進의 結實임을 지속적으로 집중 부각

0113

主要 弘報契機

- 6월 5일: 샌프란시스코 韓·蘇頂上會談 1주년
- 6월 25일: 韓國戰爭 勃發 41주년
- 6월 29일: 6·29宣言 4주년
- 6월 말경: 國會 UN加入同意案 처리
- 7월 초경: UN加入申請書 제출
- 7월 7일: 7·7宣言 3주년
- 7월 28일: 7·28 民族大交流宣言 1주년
- 8월 15일: 光復 46주년
- 9월 17일: UN總會開幕 및 加入申請案 처리, 우리나라 대표의 수락연설
- 9월 말경: 閣下 UN 基調演說
- 9월 30일: 88올림픽유치 10주년
  * 40여개국이 참가하는 國際學術大會를 開催, 88올림픽과
  北方政策 및 南北關係를 중점 照明

- 憲法의 關聯條文 改正 및 國家保安法 철폐 요구 등 向後 예상되는
在野運動圈의 攻勢와 臨時國會 개회시 金大中 新民黨총재의 비상식적인
自己功績 과시(예: UN사무총장 등에 대한 편지 송달) 등과 같이 北韓의
태도변화의 직접적인 원인이 된 閣下의 北方政策 추진성과를 희석시킬
우려가 있는 政略的 戰術에 철저히 대비

※ 關係部處와의 협의하에 각종 契機活用 細部弘報計劃을 무速히 확정하여
別途로 報告드리겠습니다.

政策調査補佐官 報告

0114

공   란

공　　　란

공   란

공   란

공   란

공   란

공 란

공   란

주 칠 러 대 사 관

칠러(정) 20312 -/83   1991. 5. 31.

수 신 : 장 관
참 조 : 국계기구조약국장, 미주국장, 정보문화국장
제 목 : 남북한 유연 가입문제(홍보)

        대 :   AM - 0112, 0115

        대호건과 관련, 당관은 5.29. 남북한 유연 가입문제에 관하여 별첨과 같은
홍보자료를 작성, 주재국 각계 요로에 배포하였음을 보고합니다.

참 조 : 상기 홍보자료 각 1부.   끝.

                주   칠   러   대

선 결			전 재 (공 함)		
접수일시	1991. 6. 7	번 호			
처리과	31734				

                                                          0123

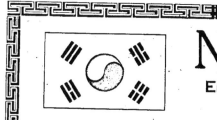

PASO IMPORTANTE HACIA LA ADMISION SIMULTANEA DE

AMBAS COREAS EN LA ORGANIZACION DE LAS

NACIONES UNIDAS

(28 DE MAYO DE 1991, SEUL)

De acuerdo a informes de la prensa local, que cita
a la Agencia Central de Noticias de Corea del Norte,
el Gobierno Norcoreano postulará en forma separada
a las Naciones Unidas a raíz de la decisión unilateral
tomada previamente por Corea del Sur para incorporarse
al Organismo mundial.

La prensa informa que, en una transmisión escuchada
en Seúl, la Agencia Central de Noticias Norcoreana
citó una declaración hecha por el Ministerio de
Relaciones Exteriores en el sentido de que Pyongyang
había tomado tal decisión al no tener otra alternativa
luego de la postulación de Seúl.

De hecho, el Gobierno Surcoreano había intentado,
a través de todos los canales pertinentes y oportunida-
des disponibles, a fin de persuadir a Corea del
Norte para que en conjunto se incorporasen a las
Naciones Unidas. A pesar de los exhaustivos esfuerzos
desplegados por Corea del Sur, la fórmula "condición
de miembro con única representación" presentada
por Corea del Norte no sufrió alteración alguna.

Enfrentando esta difícil situación, el Gobierno
Surcoreano, sin perder esperanza, mantuvo la posición

0124

.1.

básica que, si Corea del Norte no tenía la voluntad o no estaba preparada para incorporarse a las Naciones Unidas en forma conjunta con el Sur, Corea del Sur ejercitaría su derecho soberano de buscar su condición de miembro en forma independiente cuando así lo estimase conveniente.

Un vocero del Ministerio de Relaciones Exteriores de Corea del Sur manifestó que el Gobierno de Seúl recibe con beneplácito el anuncio hecho por Corea del Norte en el sentido de presentar una postulación formal para el ingreso en las Naciones Unidas. El vocero también expresó que la admisión simultánea de Corea del Norte y del Sur al Organismo mundial constituye un paso momentáneo hasta lograr la unificación de ambas partes.

Manifestó también su convicción en que este paso contribuirá a reducir la tensión en la Península de Corea y en una pacífica reunificación (texto completo más adelante).

De acuerdo al despacho de la Agencia Central de Noticias de Corea del Norte escuchado en Seúl, el informe del Ministerio de Relaciones Exteriores Norcoreano, fechado el 27 de mayo, informaba como sigue:

"Corea del Norte postula a las Naciones Unidas.- No podemos ignorar que si persiste la insistencia de las autoridades surcoreanas por aspirar a su

.2.

0125

condición de miembro de las Naciones Unidas en forma
unilateral, importantes asuntos relacionados con
los intereses de la entera nación coreana serían
abordados en forma sesgada en la plataforma de las
Naciones Unidas, ocasionando graves consecuencias.
Jamás podemos permitir algo así.
En la etapa actual, Corea del Norte tiene como única
alternativa ingresar a las Naciones Unidas como
un paso para salir del apuro, en vista de las dificul-
tades circunstanciales causadas por las autoridades
de Corea del Sur".

Comentarios del Vocero del Ministerio de Relaciones
Exteriores de la República de Corea:

1. Nosotros sinceramente le otorgamos el beneplácito
a la decisión de Corea del Norte de postular formalmen-
te a su condición de miembro de las Naciones Unidas,
anunciada ayer a través de un comunicado oficial
del Ministerio de Relaciones Exteriores de Corea
del Norte.

2. El Gobierno de la República de Corea desea reiterar
su posición en el sentido de que la postulación
paralela de ambas Coreas a su condición de miembro
de las Naciones Unidas, constituye un intervalo
en la etapa pendiente de unificación y sustenta
la firme creencia que contribuirá enormemente a

.3.

0126

aliviar la tensión en la Península de Corea como asimismo a facilitar el proceso de pacífica reunifica- ción.

3. Tenemos la esperanza que el ingreso de ambas Coreas a las Naciones Unidas marcará un hito en la consolidación de la paz y en la estabilidad del noreste asiático como también en la Península de Corea.

.4.

0127

관리 번호	91 -3724

외 무 부

종 별 :

번 호 : UNW-1432   일 시 : 91 0531 1800

수 신 : 장 관(국연,기정) 사본:주벨지움대사-중계필

발 신 : 주 유엔 대사

제 목 : 북한-벨지움대사접촉

연:UNW-1408

1. 주유엔 벨지움대표부 COOLS 참사관은 금 5.31(금) 당관 윤참사관에게 전화, 박길연 북한대사의 요청에따라 금일 오전 유엔에서 NOTERDAEME대사가 박대사와 약 5분간 면담(COOLS 참사관과 이성진 참사관 배석)하였다고하면서 면담결과를 아래와같이 알려옴.

가. NOTERDAEME 대사가 면담초두에 안보리 문서로 배포된 북한외교부 성명을잘보았는데 오늘 또 새로운 제안이라도 갖고 나온것 아니냐고 먼저 말을 건넨데 대하여 , 박대사는 그렇지 않다는 시늉을 하면서 안보리문서로 밝힌대로 북한이 가입신청을 할 예정인데 다시 한번 벨지움의 입장을 확실히 알고자 면담을 요청한것이라고 말함.

나. NOTERDAEME 대사가 벨지움으로서는 북한의 가입에 아무런 이의가 없다고말하자, 박대사는 다시 북한의 가입신청서가 안보리에서 심의될경우 문제가있을것으로 보느냐고 재차 문의하기에, 벨지움대사는 자신의 판단으로는 그렇지 않을 것으로 예상한다고 말해주었음.

다. 박대사는 또한 안보리에 가입신청서가 회부될 경우 실무작업반이 구성되어 가입신청서를 심사하는 것으로 알고있는데 안보리처리 절차에 대한 조언을 구7한다고 하였으며 , 이에대해 NOTERDAEME 대사는 실무작업반(WORKING GROUP)이아닌 가입심사위원회 (COMMITTEE ON THE ADMISSION OF NEW MEMBERS) 에서 이를심사하며 구성은 안보리 이사국과 동일함을 알려주고, 안보리 심의절차를 간략히 설명하여 주었음.

2. 상기 면담내용및 연호 영국측 제보 내용등에 비추어 볼때 북한대표부측은 가입신청을 결정한후 안보리 이사국들을 대상으로 주로 북한의 가입문제에 대한

국기국 안기부	장관	차관	1차보	2차보	미주국	구주국	정와대	안기부

PAGE 1

외신 2과 통제관 BS

0128

입장을 재타진하면서 아울러 가입절차도 문의하고있는 것으로 보임. 이와관련우방국 담당관들은 공히 북한측이 생각보다 유엔가입 절차문제를 충분히 숙지하지 못하고 있는 것으로 보고있음.

3. 본건관련 동향있는대로 추보예정임. 끝

(대사 노창희-국장)

예고:91.12.31.곤 일반

검토필(1991. 6. 30.) 초

외 무 부

관리 번호	91 -3732

종   별 :

번   호 : AEW-0285   일   시 : 91 0602 1200

수   신 : 장 관(국연,중동일,정홍), 사본: 주 UN 대사-중계필

발   신 : 주 UAE 대사

제   목 : 남.북한 유엔가입문제(홍보)

대:AM-0118,0121, WAE-0296,0285

1. 대호, 소직은 금 6.2. 주재국 외무부 ABDULLAH 정무국장을 접촉, 주재국이 한국의 UN 가입을 주 UN 대표부를 통하여 공식적으로 지지(WAE-0285,0296)하여 준데 대하여 사의를 표함과 동시 대호 남.북한 유엔가입에 관한 배경및 취지를 설명하고 아국 입장을 계속지지하여 줄것을 요망하였음.

2. 아울러, 소직은 금일 당지 한인회, 상사 협의회, 체육지도자회등 간부들을 오찬에 초청, 대호 내용을 설명하고 홍보확산토록 하였음을 보고함. 끝.

(대사 박종기-국장)

예고:91.12.31 일반

검 토 필 (1991 6. 30.)

국기국	장관	차관	1차보	2차보	중아국	문협국	정와대	안기부

PAGE 1

91.06.02   18:39
외신 2과   통제관 BS
0130

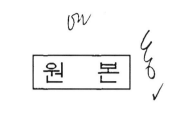

관리 번호	91 -3152

원 본

외 무 부

종 별 :

번 호 : GAW-0078   일 시 : 91 0603 1800

수 신 : 장 관(국연,아프일)

발 신 : 주 가봉 대사

제 목 : 남북한 유엔 가입문제 (홍보)

대:AM-0118,0121

　　1. 본직은 6.3 주재국 외무부 MEMIAGHE 신임 제 1 차관보와 면담하고 남북한 유엔가입 문제에 관한 아국입장과 대호 북한의 유엔 가입신청 발표내용을 설명함.

　　2. 이와관련, 동차관보는 북한이 비합리적인 단일의석 가입안을 포기하고 남북한 별도 가입방안을 채택한것은 종전 입장에 대한 국제사회의 지지를 확보하지 못한데 기인한 것으로 보인다고 언급함.

　　3. 당관은 5.31 대호에 따라 금번 북측의 태도 변화가 6 공화국 출범이래 강력히 추진한 북방정책의 성과와 특히 노대통령의 금년내 유엔가입 실현에 대한확고한 의지의 결과임을 설명하는 안내문을 작성 당지 교민에게 배포함. 끝.

　　(대사 박창일-장관)

　　예고:91.12.31 일반

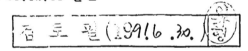

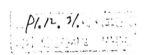

국기국	장관	차관	1차보	2차보	중아국	~~분석관~~	청와대	안기부

PAGE 1   91.06.04　　07:39

　　　　　　　　　　　외신 2과　통제관 BS

　　　　　　　　　　　　　　　0131

長官 報告事項

報 告 畢

1991.6.3
文化協力局
弘報課(18)

題　目　：　北韓의 유엔加入 관련 輿論調査 結果

　　91.5.27 北韓의 유엔加入 決定과 관련, 公報處가 리서치 앤 리서치를

통해 實施한 國民 輿論調査 結果를 別添과 같이 報告합니다.

添附　：　國民輿論 調査 結果 1부. 끝.

0132

북한의 유엔가입은 우리 북방정책의
승리 : 56.3%

한.소 수교 및 제주 정상회담이 결정적
영향 미쳐 : 77.6%

- 공보처, 리서치 앤 리서치 의뢰, 국민여론조사 실시 -

우리국민들은 북한의 유엔가입 결정이 우리 북방정책의
승리라고 평가(56.3%)하고 있다.
그리고 북한으로 하여금 유엔에 가입토록 한 배경요인
으로는 한.소 수교 및 제주도 정상회담이 가장 큰 영향
을 미친것(77.6%)으로 보고 있으며, 그밖에 미.일 등
우방이 우리측 남북동시 가입안 적극 지지(72.9%)와
소련.중국의 북한측 가입안 외면이 크게 영향을 미친
것(77.3%)으로 보고 있음이 여론조사결과 나타났다.

대부분의 국민들은 또, 북한의 유엔가입을 환영(83.8%)
하고 있으나, 그것이 그들의 대남전략의 근본적인 변경
이 아닌 일시적 전술 변경으로 인식(69.6%)하고 있다

공보처는 북한의 유엔가입 결정과 관련 일반 국민들의
반응과 평가를 알아보기 위해 여론조사기관인
리서치 앤 리서치에 의뢰, '91. 5. 30 ~ 5. 31 이틀동안
전국 513명(제주도 제외)을 대상(20세이상 남녀)으로
전화 여론조사를 실시해 본 결과, 이와 같은 결과가
나타났다.

0133

이번 여론조사 결과의 주요 내용을 보면 다음과 같다

o 북한이 자신들의 주장을 포기하고 우리측 주장대로
  유엔에 가입하겠다고 한 것은 정상외교 등을 통한
  우리의 일관된 북방정책의 승리라는 평가에 대해
  공감이 가는지 여부와 관련,

  - 공감이 간다   : 56.3%
  - 공감이 안간다 : 30.6%
  - 모르겠다   : 13.1%

  로, 과반수가 넘는 국민들은 우리측 주장대로 북한이
  유엔에 가입하겠다고 한 것은 우리의 북방정책이
  성공했기 때문인 것으로 보고 있음이 나타났다.

o 한편, 북한이 자신들의 주장을 포기하고 우리측 주장
  대로 유엔에 가입하겠다고 발표하게끔 하는데 다음
  각 사항들이 영향을 미쳤다고 보는지와 관련,

  - 미국·일본·유럽국가 등 세계 대부분 국가들이 우리
    측 남북동시 가입안 지지

    · 영향을 미쳤다 : 72.9%
      ┌ 아주 크게 : 29.0%
      └ 어느정도 : 43.9%

    · 영향을 미치지 못했다 : 26.7%
      ┌ 별 로 : 24.0%
      └ 전 혀 : 2.7%

  - 소련·중국 등 북한의 우방국이 북한측의 단일의석
    가입안 외면

    · 영향을 미쳤다 : 77.3%
      ┌ 아주 크게 : 25.1%
      └ 어느정도 : 52.2%

    · 영향을 미치지 못했다 : 21.7%
      ┌ 별 로 : 19.9%
      └ 전 혀 : 1.8%

0134

- 한·소 국교수교 및 제주도 정상회담

  · 영향을 미쳤다 : 77.6%
    ┌ 아주 크게 : 26.7%
    └ 어느정도 : 50.9%

  · 영향을 미치지 못했다 : 22.4%
    ┌ 별 로 : 20.1%
    └ 전 혀 : 2.3%

- 우리나라의 신장된 국력

  · 영향을 미쳤다 : 71.0%
    ┌ 아주 크게 : 20.1%
    └ 어느정도 : 50.9%

  · 영향을 미치지 못했다 : 29.1%
    ┌ 별 로 : 28.1%
    └ 전 혀 : 1.0%

- 북한의 경제적 어려움

  · 영향을 미쳤다 : 71.8%
    ┌ 아주 크게 : 20.7%
    └ 어느정도 : 51.1%

  · 영향을 미치지 못했다 : 28.1%
    ┌ 별 로 : 24.6%
    └ 전 혀 : 3.5%

o 북한이 그동안 주장해 온 남북한 유엔 단일의석 가입
  안을 포기하고 우리측 제안대로 유엔동시가입안에
  응해 유엔에 가입하겠다고 발표한 것에 대해,

  - 환영한다 : 83.8%
  - 반대한다 : 9.4%
  - 잘 모르겠다 : 6.8%

  로, 대부분 응답자가 북한의 유엔가입 발표를 환영
  하고 있는 것으로 나타났다.

0135

o 북한이 유엔에 가입하겠다고 발표한 것이 한반도 긴장
  완화에 도움이 될 것으로 보는지에 대해,
  - 도움이 될 것이다   : 71.9%
  - 도움이 되지 못할 것이다 : 27.7%
  - 모르겠다   : 0.4%

  로, 대부분 응답자가 한반도 긴장완화에 도움이 될 것
  으로 기대하고 있음이 나타났다

o 또한, 북한이 유엔에 가입하겠다고 발표한 것이 남북
  대화와 남북한 교류협력 증진에 도움이 될 것으로
  보는지 여부에 대해
  - 도움이 될 것이다   : 78.6%
  - 도움이 되지 못할 것이다 : 21.5%

  로, 남북대화 교류협력 증진에도 도움이 될 것이라는
  기대치가 높게 나타났다

o 한편, 북한이 유엔에 가입하겠다고 발표한 것은 북한의
  대남전략이 근본적으로 변화한 것을 의미한다고 보는지
  여부에 대해
  - 전략전술상의 근본적 변화라고 본다 : 22.6%
  - 근본적 변화는 아니고 곤경을 벗어나고자 하는
    일시적 전술 변경이라고 본다 : 69.6%
  - 잘 모르겠다 : 7.8%

  로, 대부분 응답자가 북한이 유엔에 가입을 결정했어도
  대남전략에 기본적 변화를 의미하는 것은 아니라는
  인식을 갖고 있는 것으로 나타났다.

o 마지막으로, 북한이 유엔에 가입하게 되면 앞으로 유엔
  헌장을 준수할 것으로 보는지 여부에 대해,
  - 준수할 것이다   : 52.8%
  - 준수하지 않을 것이다 : 45.6%
  - 모르겠다   : 1.6%

  로, 북한이 유엔에 가입하게 되면 어느정도는 유엔
  헌장을 준수하게 될 것으로 보는 응답자가 준수하지
  않을 것으로 보는 응답자 보다 약간 높게 나타났다.

0136

유엔加入關聯 主要 外交措置 計劃

1991. 6. 3.

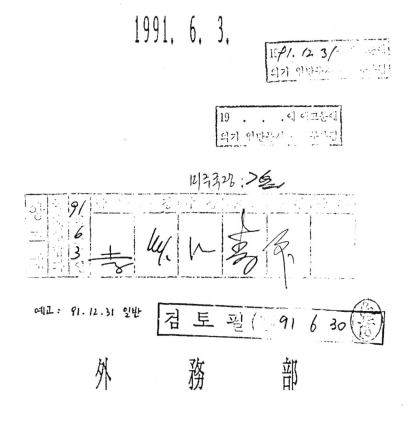

예고: 91.12.31 일반   검 토 필 91 6 30

外 務 部

1. 유엔加入申請을 위한 措置

   가. 國內措置

      o 유엔憲章 義務受諾은 憲法上의 "중요한 國際
         組織에 관한 條約"에 해당(憲法 제60조, 제89조)

         - 국무회의 審議 및 국회同意 필요

         - 6월상순 關係部處 審議 完了

         - 6월중순 國務會議 審議

         - 6월말 國會의 同意

   나. 申請書 제출관련 檢討事項

      o 申請書 提出時期는 友邦과 協議하여 決定(7월중)

      o 申請方法은 남북한이 각각 加入申請書를 提出
         ※ 1973 동.서독의 유엔가입시 先例감안 대처

      o 南北韓 申請書 처리 방안은 安保理에서 하나의
         決議案으로 채택(8월중)

         - 安保理의 決議案에서 규정할 南北韓 加入勸告
            순서에는 신축적인 對處(알파벳순서 適用)

         - 북한(DPRK)을 한국(ROK)보다 먼저 표기

      o 總會에서는 남북한의 加入勸告 決議案을
         콘센서스로 處理(9.17. 제46차 총회 개막당일)

0138

다. 유엔駐在 남북대사간 協議

　　ㅇ 우리측의 5.27자 제의에 대한 北韓側의 反應을
　　　　보아 推進

　　ㅇ 加入申請時期, 申請方式, 安保理 處理方向等 協議

　　ㅇ 加入後 유엔活動에 있어 協調方案도 協議 檢討

라. 其他事項

　　ㅇ 국제사법재판소(ICJ) 加入

　　　　- 유엔加入時 자동적으로 同裁判所 규정당사국
　　　　　地位가 부여(但 强制管轄受諾여부는 加入後 選択要否)

　　ㅇ 국제노동기구(ILO) 加入問題

　　　　- 유엔가입시 ILO헌장 受諾通報만 하면 가입
　　　　　(국회동의 필요)

　　　　- 금후 관계부처간 加入時期등 구체 조치사항
　　　　　협의

2. 유엔總會의 加入承認時 演説(9.17)

　　ㅇ 外務長官의 演説 檢討(유엔에서의 慣例 參照)

3. 大統領閣下의 유엔總會 參席

가. 總會基調演説

　　ㅇ 9月下旬(9.23-25기간중) 推進

　　　　- 주요국 國家元首의 연설일시 고려

나. 代表團 構成

  o 國民的 支持誇示를 위해 국회등 各界代表 網羅

다. 각국 首腦와의 頂上外交 전개

  o 미, 영, 일, 호주, 말련등과의 頂上會談 推進
    (9. 23-9. 25)

라. 유엔訪問時 멕시코방문 檢討

  o 98년 방문예정이었으나 延期

  o 北美 自由貿易協定 締結交涉等 감안, 멕시코와의
    유대강화

  o 韓國의 國家元首로서 最初의 中南美國家 訪問

마. 유엔가입 紀念 行事 및 措置

  o 유엔가입 기념 象徵的 措置 검토

    - 유엔본부 展示 藝術品(기념물) 증정

  o 유엔에서의 祝賀 行事

    - 國旗게양 行事(9. 17. 總會 加入承認 直後)

    - 加入紀念 리셉션(9. 17)

    - 加入慶祝 文化行事(文化部와 협조)

    - 大統領閣下 基調演説日 리셉션 開催 檢討

  o 國內 紀念行事

    - 기념우표 發行

    - 18. 24. 유엔의 날 紀念行事

  o 外務部 第統癠會을 UN 加入記念을 통한 초측 設立

4. 對유엔 外交體制 强化

　　o 駐유엔代表部 機能 및 人員 補强

　　　- 人員, 施設, 豫算等 支援强化

　　o 外務部本部 機能 補强

　　　- 國際機構條約國 分離 (총무처와 기합의)

　　o 기타 國際機構代表部 (제네바등) 機能 强化

　　　- 駐비엔나代表部 新設 推進

　　o 外交網 정비

　　　- 南北對決 次元에서 유지되고 있는 公館 폐쇄

　　　- 기계획중인 9개공관 92년부터 조용히 폐쇄

5. 유엔가입에 따른 財政的 義務부담

　　o 유엔分擔金 납부

　　　- 유엔加入時 會員國 分擔金 추산액　:

　　　　約 300만불 (전체예산의 0.22%)

　　o 自發的 寄與金 增額 檢討

　　　- 그간 非會員國으로 유엔事業에 대한 명목상의

　　　　寄與金 納付 (현재 약 200만불 납부중)

　　　　　　　　　　　　　　　　　　　　- 끝 -

0141

공   란

공   란

공   란

공 란

공　　　　란

공   란

공   란

공 란

공   란

공   란

공   란

공   란

공 란

공   란

공   란

공   란

공   란

남북한 유엔 가입 북한 유엔 가입 신청 및 대응 1

공   란

공   란

공 란

대외 발표(안)

1991. 6. 4.
외 무 부

o 금일 간담회에서 이상옥 외무부장관은 북한측이 유엔가입을 결정하게 된
  배경과 금후 북한측의 예상태도를 전망하고, 금년도 제46차 유엔총회 개막
  일에 우리의 유엔가입을 실현하기 위한 추진계획에 관하여 보고하였다.

o 이장관은 북측이 그와 같이 태도를 변화시킨 배경으로는 무엇보다 6공화국
  출범이래 노대통령이 강력히 추진해오신 북방외교의 성과에 있다고 분석
  하고, 그간 유엔가입문제에 대한 우리의 입장이 압도적인 국제적 지지를
  받아왔음에 비해 북측의 소위 단일의석안은 국제사회에서 외면되었으며,
  이 문제에 대한 중.소의 태도가 북측 결정에 영향을 미친 것으로 설명하였다.

o 또한 이장관은 금후 북한측이 유엔가입을 통하여 외교적 고립과 경제적
  곤경에서 탈피하는 노력을 할 것으로 예상되나, 이것이 그간 북한이 취해
  온 대남기본전략에 변화를 가져올 것으로 보기에는 성급하다고 전망하였다.

o 우리의 유엔가입관련 금후 추진계획에 관하여 이장관은 가능한 6월중 가입
  신청에 필요한 국내절차를 끝마칠 예정임을 밝히면서, 신청방식이나 금후
  신청서 처리시 과거 동.서독의 유엔가입 선례가 좋은 참고가 될 것임을
  언급하고, 그 밖에 유엔주재 남북대사간 협의문제에 대한 ~~~~~~~ 방침
  등에 관하여 설명하였다.

양고재	담 당 과	장	국 장

0162

대외 발표(안)

1991. 6. 4.
외 무 부

o 금일 간담회에서 이상옥 외무부장관은 북한측이 유엔가입을 결정하게 된
   배경과 금후 북한측의 예상태도를 전망하고, 금년도 제46차 유엔총회 개막
   일에 우리의 유엔가입을 실현하기 위한 추진계획에 관하여 보고하였다.

o 이장관은 북측이 그와 같이 태도를 변화시킨 배경으로는 무엇보다 6공화국
   출범이래 노대통령이 강력히 추진해오신 북방외교의 성과에 있다고 분석
   하고, 그간 유엔가입문제에 대한 우리의 입장이 압도적인 국제적 지지를
   받아왔음에 비해 북측의 소위 단일의석안은 국제사회에서 외면되었으며,
   이 문제에 대한 중.소의 태도가 북측 결정에 영향을 미친 것으로 설명하였다.

o 또한 이장관은 금후 북한측이 유엔가입을 통하여 외교적 고립과 경제적
   곤경에서 탈피하는 노력을 할 것으로 예상되나, 이것이 그간 북한이 취해
   온 대남기본전략에 변화를 가져올 것으로 보기에는 성급하다고 전망하였다.

o 우리의 유엔가입관련 금후 추진계획에 관하여 이장관은 가능한 6월중 가입
   신청에 필요한 국내절차를 끝마칠 예정임을 밝히면서, 신청방식이나 금후
   신청서 처리 ~~는 물론이며, 향후에 외사등의 관독일의의회명에 대해 래치하며~~ 동.서독의 유엔가입 선례가 좋은 참고가 될 것임을
   언급하고, 그 밖에 유엔주재 남북대사간 협의문제에 대한 방침등에 관하여
   설명하였다.

0163

대외 발표(안)

1991. 6. 4.
외 무 부

o 금일 간담회에서 이상옥 외무부장관은 북한측이 유엔가입을 결정하게 된
  배경과 금후 북한측의 예상태도를 전망하고, 금년도 제46차 유엔총회 개막
  일에 우리의 유엔가입을 실현하기 위한 추진계획에 관하여 보고하였다.

o 이장관은 북측이 그와 같이 태도를 변화시킨 배경으로는 무엇보다 6공화국
  출범이래 노대통령이 강력히 추진해오신 북방외교의 성과에 있다고 분석
  하고, 그간 유엔가입문제에 대한 우리의 입장이 압도적인 국제적 지지를
  받아왔음에 비해 북측의 소위 단일의석안은 국제사회에서 외면되었으며,
  이 문제에 대한 중.소의 태도가 북측 결정에 영향을 미친 것으로 설명하였다.

o 또한 이장관은 금후 북한측이 유엔가입을 통하여 외교적 고립과 경제적
  곤경에서 탈피하는 노력을 할 것으로 예상되나, 이것이 그간 북한이 취해
  온 대남기본전략에 변화를 가져올 것으로 보기에는 성급하다고 전망하였다.

o 우리의 유엔가입관련 금후 추진계획에 관하여 이장관은 가능한 6월중 가입
  신청에 필요한 국내절차를 끝마칠 예정임을 밝히면서, 신청방식이나 금후
  신청서 처리는 유엔헌장, 안보리의사 규칙 및 유엔의 관행에 따라 대처하게
  될 것임을 언급하고, 그 밖에 유엔주재 남북대사간 협의문제에 대한 방침
  등에 관하여 설명하였다.

0164

외 무 부

종 별 :

번 호 : UNW-1477   일   시 : 91 0605 1920

수 신 : 장관(국연,해신,정홍,기정)

발 신 : 주 유엔 대사

제 목 : 유엔가입

연:UNW-1421

　　1. 본직은 6.5. 독일 라디오방송 DEUTSCHE WELLE 유엔특파원 S.S.SHELLEY 와
회견을 갖고 유엔동시가입 배경, 유엔가입후 아국역할등 관련 질의에 응답했음.

　　2. 당지 친한기고가 JOHN METZLER (WORLD WATCH COLUMN) 는 KPS 등 당관 제공
자료등을 활용, 작성한 기고문이 6.6 또는 6.7. 당지발간 JOURNAL OF COMMERCE 에
게재예정이라고 알려온바 동결과 추보함. 끝

　　(대사 노창희-국장)

　　예고:91.12.31. 일반

　　　검 토 필 (1991.6.30.)

국기국　　차관　　1차보　　문협국　　안기부　　공보처

주 극 련 대 표 부

주극련 20312- **446**   1991. 6. 6.

수신 장관

참조 국제기구조약국장

제목 북한 안보리 문서

연 : UNW-1389, 1417

1.   연호 안보리 문서로 배포된 북한외교부 성명 (S/22642와 재배포된
      수정 S/22642 ˟)을 각 1부씩 별첨 송부합니다.

2.   수정 배포본은 상기 4페이지의 당초 문안 "The South Korean authorities
      wounded the posterity" 를   "The South Korean authorities would
      never be able to evade the responsibility for this before the
      history, the nation and the posterity" 로 수정한 것이며, 북한측
      착오로 영문표현 일부가 누락된 것으로 보입니다. (안보리 의장에게
      배포요청시 영문 일부가 누락된 성명문 제공)

   첨부: 상기 안보리 문서 1차 배포분과 수정 배포분 각 1부. 끝.

주   극   련   대

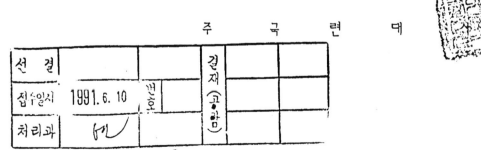

0166

외 무 부

종 별 :

번 호 : SVW-1993   일 시 : 91 0606 2100

수 신 : 장 관(동구일,국연)

발 신 : 주 쏘 대사

제 목 : 유엔가입

1. 본직은 91.6.5(수) 덴마크 제헌절 기념 리셉션에서 손성필 당지주재 북한대사와 조우하였는바, 본직이 금번에 남. 북한이 함께 유엔에 가입하게 된 것을 축하한다고 인사말을 건네자 손대사는 북한은 유엔 가입을 원치 않았지만 한국이 원하기 때문에 할수없이 가입하게 된 것이라 하면서 국제사회에서 조국의 분단된 모습을 보이는게 무엇이 좋으냐는 반응을 보였음. 이에 본직은 남북한이 별개의 국가인것은 다아는 사실이며, 유엔가입을 갖고 대결하지 않게된 것은 통일을 원한다는 북한 입장에서 축하해야 할 것이라고 하였음.

2. 그외에, 손대사가 임수경을 조속히 석방해야 할 것이라고 언급한데 대해본직은 국법을 어긴 사람을 처벌하는 것은 당연하며 시간이 지나면 이 문제도 해결될 것이라고 하고 유엔에도 다같이 들어간 마당에 이산가족의 서신왕래부터라도 문을 열라고 하였음. 끝

(대사공로명-국장)

91.12.31 까지

검토필 (1991. 6. 30.)

구주국   1차보   국기국   안기부

WHG—0496   910613 1842 FN

WYG -0466   WPD -0573
WRM -0408   WSV -1813
WBL -0378   WCZ -0471

0168

발 신 전 보

AM-0131   910613 1840 FN

번   호 : _____   종별 : _____

수   신 : 주   AM   대사. 총영사
(국연)

발   신 : 장 관

제   목 : 북한의 유엔가입 결정관련 주재국 홍보

1. 북한은 유엔가입 의사를 처음 표명한 외교부 성명(5.27)에서 그들의
   유엔가입 결정이 "남한에 의해 조성된 일시적 난국을 타개키 위한
   불가피한 조치"였음을 강변하였으나, 최근들어 점차 그들의 가입결정을
   합리화, 정당화시키고 있음.

2. 최근 평양방송(6.8)은 북한 외교부 순회대사 최우진(남북고위급회담
   북측대표)의 대담보도를 통해 북한의 유엔가입은 "남측의 단독가입
   책동을 좌절시킨 주체적인 대외정책의 빛나는 승리"라고 견강부회적
   선전에 열을 올리고 있음.

3. 상기관련 북한 외교부성명과 최우진의 대담내용을 아래 요약 타전
   하니 북한의 유엔가입 결정관련 주재국 홍보대책에 참고바람.

   가. 외교부 성명(5.28) : 일시적 난국을 타개키 위한 불가피한 조치

      o 북한은 유엔가입의 자격과 의사를 가지고 있었지만 가입
        문제를 통일에 이롭게 해결하기 위하여 모든 노력을 다해
        왔음.

/계속...

정책기획실장   /화완보 :

보 안
통 제

앙 고 재	91년 6월 13일	유 엔 과	기안자 성명		과 장		국 장		차 관	장 관		외신과통제
			여									

0169

o 그러나 남측이 유엔단독가입을 강행함으로서 유엔무대에서의

   민족의 중대한 문제들이 편견적으로 논의될 일시적 난국을

   맞아 불가피하게 유엔에 가입하기로 함.

o 오늘의 이 비정상적 사태는 통일도상에 또 하나의 커다란

   난국으로 반드시 극복되어야 함.

나. 최우진 대담(6.8) : 남한의 단독가입책동에 주동적으로 대처한

                        주체적인 대외정책의 빛나는 승리

o 남측의 유엔 단독가입책동과 급변하는 국제정세에 주동적

   으로 대처키 위한 북한의 유엔가입 결정은 한반도의 통일과

   안정을 촉진키 위한 중대조치로서 세계각국, 특히 안보리

   상임이사국들의 일치된 지지 환영을 받음.

o 북한의 이번 조치로 유엔 단독가입 시도가 좌절되어 심대한

   타격을 입게된 남한측은 갈피를 잡지 못하고 동분서주하고

   있음.

o 북한의 가입결정은 불가침 선언과 평화협정 체결문제, 미군

   및 핵무기 철거문제해결에 유리한 여건을 조성하는 한편,

   국제기구에서 당당한 발언권과 결의권을 확보, 국제사회에서

   큰 몫을 하게하여 북한의 국제적 권위향상과 서방과의 관계

   증진에 도움을 줌으로써 통일위업 실현에 유리한 환경을

   조성시킨 주체적인 대외정책의 빛나는 승리임. 끝.

(국제기구조약국장   문동석)

예 고 : 1991.12.31. 일반

종 료 필 (1991. 6. 30.)

예고기간기 되게. 일반제한에서 ㉑.
                  94. 12. 31

0170

관리
번호 91
-622

외 무 부

종 별 :

번 호 : UNW-1558 　　　　　　　일 시 : 91 0614 1800

수 신 : 장 관(국연,해신,정특,기정)

발 신 : 주 유엔 대사

제 목 : 유엔가입(홍보)

연:UNW-1498

　　본직은 6.14 당지 경제전문주간지 BUSINESS WEEK 유엔특파원 RUTH PEARSON 요청으로 회견을 갖고 남북한 유엔가입, 가입이후의 유엔사(UNC) 체제변화, 아국정부의 통일대비 노력등 관련 질의에 응답한바, 동결과 추보함. 끝

　　(대사 노창희-국장, 관장)

　　예고:91.12.31. 까지

　　　　　　보 존 기 (1996 6.30)

국기국	장관	차관	1차보	외정실	분석관	청와대	안기부	공보처

3. 北韓側 立場變化 背景

o 북한이 그간 계속 강력히 反對해오던 남북한 同時加入을 갑작스럽게
  받아들이지 않을 수 없었던 理由를 分析해보면 대체로 다음 네가지로
  요약할 수 있음.

  첫째, 政府의 成功的인 北方外交의 推進은 우리의 對外政策에 대한 국제
  적인 支持基盤을 확대시켰고 그 결과 우리의 유엔가입 정책에 대한 國際的
  支持 雰圍氣가 압도적으로 擴散된 반면 北韓의 單一議席 加入案은 外面
  당하게 되었고,

  둘째, 韓·蘇 修交 및 3차에 걸친 韓·蘇 頂上會談의 결과로 소련이 유엔
  가입관련 우리의 立場을 支持하게 되었으며,
  - 中國도 최근 韓·中間의 實質關係 증진 및 우리의 유엔가입이 더이상
    늦추어져서는 안된다는 國際的 雰圍氣를 의식하여, 북한에 대해 拒否權
    行使와 관련 確約을 하지 않은 것으로 알려졌고,

  세째, 盧大統領께서 연두기자회견, 外務部 업무보고시 뿐 아니라
  지난달 ESCAP 총회에서도 금년내 우리의 유엔加入실현 意志를 천명

— 4 —

0172

328 남북한 유엔 가입 북한 유엔 가입 신청 및 대응 1

하여, 우리政府의 금년내 유엔가입 의지가 確固하다는 점이 여러

경로를 통해 확인되었으며,

- 미, 영, 불등 우리 友邦國과 主要非同盟國들이 과거 어느때보다도

  우리입장에 대한 적극적인 支援과 協調를 보였고,

- 북한이 그간 우리의 유엔加入을 반대하는 名分으로 내세웠던 소위

  分斷固着化 논리가 說得力을 喪失하였을 뿐 아니라,

- 政府가 4.5자 覺書를 유엔안보리에 배포하였을때 우리言論이

  社說等을 통해 이를 支持하여 국내의 支持雰圍氣가 高潮되어

  북한으로서도 우리 國内輿論 분열을 통한 유엔 加入 沮止가 소기의

  성과를 거두지 못하리라고 판단한 것으로 보임.

네째, 상기에 비추어 북한은 우리의 유엔加入을 더이상 沮止내지는 遲延

시킬 수 없다는 판단에 도달하였을 뿐 아니라

- 결국 우리의 先加入으로 북한의 外交的.經濟的 孤立이 더욱

  심화될 것이라는 不安感이 점증함에 따라

- 우리와 함께 금년에 유엔가입하는 것이 스스로 자초한 國際的 困境을

  脫皮함과 동시에 日-北韓 修交와 對西方 關係改善等 實利에 맞는

  선택이라고 판단하게 된것으로 보임.

- 5 -

0173

4. 主要國 反應

ㅇ 美 國 (국무부대변인, 5.28)

- 북한의 성명을 歡迎하며, 南北韓의 유엔加入은 南北對話와 窮極的인
  韓半島 統一에 寄與할 것임.

- 普遍性의 原則에 입각해서 남북한이 유엔에 個別的으로 加入하는 것을
  支援 할 것임.

ㅇ 日 本 (외무성대변인, 5.28)

- 우리는 아직 北韓이 正確히 무엇을 意圖하는지에 대한 情報를 얻지
  못하고 있으나,

- 만약 北韓이 眞實로 유엔에 加入하려한다면, 이것은 日-北韓의
  關係를 增進시키는데 도움이 될것으로 歡迎함.

ㅇ 英 國 (외무성당국자, 5.28)

- 北韓의 決定은 아주 반가운 소식으로

- 北韓이 유엔加入 申請을 계기로 國際社會에서 正常的으로 行動하는
  것이 重要하다는 認識을 갖게 되기를 期待함.

o 프랑스 (외무부대변인, 5.28)

   - 北韓의 決定을 歡迎하며,

   - 이는 緊張緩和와 平和定着을 위한 韓國의 努力과도 合致되므로

     韓半島 問題 解決을 위한 進一步한 계기로 評價함.

o 蘇 聯 (대통령대변인, 5.28)

   - 유엔에 加入하겠다는 北韓의 決定을 歡迎하며 北韓指導部가 國際

     社會의 常識을 인식한 것으로 보며,

   - 蘇聯은 이러한 움직임이 南北間의 對話와 全體 亞.太地域의 安全을

     促進시킬 것을 희망함.

o 中 國 (외교부대변인, 5.28)

   - 우리는 南北韓의 유엔加入問題와 관련, 南北間의 協商과

     妥協을 통해 解決되어야 한다고 主張해 왔는 바,

   - 北韓이 현재 유엔加入申請을 決定한 것은 南北間의 對話, 韓半島의

     平和와 安定의 促進에 寄與하게 될 것임.

공 란

공　　　　란

공 란

공   란

공　　　란

공   란

공   란

공   란

공 란

공   란

공   란

공   란

외 무 부

종 별 :

번 호 : UNW-1593   일 시 : 91 0619 1930

수 신 : 장관(해신,국연,정북,기정) 사본:주미대사:직송필

발 신 : 주 유엔대사

제 목 : 허종 AP 회견

1. AP 통신 유엔지국장 VICTORIA GRAHAM 은 6.19 오후 유엔 2 층 로비에서 북한차석대사 허종과 회견을 가졌다고 알려왔음.

2. 동 회견에서 허종은 미군유해반환 회담이 미.북한관계 개선에 좋은 계기가 되길 바란다면서 북한안 유엔가입을 독자적으로 결정했으며, IAEA 와 협상이 순조롭게 진행되면 9 월 핵안전협정에 서명할수 있으며 미국도 상응한 조치가 있기를 기대한다고 말했다함. 끝

(대사 노창희-관장)

예고:91.12.31. 까지

의기 일반문서

공보처   장관   차관   1차보   국기국   외정실   분석관   청와대   안기부

공   란

공 란

공   란

공   란

공   란

공 란

공   란

공 란

공   란

공   란

공 란

공   란

2. 홍보 활동 (언론자료, 기자회견 자료)

대한민국 외무부 대변인 논평

1991. 5. 28.

1. 우리는 북한이 오늘 외교부 성명을 통해 정식으로 유엔가입 신청서를 제출할 것이라고 발표한 것을 환영하는 바이다.

2. 대한민국정부는 이미 누차 밝힌바와 같이 남북한의 유엔동시가입이 통일시까지의 잠정조치이며, 남북한이 유엔에 함께 가입함으로써 한반도에서의 긴장완화와 평화적인 통일에 기여하게 될 것임을 확신한다.

3. 우리는 남북한의 유엔가입이 한반도뿐만 아니라 동북아세아지역의 평화와 안정을 정착시키는데에도 큰 전기가 될 것을 기대하는 바이다. 끝.

0202

Comments by ROK Foreign Ministry Spokesman

28 May 1991

1. We sincerely welcome North Korea's decision of formally submitting its application for United Nations membership, which was announced this morning through an official statement of the Ministry of Foreign Affairs of North Korea.

2. The Government of the Republic of Korea wishes to reiterate its position that parallel UN membership of both Koreas is an interim measure pending unification and firmly believes that it will greatly contribute to easing tension on the Korean peninsula and also facilitate the process of peaceful unification.

3. We hope that the entry of both Koreas into the United Nations will make a milestone in consolidating peace and stability in Northeast Asia as well as the Korean peninsula.

0203

출입기자단 설명내용

(91.5.28. 11:55-12:40, 기자실)

(국제기구조약국장 문동석)

북한외교부의 유엔가입신청 발표와 관련하여 기자단 여러분들께 몇가지 말씀드리고자 함.

북한은 작년 5.30. 유엔가입문제에 대한 그들의 입장을 조정해서 통일된 이후에 유엔에 가입하는 것이 좋겠으나 단, 통일이 되기전에 가입할 경우 남북한이 유엔에서 하나의 의석을 갖는 것이 좋겠음을 밝히고 국제사회에서 이에 대한 지지를 적극 요청해 왔음.

우리는 당초부터 북한측의 단일의석하 가입안이 유엔헌장의 가입규정에도 배치되고, 비현실적인 방안임을 분명히 한 한편, 북한의 새로운 제의가 통일 이전에라도 유엔에 가입하겠다는 점에 유의한다는 성명을 발표한 바 있음. 우리는 통일이 될때까지 남북한이 유엔에 함께 가입하여 국제사회에서 응분의 역할을 하는것이 매우 의미가 있고 바람직하다고 믿으면서, 남.북예멘, 동. 서독의 통일에 비추어 남북한의 유엔가입이 분단을 영구화, 합법화하는 것이 아니라 오히려 유엔내에서 남북한의 교류와 협력을 증진시킬 것이라는 입장을 국제사회에 밝히고 이에 대한 지지를 요청하였음.

작년 제45차 유엔총회시 각국의 기조연설에서 분명히 나타난 바와 같이, 기조연설을 한 155개국가중에 한반도문제 관련 포괄적으로 언급한 국가는 118 개국이었고, 그중에 우리의 유엔가입 정책, 즉 남북한이 함께 유엔에 가입하길 바라지만, 북한이 준비가 되어 있지 않거나 의사가 없을 경우 한국이라도 먼저

- 1 -

0204

유엔에 가입해야 한다는데 대해 지지발언한 국가가 71개국이었으며, 북한의
'단일의석 가입안'을 지지한 나라는 한나라도 없었음. 이와 같이 북한의
단일의석 가입안이 실현불가능하고 유엔헌장에도 배치된다는 것이 작년도
엔총회에서 입증된 바 있었음.

이러한 과정에서 북한은 작년 10.2일 유엔안보리에 제출한 문서를 통하여
그들의 단일의석가입안이 절대적인 것이 아니며, 다른 안에 대해서도 협의할
수 있다는 입장을 표명한 바 있음. 그당시 저희들의 분석은 한국의 가입이
더이상 늦추어져서는 안된다는 국제적 분위기속에서 북한측이 그들의 단일
의석 가입안을 고집할 수 없게 되어 일응 신축적인 입장을 표명함으로써 작년
유엔총회만을 넘겨보려는 의도였던 것으로 판단되었음.

금년초부터 대통령께서는 연두기자회견 및 외무부 연두업무보고시 금년내
유엔가입에 대한 강력한 의지를 천명하셨고, 외무부가 이를 실현키 위하여
긴 외교역량을 기울여 노력할 것을 지시하신 바 있음.

작년에 있었던 남북고위급회담과 판문점에서 개최된 3차례의 유엔가입문제
관련 실무대표 접촉을 통하여, 우리는 북한측에 대해 단일의석안이 비현실적임을
조목조목 지적했고, 또한 현 남북한관계를 고려하여 통일을 하루속히 달성하기
위한 구체적 방안으로서 남북한이 유엔에 함께 가입하여 유엔의 테두리내에서
협력과 교류를 증진하는 방안을 제시하면서 북한측을 설득했음.

금년에 들어와 우리는 지난 3월초부터 연내 유엔가입 실현의 확고한 입장
하에 다각적인 외교노력을 전개했음. 구체적으로 전재외공관을 통하여 "남북한
유엔 동시가입 희망 입장이나 북한이 가입준비가 않되거나 의사가 없는 경우,
우리의 선가입은 마땅하며, 우리의 선가입시 북한의 후속가입을 촉진시켜 결국
남북한의 동시가입이 실현되길 기대한다"는 우리의 유엔가입 정책에 대한 각국의
지지확보 교섭을 추진했음. 이와 병행하여 미, 영, 불, 일등 여러 우방들과도
우리의 연내가입 실현을 위한 대책을 협의하는 동시에 측면지원도 받은 바 있음.

- 2 -

0205

그리고 우리는 그간 직·간접적인 방법으로 유엔가입문제와 관련하여 중국
측과 꾸준한 대화를 했고, 특히 ESCAP 총회에 중국 수석대표로 참석한 류화추
외교부 부부장에게 우리의 가입정책을 소상히 설명했고, 특히 걸프전 이후
새로운 국제질서가 형성되고 있는 가운데 더욱 고양되고 있는 유엔의 중심적
역할에 비추어 남북한이 하루속히 유엔에 가입하는 것이 한반도 뿐만 아니라
동북아의 긴장완화와 평화정책에도 긍정적으로 작용할 것이고, 이는 장기적으로
중국의 이해에도 부합되는 것이라는 점을 적극 설득한 바 있음. 이에 대해
류화추 부부장은 우리의입장을 본국에 소상히 보고하겠다는 반응을 보인 바
있음. 또한 최근 중국을 방문한 여러나라(불란서, 이태리, 호주, 일본등)들의
고위인사들도 중국측에 대해서 남북한의 유엔가입문제에 대한 그들의 인식을
잘 전한 것으로 통보받았음. 그리고 최근 북한을 방문한 이붕 중국총리도 북한
요로와의 면담시 북한의 단일의석안이 비현실적임을 분명히 하고, 남북한이
상호 협의와 대화를 통하여 양측이 수락할 수 있는 방안을 모색할 것을 북한측에
강력히 촉구한 것으로 알고 있음.

소련과 관련하여서는 작년 9.30. 정식 외교관계가 수립되었기 때문에
소련으로서는 유엔보편성 원칙에 따라 남북한이 유엔에 가입하는 것이 바람직
하는 입장을 견지해 왔습니다만, 북한이 현실적으로 유엔가입에 불응하는 입장
이므로 우리가 직접 대화를 통하여 북측을 잘 설득하는 것이 필요하다는 입장을
취해 왔음. 지난 4월 제주도 한.소 정상회담시 고르바쵸프대통령도 노대통령께
유엔가입문제와 관련 우리가 만족할만한 내용의 그러한 입장 표명을 한 바
있었음.

남북한간 동시가입 노력과 관련하여 말씀드리면, 그동안 일부 야당에서
정부가 단독가입만 추진한다고 하면서 정부의 유엔가입추진 입장에 대하여 다소
오해가 있었습니다만, 정부는 지난 4.5자 유엔안보리에 제출한 각서를 통하여
두가지 점을 분명히 한 바 있음. 즉, 첫째 우리는 금년내 유엔가입을 실현

- 3 -

0206

할 것이며, 또한 북한도 우리와 함께 가입하는 것이 가장 바람직하며, 이를 위해서 우리는 계속 노력할 것이라는 점과, 둘째 북한이 끝내 불응하면 우리가 먼저 유엔에 가입해야 한다는 점이었음.

우리의 남북한 동시가입 노력은 우리가 직접한 바도 있고 또한 제3국을 통하여 한 바도 있음. 직접적인 노력은 작년에 있은 각각 3차례의 남북한 고위급회담 및 실무대표 접촉과 함께, 그동안 비공개리에 진행되어 왔지만, 북한이 이사실을 이미 보도했기 때문에 말씀드리겠습니다만, 유엔에서 작년부터 어제 새벽까지 진행되어온 남북한 대사간 접촉이었음. 우리는 남북유엔대사간 접촉을 통하여 북한이 우리와 함께 유엔에 가입하는 것이 현실적으로 최상책 이라고 꾸준히 진지하게 설득해 왔음. 그리고 북한을 방문한 각국 고위인사들을 통해서도 북한이 한국과 함께 유엔에 가입하는 것이 가장 바람직하고 북한이 금년중 한국의 유엔가입 실현을 저지할 수 있는 국제적 여건이 아님을 북한측 에게 분명히 인식시켜 왔음.

최근 9개반 특사파견의 목적이 물론 방문국의 우리의 연내 유엔가입에 대한 지지입장 확보에도 있었지만, 어떤식으로든지 북한이 그들의 체면을 손상받지 않으면서 국제사회의 책임있는 일원으로 우리와 함께 유엔에 가입할 수 있도록 북한측에 대하여 설득해 주도록 요청하기 위한 것이었음. 이에 따라 인도, 이란, 루마니아, 체코등 여러나라에 대하여 북한을 진지하게 설득해 줄 것을 요청한 바 있고, 이들 나라들이 우리의 요청에 따라 현재까지 북한을 설득한 내용을 우리에게 알려온 바 있음.

- 4 -

0207

우리는 1949.1.월 당시 고창일 외무장관 서리 명의로 가입신청한 이래,
75.9월 김동조 외무장관의 가입신청 재심요구시까지 5번 직접 신청했고,
우리 우방을 통하여서는 49.4월 자유중국이 대신 신청해준 이래 58년
미국등 4개국이 공동신청한 것을 포함 총 9번 신청한 바 있음. 그리고 북한
측은 박헌영 외교부장 명의로 49.2.월 및 52.1월 2번 직접 신청했고, 북한의
우방을 통한 신청은 57년-58년간 소련을 통하여 3번 신청한 바 있음.

유엔가입 절차에 대하여 말씀드리면, 먼저 우리가 유엔가입 신청서를
사무총장에게 제출하면, 사무총장은 안보리의장에게 동 사실을 통보하여
안보리에서 가입심사가 개시됨. 가입심사 절차는 우선 안보리에서 의제로
채택하고 안보리 가입심사위원회에 회보하며, 안보리 15개국이 참석하는 가입
심사위의 검토후 유엔총회 개최일 기준은 적어도 35일전에 심사결과를 보고서로
작성, 안보리에 제출함. 안보리에서의 심사기준은 신청국가의 평화애호성, 유엔
헌장준수 의무등이며, 이 기준에 따라 나름대로 심사, 회원국으로서 추천할
것인지 여부를 심사하게되며, 이러한 안보리 추천여부 심사에 상임이사국의
Veto권 행사가 있게 됨. (가입심사위에서는 Veto권 불적용 2/3이상 찬성,
안보리 추천은 상임이사국 5개국의 거부권이 없는 2/3이상 찬성이 필요)

안보리에서 가입심사후 회원국으로 추천키로 한 경우에는 총회개막일
기준 적어도 25일 이전에 총회에 회부해야 하여,가입문제에 대한 총회에서의
최종 결정은 금년 유엔총회 개막일인 9.17에 하게 될 것임. 총회시 결정은
출석 및 투표수의 2/3 이상 찬성으로 이루어지게되나, 남북한 유엔가입은
표결처리 방식보다는 박수로 결정될 것으로 전망됨.

0208

수신: 유엔과 (이수택 서기관) 723-3505
발신: 외교안보연구원 (김영선)
제목: W.P. 紙 회견

가능한한 明日 (5. 28) 까지
부탁드립니다.

Q: 올 가을 한국이 UN에 가입할 전망은 어떻니까? 대통령께서는 소련이 한국의 가입을 지지해 줄 것으로 믿으십니까? 중국이 이 일의 성사를 용인할 것으로 생각하십니까? 평양당국이 암시해 준 바와 같이 만일 북한이 자신의 입장을 "좀 더 융통성"있게 변화시킨다면 한국은 북한과 협상을 벌일 수도 있습니까?

0203

유엔가입문제

- 대통령, WP지 회견자료 -

1991. 5. 29.
국제연합과

o 화해와 협력의 새로운 국제질서하에서 남북한의 조속한 유엔가입을 희망
  하는 국제적 공감대가 심화되고 있음에 비추어 금년가을 ~~한국민에게~~ 좋은
  결실이 있으리라고 확신함.

o 남북한의 유엔가입은 통일시까지의 잠정조치로서 한반도 및 동북아지역의
  긴장완화는 물론 남북한의 평화통일에도 기여하게 될 것임.

o 이와 관련한 소련의 태도는 지난번 제주 한.소 정상회담을 통해서 다시한번
  확실해졌다고 보며, 중국의 태도도 최근 ~~좀더 합리적이고~~ ~~현실적인~~ 자세로
  발전되고 있다는 느낌임.

o 북한의 대남태도와 관련, 우리는 북한이 현실을 직시하는 자세가 무엇보다도
  중요하다고 보며, 이와 관련 최근 북한의 유엔가입 신청의사 발표는 긍정적인
  태도 진전이라고 ~~평가함~~

0210

유엔가입문제

- 대통령, WP지 회견자료 -

1991. 5. 29.
국제연합과

o 화해와 협력의 새로운 국제질서하에서 남북한의 조속한 유엔가입을 희망
   하는 국제적 공감대가 심화되고 있음에 비추어 금년가을 좋은 결실이
   있으리라고 확신함.

o 남북한의 유엔가입은 통일시까지의 잠정조치로서 한반도 및 동북아지역의
   긴장완화는 물론 남북한의 평화통일에도 기여하게 될 것임.

o 이와 관련한 소련의 태도는 지난번 제주 한.소 정상회담을 통해서 다시한번
   확실해졌다고 보며, 중국의 태도도 최근들어 현실적이고 건설적인 자세로
   발전되고 있다는 느낌임.

o 북한의 대남태도와 관련, 우리는 북한이 현실을 직시하는 자세가 무엇보다도
   중요하다고 보며, 이와 관련 최근 북한의 유엔가입 신청의사 발표는 긍정적인
   태도 진전이라고 보고, 환영함.

0211

외무부장관 MBC-TV 회견

(91.5.29.수, 21:05·21:10간, "MBC 뉴스데스크"에서 방영)

대 담 자 : 엄기영 보도국 차장

외무부는 북한의 유엔 가입 발표로 남.북한의 유엔 동시가입이 확실시됨에
따라 향후 남.북한 관계와 함께 유엔가입에 대비한 국내외 절차를 서두루고
있습니다.   남.북한 유엔 외교시대를 대비하고 있는 이상옥 외무부장관이
지금 MBC 뉴스데스크에 나와 있습니다.
이상옥 외무부 장관을 연결합니다.

문 : 이번 북한의 유엔 가입 발표로 인해서 앞으로 과연 순조롭게 남.북한의
    유엔 동시가입이 이루어질 것으로 보십니까 ?

답 : 우선 질문에 답변하기에 앞서 북한의 정책 변화로 인해 이제 우리가
    불원간 유엔에 가입할 수 있게 된 것을 매우 기쁘게 생각합니다.

    돌이켜 보면, 제6공화국 발족 이후에 노태우대통령께서 북방외교를
    적극적으로 추진한 결과, 오늘 유엔 가입을 실현할 수 있는 기반이
    조성 되었다고 보고 있습니다.   또 금년초 대통령께서 연내 유엔 가입
    실현을 금년도 최우선적인 외교 목표로 천명하심으로써 유엔 가입에
    대한 확고한 의지를 표명하신 것이 특히 큰 도움이 되었다고 생각합니다.

    말씀하신 사항은 앞으로 일정한 과정을 거치게 될 것입니다만, 남.북한이
    각각 가입 신청을 하게 되면 안보이사회에서 이를 일괄처리하고, 또
    총회에서도 이를 함께 승인하게 될 가능성이 큰 것으로 예상하고
    있습니다.

1

0212

문 : 이제 유엔 가입을 위해 국내외적으로 할 일도 많고, 또 북한과도 유엔
　　　가입 문제를 협의해야 할텐데, 우리 정부로서는 이에 대해 어떻게 준비
　　　하고 있습니까 ?

답 : 유엔 가입에 대한 구체적 절차에 대해서는 앞으로 우방국과도 협의를
　　　하고, 또 북한과도 필요시에는 협의하겠습니다만, 우선 국내적으로
　　　헌법 제60조와 89조에 따라서 국무회의의 심의와, 국회의 동의를 걸쳐서
　　　국내 조치를 끝내는 대로 가능한한 조속히 가입신청서를 내고자 생각하고
　　　있습니다.

문 : 남.북한의 유엔 동시가입 이후에 남.북관계가 어떻게 전개될 것이라고
　　　전망하시고, 또 남.북한 정상들의 만남도 곧 이루어질 수 있으리라
　　　보는데 어떻게 전망하십니까 ?

답 : 네, 저희들로서는 북한이 이번 유엔 가입 문제에 대한 정책 변화를
　　　계기로하여 남.북한 관계 전반에 대해서도 종래의 입장을 보다 더
　　　현실적인 방향으로 전환시킬 것으로 기대하고 있습니다.

　　　북한이 그들의 입장에 좀 더 현실성을 보이는 경우, 남.북대화에도
　　　많은 진전이 있을 것으로 예상되고, 또 남.북대화에 진전이 있게 되면
　　　남.북 정상 회담을 개최할 수 있는 여건도 조성되리라고 봅니다만, 현
　　　단계에서 남.북 정상회담을 논의하는 것이 아직은 다소 시기가 이른
　　　감이 있습니다.　　좀 더 북한의 태도를 지켜 보면서 생각해야 할
　　　사항이라고 생각합니다.

문 : 우리의 유엔 가입이 이루어지면 정부는 노태우 대통령의 유엔 방문을
　　　계획하고 있는데, 노태우 대통령이 유엔에서 하게 될 연설의 성격은
　　　어떤 것이 되겠습니까 ?

답 : 금년의 경우 9월23일부터 약 2주일간이 유엔 총회에서의 기조연설
　　　기간이 될 것으로 봅니다만, 총회의 기조연설 기간중에 많은 나라의
　　　경우 국가원수들이 직접 참석해서 기조연설을 하게 됩니다.

2

0213

이번에 우리가 유엔에 가입하게 되면 노태우 대통령께서도 이제는
당당한 유엔 회원국의 국가원수의 자격으로 총회에 참석하시어 우리의
외교 정책과 앞으로 우리가 유엔에서 수행해 나가야 할 역할에 대한
우리 정부의 기본 입장을 밝히는 중요한 연설을 하시는 방향으로 검토
하고 있습니다.   끝.

3

0214

공보관실
91.5.30.

외무부장관 KBS-TV 회견

(1991.5.29.수, 21:05-21:10간 "KBS 9시 뉴스"에서 방영)

대 담 자 : 박성범 특임 보도본부장

이상옥 외무부 장관은 오늘 KBS와 가진 회견에서 북한의 유엔 가입 신청 결정은 우리의 한반도에서의 꾸준한 평화정착 노력과 노태우 대통령의 북방정책의 열매라고 말했습니다.   이상옥 외무부 장관을 연결합니다.

문 : 북한의 유엔가입 신청 결정은 온 국민에게도 기쁜 소식이고 또 외무부로서도 축하할 만한 일입니다.   절차상으로 봐서는 늦어도 8월9일까지는 우리의 유엔 가입 신청서가 유엔에 제출되어야 되는 것으로 알고 있는데, 우리 정부로서는 언제쯤 제출할 것으로 예정하고 있습니까 ?

답 : 우선 질문에 답변하기에 앞서, 우리 대한민국 정부가 1948년 유엔총회의 결의에 의한 선거를 통해 탄생한 지 43년만에 드디어 유엔 가입이 실현 될 수 있는 계기를 맞게된 것을 매우 기쁘게 생각하고 있습니다. 1988년 노태우 대통령께서 7.7선언을 통해 남.북한 관계에 관한 역사적인 정책 천명을 하셨고, 그 후에 우리 정부는 심혈을 기울여서 북방외교를 추진한 결과, 이제 그 괄목할만한 성과를 바탕으로하여 우리가 유엔에 곧 가입할 수 있는 여건이 조성됐다고 생각하고 있습니다.

가입 신청은 이제 말씀하신대로 유엔의 의사 규정상으로는 8월9일까지 제출하도록 되어 있습니다만, 국무회의 심의라든가 국회동의등 필요한 국내 절차를 끝내는대로 우방국들과 협의하여 가능한한 조속히 제출할 생각입니다.

1

0215

문 : 그동안의 관례를 보면 유엔 회원국의 가입은 대체로 총회가 열리는 첫날 가입이 결정되는 관례를 갖고 있는데 금년에 9월 17일에 총회가 열리지 않습니까 ? 그렇게 본다면 9월 17일 특별한 일이 없으면 남.북한의 유엔 가입이 결정된 것으로 저희들은 내다보고 있습니다. 만약 그렇게 된다면 지금 말씀하신대로 우리의 건국이후 가장 컸던 외교 목표중의 하나라고 볼 수 있는 일이 성사가 되는데, 대통령이나 외무부장관이 유엔에 가서 연설할 준비도 하고 있다는 보도도 있습니다. 그런 계획이 있으십니까 ?

답 : 네, 그렇습니다. 유엔 가입이 정기 총회가 개최되는 첫날에 총회에서 승인이 되면 유엔의 관례상 그 나라 정부의 대표가 가입 수락 연설을 하게됩니다. 그 다음, 금년에는 9월 23일부터로 예정되고 있습니다만, 총회 기조연설 기간중에 많은 나라의 국가원수들이 참석하셔서 기조 연설을 하게 되어 있습니다.

우리 대통령께서도 총회 기조연설 기간중에 이제는 유엔 회원국 국가 원수의 자격으로 참석하시어 연설하시는 방안을 적극적으로 검토하고 있습니다.

문 : 북한의 유엔 가입 신청 결정에 대한 보도가 나오면서 이제 남.북 정상 회담도 빠른 시일내에 가능케 되지 않겠느냐, 또 그렇게 된다면 남.북한의 관계 개선이 급속히 진행될 수도 있지 않겠느냐 하는 국민적인 기대도 있습니다. 어떻게 보십니까 ?

답 : 네, 이번에 북한이 유엔가입 신청서를 제출하기로 결정하게 됨으로써 남.북한 관계 전반에 새로운 전기가 마련되지 않을까 하는 기대를 많이 하고 있습니다. 우리는 북한이 이번 유엔가입 문제에 관해서 현실적인 입장을 보인 것을 계기로, 앞으로 남.북 대화에 있어서도 보다 더 현실적인 정책으로 전환하게 될 것을 기대하고 있습니다.

2

0216

북한이 보다 더 전진적 입장을 취하는 경우 남.북대화도 큰 발전이
있을 것으로 기대할 수 있고, 또 남.북대화의 진전이 있으면 남.북
정상회담의 실현을 위한 기반도 조성될 수 있을 것으로 봅니다.
그러나 현 단계에서 정상회담의 조기 실현을 말한다는 것은 아직
시기가 좀 빠르지 않나 하는 느낌을 갖고 있습니다.   끝.

3

KBS "오늘의 문제" 장관 회견질문

-91. 5. 31.

1. 북한은 5.28자 외교부 성명을 통해 종래의 단일의석 가입안을 철회하고 유엔가입 신청의사를 밝혔음. 북한의 태도변경의 배경 및 남북한 유엔 가입에 관한 전반적 평가는?

2. 유엔헌장은 유엔가입 자격을 국가에 한정하고 있음. 남북한 유엔가입은 남북한을 국가로 승인한다는 것을 의미하는지. 또 북한의 대유엔 정책 전환이 한국의 국가승인과 더불어 하나의 조선정책의 포기를 뜻하는 것으로 보는지?

3. 남북한 유엔가입은 한반도의 긴장완화와 통일촉진에 도움이 된다는 논지는?

4. 금번 북한의 입장변경으로 우리의 대북정책도 전면 수정할 것이라는 보도에 대한 장관의 견해는?

5. 유엔가입문제와 관련한 북한의 태도변경이 남북한 관계전반에 어떤 영향을 미칠 것으로 보는지?

6. 보도에 따르면 정부는 서울과 평양에 상주대표부 설치를 추진할 계획으로 알려져 있는데?

7. 남북한 유엔동시가입을 계기로 남북정상회담 추진문제에 대한 정부입장은?

8. 남북한 유엔가입을 계기로 남북한 유엔대표부간 협의체 운영을 구상하고 있다는데?

9. 북한의 유엔가입이 한.중관계에 미치는 영향은?

0218

10. 남북한 유엔가입과 휴전협정 개폐 및 유엔사 해체문제와의 관계는?

11. 북한이 IAEA 핵안전협정 서명을 거부하고 있는 현시점에서 이 문제가
    북한의 유엔가입에 아무런 장애를 초래치 않는 것인가?

12. 우리가 유엔에 가입함으로써 부담해야 하는 의무는?

13. 금추 유엔총회에 대통령이 참석하여 수락연설 혹은 기조연설을 할 계획이
    있는지?

0219

외무부장관 KBS 제1TV 회견

(91.6.2.일, 07:15-08:00 방영, "오늘의 문제-유엔속의 남과 북")

대 담 자 : 이청수 해설위원장

　　역사란 자의든 타의든, 능동적이든 수동적이든, 또 주체적이든 객체적이든
한번 변하기 시작하면 상상밖의 결과를 갖고 오기 쉽습니다.　지난주에
있었던 북한의 유엔 가입 의사 결정도 바로 그런 것이어서 자의든 타의든,
또는 어쩔수 없이 했든, 또는 의도적으로 했든, 한반도의 평화와 통일에
중대한 영향을 미치는 것은 틀림없다고 할 것입니다.　그래서 "오늘의
문제" 오늘은 우리 외교의 실무 주역이신 이상옥 외무부장관을 모시고
"유엔속의 남과 북"이라는 주제로 남.북관계와 한반도, 그리고 한반도
주변정세와 평화통일에 미치는 영향들을 구체적으로 알아 보도록 하겠습니다.

문 : 지난 5월 28일에 북한은 유엔에 가입하겠다는 의사를 결정했다고 발표
　　　했는데 그 뒤에 유엔 가입 신청 절차와 관련된 새로운 구체적인 움직임이
　　　있습니까 ?

답 : 아직은 북한으로부터 그 이후 새로운 사태 발전이라고 볼 수 있는 것은
　　　없었습니다.　다만, 질문이 계셨으니까 북한의 유엔 가입 의사 결정의
　　　배경에 관하여 먼저 말씀드리는 것이 순서가 아닌가 생각합니다.

　　　북한이 유엔 가입 문제에 관한 종래의 입장을 변경하게된 배경에는
　　　무엇보다도 그동안 우리 정부가 추진하여온 북방외교의 성공을 들
　　　수 있겠습니다.

1

0220

아시다시피 노태우 대통령께서 취임하신 후에 남.북한 관계에 관한
획기적인 선언이라고 할 수 있는 7.7선언을 발표하셨고, 그 후에
88올림픽의 성공적인 개최를 통해서 북방정책 추진의 기반을 닦아
주었다고 할 수 있겠습니다.

그것을 바탕으로해서 북방외교를 적극적으로 추진한 결과, 알바니아를
제외한 동구라파의 모든 국가와 외교 관계를 수립하게 되었고, 작년
9월에는 드디어 소련과도 수교하는 커다란 발전을 보게 되었습니다.
그동안 불과 1년도 안되는 사이에 3차례에 걸쳐 한.소 정상회담을
가졌다는 사실이 우리 북방외교의 발전을 여실히 보여주는 것이라고
말씀드릴 수 있겠습니다. 또한 중국과도 아직 수교 단계에까지는
오지 않았습니다만, 양국간에 무역대표부를 설치하는 결실을 가져오게
되었습니다.

특히 한가지 말씀드리고 싶은 것은 연초만 하더라도 다소 불투명했던
상황하에 노대통령께서는 연내 유엔 가입 실현을 금년도에 가장 우선적인
외교 목표로 설정함으로써 유엔 가입에 관한 우리 정부의 확고한 의지를
대외적으로 천명하였습니다. 이러한 것이 우리의 유엔 가입에 대한
국제사회의 압도적인 분위기를 조성하는데 기여하였다고 봅니다.

특히 북한이 종래 남.북한 유엔 동시 가입에 반대하는 이유로 내세웠던
국토 분단의 고착화라는 논리가 최근 독일과 예멘의 경우에서 입증되다시피
더 이상 현실적으로 그 타당성과 설득력을 잃게 되었으며, 유엔 가입이
국토 분단을 고착화 시키는 것이 아니라 오히려 분단된 국가의 통일 과정을
촉진한다하는 사실이 명백히 실증되었습니다. 이러한 것들이 북한
으로 하여금 그 입장을 바꿀 수 밖에 없는 상황으로 발전시켰다고 보고
있습니다.

문 : 오는 9월17일 제46차 유엔총회 개막식날 유엔 가입에 관한 결정을 하게
되었는데, 남.북한이 동시 가입을 하게되면 대외적, 국제정치적으로
어떤 의미를 갖게 되는 것입니까 ?

2

0221

답 : 1948년 남·북한은 각각 별개의 정부를 가지고 분단된 상태를 유지하여
왔습니다만, 이제 남·북한이 유엔에 함께 가입함으로해서 유엔 무대를
통하여 남·북한이 제각기 국제사회의 일원으로서 역할을 수행할 수 있는
위치에 이르게 되는 것입니다. 그밖에도 남·북한이 유엔을 통해서
상호간에 접촉과 협력 및 교류를 증진할 수 있는 좋은 여건도 마련될
될 수 있다고 봅니다. 그런 의미에서 우리들은 이번 유엔 가입이
남·북한 관계의 보다 더 한차원 높은 발전을 위한 계기가 될 것으로
기대하고 있습니다.

문 : 그렇게 되면 사실상 한반도는 두개의 국가가 되고 북한이 주장하던
"하나의 조선"은 깨지는데, 그들 북한 사람들은 그렇지 않다고 보는
것 같은데 그 이유는 뭐라고 보십니까 ?

답 : 유엔 헌장 제4조에 의하면 유엔에는 국가, 즉 평화애호국가가 가입하게
되어 있습니다. 따라서 남·북한의 유엔 가입은 유엔에 관한한 국가
승인의 효과를 낼 것입니다만, 국제법상으로는 유엔 가입 자체가 회원
국간의 명시적인 승인하고는 다른 것으로 해석되고 있습니다.

남·북한이 유엔에 가입하면 유엔에 의해서는 국가로 승인되지만, 남·북한
관계 자체는 어느 일방당사자에 의한 명시적인 승인 행위가 없는한 국가
승인을 의미한다고는 볼 수 없습니다. 따라서 남·북한이 유엔에 가입
하더라도 남·북한의 관계는 국제법상의 국가 관계라기 보다는 민족 공동체
내의 득수한 관계라는 성격을 계속 지니게 될 것으로 봅니다.

다만 북한이 "하나의 조선"이라는 논리를 내세우고 있습니다만, 그것은
역시 북한이 그들의 대내적인 필요에 의해서, 또 그들의 대남혁명 노선
추진을 위해서 내놓은 하나의 논리일 뿐입니다. 그 논리는 북한이 당장
포기할 수 없을지 몰라도 현실적으로는 그러한 노선의 수정이 불가피해질
것으로 보고 있습니다.

3

0222

문 : 그렇다면 우리는 남.북한이 동시에 유엔에 가입하고난 뒤, 남.북관계에
　　있어서도 우리가 북한을 국가로 인정할테니 북한도 우리를 국가로 인정
　　하는 관계로 발전시켜 나가자고 제의할 생각은 없으신지요 ?

답 : 남.북한의 관계는 조금전에도 말씀드린 것처럼 통일될때까지는 국제법상
　　국가간의 관계와는 다른 차원의 민족공동체내의 득수한 관계로 유지하는
　　것이 바람직하다고 봅니다.

문 : 그런데 소련 공화국 연방하의 우크라이나와 백러시아가 유엔 회원국인데,
　　혹시 북한의 가입도 그러한 차원으로 생각할 수도 있지 않겠는가 생각
　　하는데요 ?

답 : 그것은 유엔 창설 당시에 소련이 너무 수적으로 열세였기 때문에 공화국
　　두개를 더 추가해서 가입한 일종의 강대국간 협상의 소산입니다.
　　남.북한의 유엔 동시 가입을 거기에 비교하는 것은 적합치 않다고
　　생각합니다.

문 : 가입 절차에 관해서 남.북한 간에 실무적인 접촉을 한 것이 있습니까 ?

답 : 이미 말씀드렸습니다만, 북한이 유엔 가입 신청 의사를 발표하기 하루전에
　　주유엔 노창희 대사가 북한 대사를 만나서 유엔 가입 문제에 관한 대사급
　　협의를 제의했습니다. 그래서 앞으로 북한이 우리 제의에 호응해 온다면
　　유엔 가입 절차에 관한 사항에 관해서 유엔 주재 대사간에 진지한 협의를
　　하고자 합니다.

　　물론 앞으로 우방국과도 협의하고 북한과도 협의할 생각입니다만,
　　과거 동.서독이 73년 유엔에 가입할 때나 현재의 유엔 관행을 보면,
　　남.북한이 가입 신청은 따로따로 하더라도 안보이사회에서 일괄 처리하여
　　단일 결의안 형식으로 남.북한의 유엔 동시 가입을 총회에 권고하는
　　형식을 취하게 되고, 총회에서는 단일 의제하에 남.북한의 유엔 가입을
　　승인하는 과정을 밟게되지 않을까 생각하고 있습니다.

4

0223

문 : 유엔 가입이 결정되면 우리 외무부장관이 수락 연설을 하고, 각국 국가
원수급들이 유엔 총회 초반에 기조 연설을 하지 않습니까 ?
그때는 우리나라 대통령도 국가원수로서 참석해서 연설하게 될 것이라고
하는데, 북한의 국가원수 또는 원수급 참석을 함께 하게 될 것인지요 ?

답 : 앞으로 좀 더 두고 봐야겠습니다만, 다시 종전의 관례에 비추어서 말씀
드려본다면 9월17일 유엔 총회가 개막되는 첫날에 남·북한의 유엔 가입이
승인되면 남·북한의 정부대표가, 관례에 따른다면 외무부장관이 유엔
가입 수락 또는 유엔 가입 결정에 대한 감사를 표명하는 내용의 연설을
하게 되겠습니다.   그 다음에, 금년의 경우는 9월23일부터 한 2주일간
계속이 됩니다만, 총회의 기조 연설 기간중에 많은 나라의 국가원수들
또는 정부수반들이 직접 참석하시어 기조 연설을 하게 됩니다

지금 저희들이 파악하기로는 9월23일 첫날에는 "부쉬" 미국 대통령의
연설이 예정되어 있고, "고르바쵸프" 대통령을 비롯한 주요국가들의
정부 수반들의 연설이 기조 연설 기간 초반에 있을 것으로 봅니다.

우리 대통령께서도 그때는 유엔 회원국을 대표하는 유엔 회원국의 국가
원수로서 기조연설을 하시게 될 것으로 봅니다.   다만 북한에서 누가
나올 것이냐하는 것은 추측하기는 조금 이르고 좀 더 두고 보아야할
것입니다.

문 : 앞지르는 관측인지 모릅니다만 북한에서는 한국의 외교적 승리를 축하하는
자리인데 북한 국가원수가 와서 하기에는 별로 기분내키지 않을 것 같고,
또 김일성 주석의 건강문제도 있을 수 있어서 안 올 가능성이 있다는
견해도 있습니다.   반면 그와 반대로 김정일 정도라면 올지도 모른다는
얘기도 있는데요 ?

답 : 여러가지 가능성을 현단계에서 배제하는 것은 조금 빠르다고 봅니다.
북한도 유엔에 가입하는 것에 대해 그 나름대로 상당한 의의를 찾을 수
있다고 봅니다.   북한에서 상당한 고위급 인사들이 참석해서 발언하게
될 것으로 일단 예상하고 있습니다.

5

0224

문 : 그때 우리 남·북 정상이 만나게 되면 좋겠지만 그렇지 않을 경우에는
    남·북 정상회담은 유엔 동시 가입을 계기로해서 별도로 추진하는게
    되겠습니까 ?

답 : 총회를 계기로해서 그런 모임이 성립할 수 있을 것인지 두고 보아야
    겠습니다만, 이 기회에 남·북 정상회담 문제에 대한 우리 정부의
    입장을 말씀드리겠습니다.

    우리들은 남·북 정상회담이 남·북한 관계의 돌파구를 마련할 수 있는
    큰 의의가 있는 모임이 될 수 있을 것으로 보고 있습니다. 다만
    정상회담이 언제 어떤 형태로 이루어질 것인지는 앞으로 남·북한 관계
    전반의 발전, 그리고 남·북 대화의 진전을 보아가며 생각해야 될 것
    같습니다. 이 시점에서 남·북 정상회담을 논의하는 것은 조금 이른감이
    있습니다.

문 : 우리가 유엔에 동시 가입한다고 해서 우리의 평화동일 문제를 유엔에
    의탁해서는 않된다고 봅니다. 우리의 문제는 우리가 주도적으로
    해결해야 한다고 생각하는데 정부의 입장은 어떻습니까 ?

답 : 기본적으로 통일문제를 비롯한 남·북한간의 문제는 직접 당사자인
    남·북한간의 대화와 협상을 통해서 풀어나가야 한다는 것이 우리 정부의
    기본 입장입니다. 그러나 유엔에 가입하게 되면 남·북한간의 대화를
    위해서 유엔이라는 무대를 유용하게 활용할 수 있는 계기가 되리라고
    봅니다.

문 : 남·북한 유엔 동시 가입에 관해서 앞질러가는 추측 보도들이 많이 나오고
    있습니다. 그 중에서 남·북한간의 상주대표부 개설을 추진한다는
    이야기도 있는데 사실 여부를 말씀해 주십시오.

답 : 남·북한간의 상주대표부 설치는 이미 몇해전 우리 정부가 제안한
    사항입니다. 남·북한간의 관계는 국가간의 관계가 아니기 때문에
    이러한 특수한 관계를 감안해서 대사관의 형태가 아닌, 연락대표부
    등 대표부 형태가 되는 것이 바람직하다고 봅니다.

6

0225

우리 정부가 이미 제의해 놓고 있는 사항이기 때문에 앞으로 유엔에
동시 가입해서 상호 협조가 잘 이루어진다면 대표부 설치 문제도 진지
하게 검토되어야 할 사항중의 하나라고 봅니다.

문 : 국가보안법, 휴전문제등 남.북한 관계 전반에 관한 문제들도 지금까지와는
다른 방향으로 재검토되고 새로운 방향으로 나아가야. 된다는 견해가
있는데 어떻게 보십니까 ?

답 : 우리 정부로서는 이번 유엔 동시가입을 계기로 해서 남.북한간의
전반적인 관계에도 커다란 발전이 있기를 기대하고 있습니다.   그러나
아직까지 문제의 핵심은 역시 북한의 대남혁명 노선의 변경 여부에
있습니다.   북한이 종래의 대남혁명 노선을 고수하는 한, 남.북한간의
급격한 관계 발전을 기대하는 것은 다소 무리라고 생각합니다.   그러나
북한이 이번 유엔 가입 문제에서 보인 현실적인 감각과 사고를 남.북한
관계 전반에도 적용시켜, 보다 더 합리적이고 현실적인 방향으로 입장을
전환시켜 나간다면 교류와 대화를 통한 남.북한간의 긍정적인 관계
발전을 기대할 수 있다고 생각합니다.

문 : 미국도 National Security Act라는 국가보안법이 있고, 우리의 경우에도
국가보안법이 있는데 이것을 앞으로 개정하든지 아니면 완전히 폐지해야
한다는 견해가 있습니다.   그런데 우리는 어떤 일이든지 상대를 생각
하지도 않고 너무 성급하게 추진하려는 경향이 있는 것 같은데, 이 문제에
대해서는 어떻게 보십니까 ?

답 : 그러한 문제에 대해서 사전에 검토 연구를 하고 또 대비를 해야
한다는데 대해서는 아무런 이견이 없습니다.   사실 정부로서도 여러
사항에 대해서 내부적으로 연구 검토를 진행하고 있습니다.   다만, 그런
문제들을 현실적인 문제로 외부적으로 드러내 놓고 다루기엔 아직
현실적인 여건이 조성되어 있지 않다고 봅니다.   앞에서 말씀드린 것
처럼 북한의 기본적인 대남정책 변경이 없는 상태에서 우리가 북측과
이러한 문제를 논의한다는 것은 바람직스럽지 못한 것입니다.

7

0226

앞으로 남·북한 유엔 동시 가입을 계기로 북한의 대남정책에 근본적인
변화가 있어 한반도에서의 항구적인 평화를 정착시킬 수 있는 제도적
장치가 마련된다면, 그때에 가서 이러한 문제들을 차근차근 진지하게
다루어 나가야 되리라고 봅니다.

문 : 남·북한 유엔 동시 가입을 계기로 해서 미국에 대한 북한의 관계개선
시도가 활발해지리라고 보는데, 그 시도 과정에서 북한이 미국에 대해
주한유엔사 해체 문제라든지 휴전협정을 평화협정으로 바꾸는 문제
등을 요구할 것 같은데, 여기에 대해서는 어떻게 생각하십니까 ?

답 : 현재의 휴전체제라든지, 유엔군사령부 문제는 한반도 평화체제의 근본과
관련되는 것입니다. 따라서 남·북한이 유엔에 동시에 가입했다고 해서
그런 문제가 갑자기 해결되는 것이라고 볼 수는 없습니다. 앞에서
말씀드린 것 처럼 한반도에서 긴장이 완화되고 평화가 정착되는 어떤
확고한 제도적 장치가 먼저 마련된 단계에 가서 이러한 문제들을 논의해야
한다고 생각합니다.

문 : 북한의 대일·대미 관계 개선중 어느쪽과의 수교가 먼저 이루어진다는
예상이 가능합니까 ?

답 : 지금 북한이 가장 역점을 두고 추진하는 것이 바로 일본과의 관계
정상화입니다. 북한이 경제적으로 매우 어려운 입장에 있어 이를
타개하기 위해서는 일본과의 경제협력이 절실한 상태이기 때문에
일본과의 수교를 서두르고 있는 것입니다.

북한이 유엔 동시 가입 쪽으로 태도를 변경한 것이 일·북한 수교에도
긍정적인 작용을 할 것으로 일단 봅니다만, 일·북한 수교 과정에는
북한의 유엔 가입 문제뿐만 아니라 핵안전협정 체결 문제등 해결되어야
할·과제들이 많이 있습니다.

8

0227

그러나 우리가 볼 때 북한이 이번 유엔 가입 문제에서 보인 합리적인 태도를 더욱 진전시켜 나간다면 향후 북한의 대일 수교 문제뿐만 아니라 미국을 비롯한 대서방국가와의 관계 정상화에도 도움을 줄 수 있는 여건이 조성되리라고 봅니다.

문 : 남.북한 유엔 동시 가입이 북한의 개방에 어떠한 영향을 미치리라고 보십니까 ?

답 : 우리는 결코 북한을 국제사회에서 고립시키는 것을 원하지 않습니다. 정부가 그동안 남.북한 유엔 동시 가입을 추진해온 이유중의 하나도 바로 북한으로 하여금 고립 상태로부터 탈피해서 북한 스스로가 국제 사회의 일원으로서 책임있는 행동을 해주기를 바라는 것이었습니다.

북한이 국제사회에서 통용되고 준수되는 규범을 지키면서 행동하는 것이 남.북한 관계 발전 및 이 지역의 평화와 안정에도 크게 기여할 것으로 보고, 북한이 하루빨리 과거의 경직된 사고 방식이나 몰지각한 행동을 중단하고 모든 나라들이 인정하고 수락할 수 있는 그런 행동을 해주기를 바랍니다.

문 : 남.북한 유엔 동시 가입으로 인해 유엔이라는 국제 무대에서 남.북한 대표가 자리를 같이하게 될텐데, 이 자리에서 장관님께 부탁드리고 싶은 것은 북한이 다소 경직된 태도를 보이더라도 우선 우리만이라도 인내와 양보심을 가지고 성숙된 외교로서 북한을 설득하는 그런 방향 으로 종래의 대결 구도를 타파하는 대북한 자세를 견지했으면 하는 바램입니다.

답 : 우리 대통령께서는 7.7선언을 통해 남.북한간의 관계를 경쟁 관계와 대결 관계로 부터 공존공영의 관계로 발전시키고자 하는 확고한 의지를 표명하신 바 있습니다.

우리는 그동안 국제 무대에서 북한과의 대결을 피하고 가능한한 협조 하는 방향으로 노력해 왔고, 앞으로 유엔 동시 가입을 계기로 해서 그러한 노력을 가일층 강화해 나가고자 합니다.

9

0228

문 : 그렇더라도 우리의 최소한의 요구는 있는 것 아니겠습니까 ?
    북한이 핵안전협정을 체결하는 것은 물론이고, 핵개발 능력 자체를 포기
    하기를 바라는 입장이죠 ?

답 : 그렇습니다.   북한이 기본적으로 핵비확산조약의 당사국으로서 국제
    원자력기구와의 핵안전협정을 빨리 체결해서 그들의 핵시설에 대한
    국제사찰에 응해야 하고, 최근 관심의 대상이 되고 있는 핵재처리
    시설을 폐기해야 됩니다.   따라서 북한이 명실공히 핵비확산조약의
    회원국으로서의 의무를 다해야 한다고 봅니다.   그것이 바로 한반도의
    평화는 물론, 동북아지역의 정세 안정에도 기여하는 길이 될 것입니다.

문 : 그것이 유엔 가입의 전제 조건이 되는 것은 아닙니까 ?

답 : 그것은 유엔 가입과는 성질이 다른 문제로서, 또 다른 차원에서 다루어
    나가야 되리라고 봅니다.

문 : 중국이 북한이라는 부담을 덜었기 때문에 우리와 중국과의 관계가
    촉진되지 않겠느냐는 견해도 있는데 어떻게 보십니까 ?

답 : 남.북한이 유엔에 동시 가입하게 되면 우리와 중국과의 외교관계
    수립을 촉진하는 여건이 조성될 것이며, 정부는 앞으로 한.중 관계의
    정상화를 위해서 인내심을 가지고 계속 노력해 나갈 방침입니다.

문 : 동.서독은 유엔에 가입한지 17년만에 통일을 했는데 우리의 경우에는
    어떻게 될 것 같습니까 ?

답 : 이 시점에서 언제라고 말할 수는 없습니다만, 남.북한의 유엔 가입은
    확실히 독일과 예멘의 경우에서 처럼 한반도의 평화적인 통일을 촉진
    시키는 계기가 될 것으로 믿고 있습니다.   끝.

0223

국제연합과장님 께,

　　미 W.P 지 D. Oberdorfer 기자의
장관님 면담자료를 별첨 형식을 참조,
작성하시어 당과로 보내주시기 바랍니다.

　　5.14 까지

　　　　　홍보과장　김경근 배

0230

분류기호 문서번호	정홍 20501- *100*	협조문용지 (720-2339)	결 재	담 당	과 장	국 장
시행일자	1991. 5. 23			김기주		
수 신	수신처참조	발 신	정보문화국장		(서명)	
제 목	면담자료 요청					

미국 W.P 지 국무부 출입기자 Don Oberdorfer 는 동북아

4개국 (한국, 일본, 중국, 북한) 취재를 위해 6.2-6간 방한 예정입니다.

동 기자는 6.3 (월) 14:30 장관님과 회견을 할 예정인 바, 회견 준비에

필요하오니 하기 사항에 관한 자료를 5.28(화)까지 송부하여 주시기

바랍니다.

- 아 래 -

　o 아.태지역 협력 방안 (정특반)

　o 한.일관계 및 일.북한 수교협상 (이주국)

　o 한.중국관계 (아주국)

　o 한.미관계 일반 (미주국)

　o 한.미 안보협력 및 지역집단안보 문제 (미주국)

　o 한.미 통상관계 (통상국)

　o 한.소관계와 소련의 대한반도 정책 (구주국)

　o 한국의 유엔가입 (국제기구조약국)

/ 계 속 /　　　　　　　　0231

- 2 -

ㅇ 최근의 남북관계와 남북대화 전망 (정보문화국)

* 작성요령 : 국.영문 각 2page (별첨 참조)

첨부 : 작성에 사본 1부. 끝.

수신처: 정특반장, 아주국장, 미주국장, 구주국장, 국제기구조약국장,

통상국장 (사본 : 정보2과장)

0232

o 國際平和와 協力을 위한 유엔의 中心的 役割이 더한층 强化되고 있는 오늘날 우리나라는 分明한 加入희망 意思와 充分한 加入資格이 있음에도 不拘하고 유엔에 加入하지 못하고 있는 唯一한 國家임.

o 우리는 南北韓이 統一될때까지의 暫定措置로서 유엔에 함께 加入하여 國際 社會의 責任 있는 一員으로서 유엔體制下의 國際協力과 諸般 重要 國際問題에 관한 意思 決定에 있어 正當한 몫을 다하여야 한다고 믿고 있으며, 이는 貴國도 支持하고 있는 유엔의 普遍性原則에 따라 當然한 것임.

o 또한 우리政府는 東北亞情勢 安定에 絶對的인 韓半島에서의 平和와 安定을 確保하기 위해서는 南北韓의 유엔加入이 緊要하다고 보며, 南北韓의 유엔 加入을 통하여 유엔體制내에서 南北韓間 交流와 協力을 增進시키는 것이 窮極的인 韓半島 平和統一에도 寄與할 것으로 믿고 있음.

13

0233

o 이러한 見地에서 우리는 그간 南北韓 高位級會談등을 통하여 北韓側에
   우리와 함께 유엔에 加入할 것을 繼續 勸誘해 왔으나, 유감스럽게도
   北韓側은 전례도 없고 많은 法的 問題點을 갖고 있는 非現實的인 單一
   議席案을 固執할 뿐, 전혀 態度의 變化 可能性을 보이지 않고 있음.

o 유엔加入問題는 本質的으로 加入을 希望하는 國家와 유엔間의 問題로서
   分斷國의 統一問題와는 無關함. 그간 北韓은 南北韓 유엔加入이 韓半島
   分斷을 永久化 또는 合法化한다고 主張하여 왔으나, 이러한 北韓의 主張은
   예멘과 獨逸의 統一에서도 볼수 있듯이 전혀 說得力이 없음.

o 우리는 南北韓이 國際社會의 祝福속에서 하루빨리 유엔에 함께 加入하여
   國際社會에서 우리 民族의 正當한 寄與와 役割을 다하고, 南北韓間의 交流와
   協調를 增進하여 韓半島에서 平和와 安全 維持에 寄與할 수 있게 되길 바라고
   있음. 이지역의 平和와 安全에 많은 關心을 가지고 있는 蘇聯政府도 南北韓이
   함께 유엔에 加入할 수 있도록 建設的인 役割을 積極 遂行해 줄 것을 期待함.

11

0234

o In today's world where the central role of the United Nations in
   promoting international peace and cooperation has been further
   strengthened, the Republic of Korea is the only country that remains
   outside the world body against its strong desire to become a full
   member.

o The Republic of Korea firmly believes that both Koreas should join
   UN membership as a temporary measure pending reunification so that the
   two Koreas could take their due part as responsible members of the
   World community, in settling the major international issues and promoting
   international cooperation under the auspices of the United Nations.
   Our position for the entry into the UN completely conforms to the
   letter and spirit of the Charter and the principle of universality
   which is ever-increasingly upheld by the Member States including
   the Soviet Union.

15

0235

o   The ROKG is of the view that the entry of both Koreas into the UN is essential to securing peace and stability in the Korean peninsula which has directly related to the stability of Northeast Asia. The admission of both Koreas to the United Nations would help increase chances for peaceful settlement and reduce tensions in the Korean peninsula, thus would eventually contribute to the peaceful reunification of South and North Korea.

o   Accordingly, the ROKG has been endeavoring to persuade the North to join UN membership together with the South at the inter-Korean meetings. Regrettably enough, however, North Korea has been incessantly alleging its so-called "Single-seat UN Membership formula", which is not only unprecedented in the history of the United Nations, but also filled with various legal and practical problems.

o   United Nations membership is essentially a matter between an applicant state and the United Nations, and is not directly related to the issue of unification of divided countries. North Korea has contended that

10

0236

the entry of the two Koreas to the United Nations would perpetuate and legalize division of the Korean peninsula. But, this contention was eloquently disproved by the fact of recent reunifications of the Yemens and the Germanys.

o   It is the ROK's strong wish that both Koreas should join UN membership at the earliest possible date so that the Koreans could make a right and proper contribution to and play a required role in the international community. The separate admission of both Koreas will bring peace and security in the Korean peninsula by promoting inter-Korean exchanges and mutual cooperation under the UN system.

o   In this connection, it is highly expected that the Soviet Union, which has a keen interest in maintaining peace and security in Northeast Asia, should play a more active and constructive role in persuading the North into joining UN membership together with the South as early as possible.

17

0237

유엔가입문제

o 화해와 협력의 새로운 국제질서하에서 남북한의 조속한 유엔가입을 희망
하는 국제적 공감대가 심화되고 있음에 비추어 금년가을 좋은 결실이 있으
리라고 확신함 .

o 남북한의 유엔가입은 통일시까지의 잠정조치로서 한반도 및 동북아지역의
긴장완화는 물론 남북한의 평화통일에도 기여하게 될 것임 .

o 이와관련 , 최근 북한의 유엔가입 신청의사 발표를 환영하며 , 앞으로도
북한이 현실을 직시 , 남북관계에 있어 보다 현실적인 자세를 취하게 되기를
기대함 .

0238

UN membership

o   It is a sense of international community that both Koreas should join
    the UN as early as possible in a newly emerging internationalorder of
    conciliation and cooperation.   In light of this, firmly believe
    that the Korean people will hear of good news in the upcoming fall.

o   Both Koreas' entry into the UN, an interim measure pending reunification,
    will contribute to easing tension not only on the Korean peninsula but
    in North East Asia as well. Furthermore, I am confident that it would
    also contribute much to facilitating the process of peaceful reunification
    between the North & the South.

o   In this connection, I welcome the NK's recent decision to join UN
    membership. It is my sincere wish that NK will take more realistic
    stance in its relations with the South, admitting what the reality is.

0239

분류기호 문서번호	문홍20501- //ㄴ	협조문용지 (720-2339)	결 재	담 당	과 장	국 장
시행일자	1991. 6. 4.					
수 신	수신처 참조	발 신	문화협력국장 (서명)			
제 목	장관님 W.P지 기자 면담					

장관님은 6.3(월) 14:10-15:00간 미 W.P.지 국무부

출입기자 D.Oberdorfer를 접견, 남.북한의 UN 가입, 한.미관계 및

한반도 핵문제 등에 관해 기자회견을 가진 바, 동 면담 요록을

별첨과 같이 송부하오니 귀 업무에 참고 바랍니다.

첨부 : 동 면담요록 1부. 끝.

수신처 : 외교정책기획실장, 아주국장, 미주국장, 국제기구조약국장,

공보관

0240

외무부장관 W.P지 국무부 출입기자 회견

1. 일시 및 장소 : 1991.6.3(월) 14:10-15:00, 장관실

2. 회 견 자 : 미국 Washington Post지 국무부 출입기자 Don Oberdorfer

    (문화협력국장, 홍보과장, Newsweek 서울특파원 Robin Bulman배석)

3. 질의응답 내용

    장　　관 : 금일 노태우 대통령의 미국.카나다 국빈 방문(7.1-7.5)이 발표
    되었음. 금번 한.미 정상회담은 이 지역 정세발전을 감안할때
    매우 시의 적절한 것임. 특히 최근의 미.일, 중.소, 중.북한간의
    정상회담 개최사실, 90년 6월의 한.미 정상회담이후 2차례에 걸친
    한.소 정상회담이 있었던 사실을 볼 때 금번 정상회담은 매우
    의미가 클 것임. 귀하는 금번 여행시 북한도 방문키로 되어 있다는데?

    Oberdorfer : 3년만의 한국 방문인데 최근의 정세변화를 감안하면 매우 오랫만인 것
    같음. 동경,북경 체재후 평양방문을 신청해둔 바 있으나 아직까지
    아무런 연락을 받은 바 없음.
    남.북한이 9월에 유엔에 가입하는 것이 명백해지고 있는데, 진전
    상황은?

    장　　관 : 유엔가입과 관련, 절차상 필요한 사항을 우선 설명하겠음. 우리
    정부는 6월중 유엔가입을 위한 국회 동의 절차를 포함한 국내적인
    조치를 완료할 예정임. 7월에 남.북한이 가입신청을 하게 되면
    8월중 안보이사회가 이를 처리할 것인데, 남.북한이 개별적으로

1

0241

가입신청을 한다해도 72년 동서독의 유엔 가입시 처럼 단일의제로 하여 처리할 것이며, 5개 상임이사국들의 동의를 얻는데 문제가 없을것임.

9월에 소집되는 46차 총회가 이를 승인할 것이며, 9.17일에는 남.북한이 유엔 회원국이 될 것으로 기대함.

Oberdorfer : 유엔에 가입하면 어떠한 효과가 있겠는지?

장   관 : 남.북한이 유엔에 가입하게 되면 기존 대화와는 별도로 유엔헌장에 따라 양측의 접촉증가, 교류확대에 많은 기여를 할 것임. 또한 남북한이 유엔 및 국제 사회에서 그들의 역할을 수행할 수 있다는 점에서 매우 큰 의의가 있음. 특히 한국으로서는 1948년 유엔 지원하에 정부가 수립되었고 (ROK is a child of U.N.), 6.25 전쟁시 유엔 16개국이 자유와 평화를 유지하는데 결정적 기여를 했다는 점에 있어서 매우 뜻깊고 중요한 계기가 될것임.

Oberdorfer : 유엔 주재 남.북한 대표간의 협의가 있었다던데? 어느쪽의 initiative 로 시작되었으며, 협의를 통하여 북한의 정책변화를 예상할 수 있었는지?

장   관 : 3차에 걸친 남.북 총리 회담시 유엔가입 문제를 협의한 바 있음. 북한은 작년부터 단일의석 가입안을 주장하기 시작했는데 국제 사회에서 별 호응을 받지 못하고 있었음.

북한의 가입결정 발표(5.28)가 있기 전날인 5.27일 주유엔 노창희 대사가 북한의 박길연대사에게 유엔가입 관련 협의체 설립을 제의한 바 있고, 이에 대한 북한측의 회답을 기다리고 있음.

양대사간의 협의는 물론 우리측이 먼저 제안한 것이며, 동 회담시 우리측은 유엔가입에 관한 확고한 아국입장을 주장함으로써 북한은 우리입장이 확고한 것임을 알 수 있었을 것으로 봄.

2

0242

Oberdorfer : 남.북한간 상주대표부 설립을 계획하고 있는 것으로 신문에 보도
되고 있음.

장   관 : 상주 대표부 교환 제의는 1982년 전두환 대통령이 제의한 민족화합
민주통일 방안에 포함되어 있었는데, 유엔 가입후 기회가 있는대로
이 문제에 관해 북한측과 협의를 해 나갈것임.

Oberdorfer : 상주대표부 교환을 push할 생각인지?

장   관 : 북측과 계속협의할 계획임.

Bulman : 다음 총리회담은 언제 개최될 것으로 기대하고 있는지?

장   관 : 당초에는 금년 2월중으로 예정되어 있었으나 북한측이 Team Spirit
훈련을 구실로 일방적으로 연기한 바 있으며, 7월경 개최될 것으로
기대하고 있음.

Bulman : 유엔가입후 중국과의 관계개선 전망은?

장   관 : 유엔가입이 외교관계 수립과는 직접 관련되지 않으나 중국과의
수교를 추진하는데 도움이 될것임.

Oberdorfer : 북한의 태도변화에 중국이 어떠한 역할을 하였는지?

장   관 : 중국이 북한에 대해 유엔가입을 설득한 것으로 알려지고 있으며
최근 이붕수상의 북한 방문시 이 문제에 관한 집중적인 협의가
있었던 indication이 있음.

Oberdorfer : 기존의 남.북한 정책이 유엔총회에서 표결에 붙여졌다면 어떤
결과였을 것으로 보는지?

장　　관　：　한국의 제안은 2/3이상의 압도적인 지지를 받았을 것이며, 북한
　　　　　　　제의에 찬동한 국가는 10개국도 되지 않았을 것으로 생각됨.
　　　　　　　중국까지도 북한의 제의를 비현실적이라고 언급한 바 있음.
　　　　　　　쿠바, 이디오피아 정도가 북한의 입장을 지지할 것으로 봄.

Oberdorfer：　유엔가입후 한국외교에 있어서의 우선 순위를 따지자면?

장　　관　：　중국과의 관계 정상화를 꾸준히 추진할 것이며, 이는 북방정책의
　　　　　　　완결을 의미하는 것임.

Oberdorfer：　미국과의 관계는?

장　　관　：　현재의 한.미관계는 매우 바람직한 상태임(excellent). 미국과의
　　　　　　　안보협력 관계는 아국으로서 매우 중요한 문제인 바 앞으로 한.미
　　　　　　　안보관계에 있어서의 한국이 행할 수 있는 역할이 점점 증대될
　　　　　　　것이며, 미국의 계속적인 지원이 긴요함.　한.미간의 긴밀한
　　　　　　　관계가 한국이 소련.중국과의 관계개선을 하는데 많은 도움을
　　　　　　　주고 있음.

Oberdorfer　：　한반도의 핵문제에 관한 질문인데, 최근 김경원 전 주미대사가
　　　　　　　우선 한국이 핵무기가 존재하지 않고 있다는 것을 발표하는 것이
　　　　　　　문제해결에 도움이 될 것이라고 의견 개진을 한 바 있음.
　　　　　　　미국과 합의하면 이것이 가능할 것으로 생각하는지?

장　　관　：　김 전대사는 현재 공직에 있지 않으며 세미나에서 개인의견을
　　　　　　　발표한 것으로 알고 있음.　한국정부의 입장은 북한이 먼저
　　　　　　　NPT 조약상의 의무를 이행해야 한다는 것임. 북한은 1985년 NPT에
　　　　　　　가입한 이래 6년이 지났으나 핵안전 협정 체결을 이행하고 않고
　　　　　　　있으며 오히려 이를 관계없는 사항(미국의 핵무기 철수등)과의
　　　　　　　연계를 주장하고 있음.　이러한 의무 불이행은 북한의 핵능력을
　　　　　　　감안할 때 이지역의 평화와 안정에 매우 위험한 요소가 되고 있음.

4

0244

Oberdorfer : 김 전대사의 의견은 북한의 의무이행과 한반도의 핵무기 존재
           문제를 연계시키지 않는다는 것인데?

장   관 : 북한이 의무를 이행하고 나면 다른문제는 협의될 수 있을 것으로
           생각함.

Oberdorfer : 두 문제를 연계시킨다는 것인지?

장   관 : 북한의 협정체결은 평화·안정 유지를 위한 조약상의 의무임.

Oberdorfer : 김 전대사, Solaz 의원과는 다른 견해로 보임. 미국에서는
           양문제가 연계되어 있지 않다는 (should not be linked) 의견이
           우세한 것으로 생각됨. 북한이 safeguard 협정을 수락하는
           방향으로 움직이고 있는지?

장   관 : 주오스트리아 북한 대사가 IAEA사무국에 대해 협의를 재개하자는
           의사표명을 한 것으로 아는데 아직까지 북한의 태도를 평가하기에는
           시기상조임(too early to say). 그간 IAEA가 북한에 대해 의무이행을
           꾸준히 설득해 온 바 있음.

Oberdorfer : 중국과 소련의 APEC 가입문제에 관한 한국의 입장은?

장   관 : 금년 11월초 제3차 APEC 각료회의가 서울에서 개최키로 되어
           있고 한국은 의장국으로서 중국·대만·홍콩의 가입문제 협의를
           위임받아 3개국과 협의하고 있으나 중국은 대만과 홍콩은
           정회원국이 아닌 다른 자격이 되어야 한다고 주장하고 있는 반면
           대만은 정회원국으로 가입을 요구하고 있음. 금년 8월의 APEC
           고위실무자 회의 (SOM)시 이 문제에 관해 진전이 있을 것으로 보임.

5

소련도 가입의사를 표명한 바 있어 (to join in APEC process)
이를 회원국들에게 알려준 바 있고 12개 회원국들이 결정할 것임.
제주도 한.소정상회의시 고르바쵸프 대통령은 양국간에 선린협력
조약체결을 제의했는데 노대통령은 양국 외상간에 협의하자고
한 바 있음.   아직까지 소련의 제의가 없으나 구체적인 제의가
있을경우 미국등 우방국과 협의를 통해 처리할 것임.

Bulman   : 노대통령의 중국과 북한 방문 가능성 보도가 있었는데?

장   관   : 머지 않은 장래에 양측관계에 실질적인 진전(solid progress)이
              있을때 실현될 수 있을 것으로 생각되며 한.중 정상회담은 관계
              정상화 후 가능할 것으로 생각됨.

Oberdorfer : FEER지 한국특집에 한.중교역이 90년에 10배가 증가 했다는
              기사를 본 바 있음.

장   관   : 90년에 한.중 교역량은 38억불이며, 북한.중국교역은 7억불에
              불과함.

Oberdorfer : 상세한 설명에 감사하며 방미시 상면을 희망함. 끝.

수신 : 북미라, 운영반. 동북아 1과. 국제기구과

발신 : 외홍 (김영선)

제목 : 카나다 Globe and Mail 会見

해 질문에 대한 답변을 서술식으로
각각 분량 ½ ~ 1 page 분량으로
6.7 (金) 10:00 限 보내주시께
가사하였습니다.

UN課 ── ①. 북한이 유엔가입을 신청하겠다고 발표하였는데 올해
남북한의 유엔가입 전망을 어떻게 보십니까? 남북한의
유엔가입이 봉일과정에 어떤 영향을 미칠 것으로 보십니까?

東北亞 1과 ← 남북한의 중재역활을 담당하려는 일본의 노력에 대한
대봉령의 생각은 어떠하십니까? 북한이 자국의 핵시설에
대한 국제원자력기구의 사찰을 받아들일 조짐이 있습니까?

北美課

⑤. 한.카나다의 관계가 발전할 수 있는 주요 분야는
어떤 것이 있습니까? 각하께서는 이번의 첫번째 카나다
방문에서 어떤 것을 달성하고자 하십니까?

0247

(카나다 Globe and Mail 會見資料)

> 北韓이 유엔加入을 申請하겠다고 發表하였는데 올해 南北韓의 유엔加入 展望을 어떻게 보십니까? 南北韓의 유엔加入이 統一過程에 어떤 影響을 미칠 것으로 보십니까?

o 지난 5.28. 北韓은 금년내 유엔에 加入申請하기로 決定했다고 發表했음. 本人은 北韓側의 유엔加入 決定을 歡迎하며, 今年가을 第46次 유엔總會 에서 南北韓의 유엔加入이 實現될 것으로 전망하고 있다.

o 南北韓의 유엔加入은 韓半島 統一前까지의 過度的 暫定措置이며, 南北韓은 유엔加入後 유엔의 테두리내에서 交流와 協力을 蓄積시킴으로써 相互信賴를 構築하고, 또한 이를 토대로 南北韓은 서로 돕고 도움을 받는 共存共榮의 關係를 만들어 나갈 수 있기를 기대하고 있으며, 韓半島의 平和的 統一을 促進시키는 계기가 되어야 한다고 믿고 있다.

0248

(카나다 Globe and Mail 會見資料)

北韓이 유엔加入을 申請하겠다고 發表하였는데 올해 南北韓의 유엔加入
展望을 어떻게 보십니까? 南北韓의 유엔加入이 統一過程에 어떤 影響을
미칠 것으로 보십니까?

---

o 지난 5.28. 北韓은 금년내 유엔에 加入申請하기로 決定했다고 發表했음.

本人은 北韓側의 유엔加入 決定을 歡迎하며, 今年가을 第46次 유엔總會

에서 南北韓의 유엔加入이 ~~별문제 없이~~ 實現될 것으로 봄.

o 南北韓의 유엔加入은 韓半島 統一前까지의 過度的 暫定措置이며, 南北韓은

유엔加入後 유엔의 테두리내에서 交流와 協力을 蓄積시킴으로써 相互信賴를

構築하고, 이를 토대로 南北韓은 서로 돕고 도움을 받는 共存共榮의 關係를

만들어 나갈 수 있을 것인 바, 이는 韓半島의 平和的 統一을 促進

시키는 계기가 될 것으로 믿음.

보 도 자 료
외 무 부

제 91-147호   문의전화 : 720-2408-10   보도일시 : 1991. 6. 7. 16:30

제 목 : "남북외무회담 추진"관련 보도에 관한 외무부 당국자 논평

　　　금 6.7. 일부 국내언론에서 "정부가 9월중 유엔총회를 계기로 남북 외무회담을 추진중이며, ~~이와관련~~ 주유엔 남북대사가 만나게 될 경우 이를 협의할 것"이라고 보도한 것과 관련, ~~현재까지~~ 정부는 ~~그와같은~~ 남북외무회담 회담을 추진하지 ~~않고 있으~~며, 또한 주유엔 남북대사간에 협의가 이루어 지는 경우에도 ~~남북한 대표는~~ 우리는 금추 유엔총회에서 남북한이 유엔에 가입하는 문제에 관하여 협의할 예정임. 끝.

양 고 재	담 당	과 장	국 장
91 년 6 월 7 일		(서명)	(서명)

0250

"Diplomacy" 주최 6.8. 조찬간담회 참석예정자 명단

1991. 6. 7.
국제연합과

윤 치 영   (전 공화당 의장)

이 동 원   (전 외무부 장관)

이 만 섭   (전 국민당 총재)

전 예 용   (전 공화당 의장서리)

우 재 승   (반공연맹 사무총장)

최 태 섭   (한국유리 명예회장)

김 활 빈   (단국대 교수)

황 경 춘   (UPI 한국지부 사장)

홍 모 래   (내외경제신문 화백) 등

총   35 명

777 4906 이화장

0251

"DIPLOMACY創刊16周年記念 第三次세미나"

招 請 狀

謹啓時下 孟夏之際에 尊体大安하심을 仰祝합니다.

그동안 世界的인 外交誌로 成長하도록 協力하여 주신데 대하여
진심으로 感謝드립니다.

就白 저희 外交誌 DIPLOMACY 創刊 16周年 記念의 일환으로
아래와 같이 세미나를 개최코자 하오니 꼭 참석하여 주시기
바랍니다.

－아 래－

＊日　時：1991. 6. 8(土) 08：00
＊場　所：롯데호텔 36층 PEACOCK ROOM
＊演　題：「南北韓 UN同時加入과 21世紀 韓國外交의 展望」
＊演　士：李 相 玉 外務長官

英文月刊 外交DIPLOMACY誌

會 長 林 德 圭

追而：참석여부 연락 바랍니다. (777－3370, 2739)

0252

- "Diplomacy"誌 主催 朝餐懇談會 (91.6.8) -

1. 北韓 發表內容(요지) : 5.27. 外交部 聲明

    o 統一에 寄與하기 위하여 單一議席으로 유엔에 加入해야 하지만

    o 南韓側의 單獨加入 可能으로 유엔에서 全 民族의 利益과 관련된
       重大문제가 一方的으로 다루어질 것임을 憂慮

    o 따라서 一時的 難局打開 措置로서 유엔에 加入할 것임.

2. 유엔加入問題에 관한 北側 態度變化 背景 分析

    o 北方外交의 成功

       - 7.7宣言과 서울올림픽의 成功的 開催로 우리의 國際的 位相이
          크게 提高되고,

       - 東歐諸國 및 蘇聯과의 修交는 물론 中國과의 相互 貿易事務所 設置등
          北方外交가 그간 꾸준히 成果를 거양해온 狀況下에서,

— 1 —

o 이 問題에 대한 中.蘇의 態度가 變化한 것이 가증 큰 變化要因의 하나
 라고 評價됨.

  - 그간 韓.蘇修交, 제주도 韓.蘇 頂上會談時 蘇側은 우리立場에 대하여
   支持立場을 表明하였고,

  - 韓.中間 貿易代表部 設置로 實質關係가 착실히 發展되고 있는 가운데
   中國도 우리先加入에 대하여 拒否權 不行使를 시사한 바 있었음.

o 우리의 確固한 今年內 유엔加入 實現意志가 널리 認識되게 되었음.

  - 우선 大統領閣下게서 수차에 걸쳐 분명한 年內加入 實現意志를
   闡明하셨음.

   . 年頭記者會見(1.8), 外務部 業務報告(1.24), ESCAP總會演說(4.1)

  - 또한 지난 4.5자 유엔安保理에 提出한 政府覺書를 통하여 우리의
   確固한 意志 (선가입 불가피) 表明과 아울러, 9개반, 37개국을 대상
   으로 大統領特使를 派遣, 우리의 加入實現 意志를 과시한 바 있음.

o 한편 유엔加入問題에 대한 國際的 雰圍氣를 北韓側도 確實히 認識하게됨.

  - 美國等 우리友邦들의 긴밀한 協調下 我國立場을 支持하는 壓倒的인
   國際的 輿論이 고조된 가운데

- 2 -

0254

- 北側의 "分斷固着化" 論理는 說得力을 喪失하고, 北側案(단일의석 가입안)에 대한 國際社會內 支持가 全無하였음.

o 이에 따라 北韓側은 美·日·中·蘇等 韓半島 周邊强國들의 關係變化속에서 回避할 수 없는 現實的인 對應次元에서 이 問題를 認識하였을 것이며,

o 또한 자신이 처해있는 國際的 困境을 脫皮하기 위한 考慮에서도 態度를 바꾼 것으로 보임.

   - 즉, 그들은 유엔加入을 통하여 外交的 孤立과 經濟的 困境을 모면 코자 하면서 實質的인 國際的 地位向上도 追求하고자 했던 것으로 判斷됨.

3. 南北韓 유엔加入의 意義

o 우리의 北方外交가 南北韓關係에서 거둔 最初의 可視的 成果로서,

   - 韓半島 平和構築 및 統一 外交展開를 위한 새로운 與件造成은 물론,

   - 東北亞地域의 安定과 協力을 위한 기초토대 마련에도 寄與하게 될 것으로 評價됨.

- 3 -

o 또한 南北韓의 國際的 地位가 向上될 것인 바,

  - 主要 國際問題에 관한 意思決定에 있어서 완전한 參與는 물론
    國力에 合當한 國際社會內 役割과 寄與가 可能하게 됨.

  - 특히 世界 15位의 GNP 規模와 世界 10위권의 交易量을 가진 우리
    로서는 우리의 外交活動 영역을 넓혀나갈 수 있는 地位를 確保한다는데 큰
    意味가 있음.

o 나아가 南北韓은 유엔體制內에서 相互 交流와 協力을 增進하므로서
  南北韓關係를 安定的으로 發展시키는데 寄與할 것이며, 남북한이 相互
  信賴構築을 바탕으로 窮極的인 平和統一을 促進할 수 있는 契機를 마련
  하게 될 것으로 期待함.

o 그 밖에 우리의 유엔加入은 새로운 對外關係의 跳躍 발판을 제공할 것임.

  - 우리는 지난 40餘年동안 宿願外交課題를 解決함은 물론,

  - 東北亞秩序 再編過程에 우리가 能動的으로 參與할 수 있는 立地를
    强化하고, 對友邦國 外交에 있어서도 質的 變化의 契機로 삼게될
    것임.

— 4 —

o 끝으로 우리는 今番 北韓의 유엔加入 決定을 보면서 南北韓關係를 다룸에 있어서는 國民 各界各層의 聲援와 理解속에 正當한 原則을 흔들림없이 고수하는 것이 重要하다는 점을 다시한번 確認하게 된 것은 큰 意味가 있다고 믿음.

4. 南北韓 및 周邊情勢의 豫想展開 方向

o 韓半島問題가 解決되어야 東北亞의 安定과 協力이 可能하다는데에는 理論의 餘地가 없을 것인 바, 南北韓이 각각 유엔에 加入하게 됨으로써 韓半島情勢가 安定化의 方向으로 發展해 나간다면, 이를 바탕으로 東北亞 地域에서 새로운 秩序形成이 加速化될 것으로 豫想됨.

- 南北韓의 유엔加入은 東北亞地域 秩序 再編에 觸媒役割을 할 것으로 보이며, 南北韓 및 美, 日, 中, 蘇等 周邊 關聯國間의 力學關係에 있어 새로운 變化가 促進될 것으로 豫想됨.

o 한편, 北韓의 금번 유엔加入 決定過程에서 나타난 中國의 現實直視 路線은 향후 韓.中 修交에 있어서 새로운 可能性을 示唆하는 것으로서, 韓.中 修交 促進의 契機가 마련될 것으로 評價됨.

- 5 -

o 今後 北韓은 그들의 經濟難 脫皮를 위한 對外關係 改善을 積極 推進
   할 것으로 豫想되는 바,

   - 日本과의 修交交涉을 積極化하는 한편, 對西方 關係改善의 努力을
     强化할 것이나, 美·日의 對北韓 關係改善에는 "核査察"問題等으로
     限界가 있을 것으로 豫想됨.

o 그러나 北韓의 對南戰略에 있어서의 基本路線의 變化는 상당기간 期待
   하기는 困難하다고 봄.

   - 北韓은 당분간 전술적 對應을 追求하여 "하나의 朝鮮" 論理 및 統一
     優先을 강변하면서 攻勢的 對南宣傳, 煽動戰術을 繼續 구사할 것으로
     豫想되는 바, 이는 北韓의 內部體制 結束强化의 必要라는 側面에서도
     더욱 그러리라고 봄.

   - 특히 오는 8.15를 정점으로 不可侵宣言, 韓半島 非核地帶化 主張等
     宣傳的 次元에서 對南攻勢를 强化할 것으로 豫想됨.

5. 政府의 外交的 對處方向

o 政府는 南北韓의 유엔加入이 可視化된 現時點에서 南北關係의 새로운
   轉換點를 摸索하는데 主力해 나갈 것이며,

- 6 -

0258

- 특히 北韓을 國際社會의 責任있는 一員으로 行動하게 하는 轉機로
  活用해 나갈 것임.

o 또한, 韓半島 情勢의 構造的 安定을 도모, 平和 共存體制의 確立을 우선
  적으로 推進해 나가고자 하며, 이를 위해
  - 南北韓間 基本合意書의 早期締結을 積極 推進해 나갈 것이며
  - 우리 友邦과의 긴밀한 協議下에 北韓이 國際原子力機構와의 核安全
    協定問題를 早速 妥結토록 할 方針임.

o 中國과의 實質關係 增進을 통해 자연스러운 關係改善이 이루어질 수
  있도록 修交努力을 繼續 推進해 나갈 것임.

o 새로운 東北亞地域 秩序構造에 能動的으로 參與하기 위하여
  - 美, 日, 中, 蘇等 韓半島 周邊 4强과의 역동적인 多角外交를
    强化해 나가는 한편,
  - APEC등 地域協力 外交活動을 더욱 强化시켜 나감은 물론
  - 對亞細亞 外交를 强化시켜 나가고자 함.

- 끝 -

- 7 -

0259

DIPLOMACY誌 개황

o 1975.8. 창간

o 영문 월간지, 세계 130여개국에 배포

o 정치, 경제, 사회, 문화분야의 200여명의 저명인사들이 adviser
   또는 consultant로 참여

o 간행목적

   - 세계 제민족간의 친선과 평화 도모

   - 민간외교를 통한 우호관계 증진

* 6.8. 조찬 간담회시, 이만섭 전 국민당 총재, 윤치영 전 공화당 의장,
   전예용 전 동자부장관등 40여명 참석예정

0260

수 원   최 덕 신 (육군 소장)

" 　　　　이 수 영 (육군 대령)

" 　　　　이 재 항 (관재총국 처분국장)

" 　　　　한 유 동 (외무부 2등서기관)

제 9차 총회 (1954 년)

수석 대표   변 영 태 (외무부 장관)

대 표   임 병 직 (주 유엔 대사)

" 　　　　양 유 찬 (주미대사)

국회 대표   최 순 주 (국회의원)

" 　　　　윤 치 영 (　"　)

수 원   이 재 항 (외무부 통상국장)

" 　　　　한 유 동 (외무부 비서관)

제 10차 총회 (1955 년)

수석 대표   임 병 직 (주 유엔대사)

대 표   양 유 찬 (주미대사)

대 표   한 표 욱 (주미공사)

" 　　　　최 순 주 (민의원)

" 　　　　김 의 준 (민의원)

5-4

0261

제 13차 총회 (1958년)

수석대표	양 유 찬	(주미 대사)
대표	최 덕 신	(주월남 대사)
"	한 표 욱	(주미공사)
"	최 규 남	(단의원)
"	박 응 균	(— ")
"	윤 치 영	
"	김 활 란	(이화 여대 총장)
단원	이 운 경	(외무부 방교국장)
단원	오 중 정	(주호노루루 총영사)
단원	윤 석 헌	(주미 대사관 1등서기관)
단원	황 호 을	(외무부 정무국 구미과장)

제 14차 총회 (1959년)

수석대표	조 정 환	(외무 장관)
대표	양 유 찬	(주미 대사)
"	임 병 직	(주유엔 대사)
"	한 표 욱	(주미 공사)
"	이 병 하	(국회 의원)
"		(국회의원)
단원	송 광 정	(외무부 방교국 방교과장)
"	노 신 영	(주미 대사관 1등서기관)

0262

남북한 유엔동시가입과 21세기 한국외교의 전망

(91.6.8. "Diplomacy"지 주최 조찬간담회시 장관님 말씀요지)

o 북한의 5.28. 유엔가입 신청결정 발표는 예상보다 빨리와서 놀라운 것이
  었으나, 한편 우리가 그동안 꾸준히 추진해온 외교노력의 결실이었음.

o 유엔과 우리는 특별한 관계를 유지해 왔음.
  - 1948년 유엔총회 결의에 따라 한국임시위원단 파견, 대한민국정부수립에
    기여
  - 우리정부를 한반도 유일한 합법정부로 승인
  - 6.25동란시 유엔 16개국 파병

o 이같은 유엔과의 특수관계 및 그간 우리가 경주해온 외교적 노력에 비추어
  북한의 태도변경으로 남북한이 동시에 유엔에 가입할 수 있게 된 것은 매우
  중요한 일이며 또한 감회가 깊음.

(북한의 태도변화 배경분석)

o 북한은 오랫동안 유엔가입이 분단을 고착화시킨다는 논리로 통일전
  남북한의 유엔가입을 반대해 왔음. 그러나 독일과 예멘의 통일로 그들
  주장이 타당성을 잃게되고 유엔가입이 오히려 분단국의 통일과정을 촉진
  할 수 있다는 의견이 대두되었음.

o 분단고착화 논리가 통하지 않자 북한은 작년도에 단일의석 가입안을
  제안하였음. 그러나 이 제안도 유엔헌장의 규정과 관례에 맞지 않을 뿐
  아니라 매우 비현실적이라는 지적을 국제사회로부터 받아왔음.
  - 작년 유엔총회시 우리의 유엔가입입장을 지지한 나라는 70-80개국에
    달했으나, 북측 단일의석 가입안을 지지한 국가는 하나도 없었음.

0263

o 6공화국 출범이후 정부는 7.7 선언과 서울올림픽의 성공으로 북방외교의
   기반을 다졌으며, 중국, 소련의 정세변화에 때맞춰 추진한 북방외교의
   성공으로 국제적 위상을 드높이고 아국 대외정책에 대한 지지분위기를
   확산하였음.

   - 알바니아를 제외한 모든 동구국가 및 소련과 수교하였으며, 중국과도
      무역사무소를 설치하는등 실질관계를 증진시켰음.

o 특히 지난 4월 한.소간 제주도 정상회담은 북한에게 큰 충격을 주었는 바
   한국과는 1년새 3번에 걸친 정상회담이 있었으나 소련 최고지도자가 북한을
   방문한 적은 과거 수십년간 한번도 없었음.

o 중국도 우리와 실질관계를 축적하면서 우리의 유엔가입문제에 대하여 보다
   현실적인 시각을 갖게되었으며, 특히 5월초 이봉 수상의 평양방문시
   거부권행사에 대해서 언질을 주지 않은 것이北한측의 마지막 기대를 무너
   뜨리는 결과가 되었음.

o 우리정부는 작년에 중국측 요망도 있고 해서 유엔가입 신청을 미루었으나
   금년에는 대통령께서도 년내 유엔가입 실현을 강조하셨으며, 정부에서는
   유엔가입을 최우선 외교목표로 설정, 년초부터 남북한 동시가입을 위한
   다각적인 노력을 전개하였음. 또한 만약 북한이 준비가 되어 있지 않다면
   우리라도 먼저 가입하여 북한에게 추후에 가입하는 길을 터주겠다는 우리의
   의사를 분명히 밝혔는 바, 북한은 우리만이 먼저 가입하게 되어 그들의
   국제적 고립이 더욱 심화될 것을 우려해 왔던 것으로 보임.

o 이에 따라 북한은 외교부성명을 통해 남한만이 가입하여 전체 조선의 이익이
   편향적으로 대표되는 상황을 막고, 남한정부에 의해 강요된 일시적 난국을
   타개하기 위해서 유엔에 가입하기로 결정 했다고 발표함.

0264

(유엔가입 절차와 관련된 문제)

o 우리와 북한은 가입신청서를 각각 별개로 제출할 것으로 생각하며, 이에대해
안보리에서는 동.서독 가입의 예를 따라 남북한 가입을 일괄처리, 하나의
결의안으로 총회에 권고할 것으로 예상함. 총회는 9.17. 총회개막일에 신규
회원국 가입을 결정하게 되는데 남북한의 가입에 대해서는 투표없이 전원
일치 박수로 결정할 것으로 예상하며, 정부도 이런 방향으로 진행될 것을
염두에 두고 우방국과 협의해 나갈 것임.

o 가입신청서를 제출할때 유엔헌장의무 수락 선언서를 제출해야 하는 바, 이를
위해서는 국회의 동의가 필요함. 우리는 6월중에 유엔가입에 필요한
국내법 절차를 밟고 7월중 임시국회의 동의를 받아서 가입신청하고자 함.
가입에 관한 유엔의 관련규정에 의하면 늦어도 8.9.이전에 가입신청서를
제출해야 함.

o 총회에서 신규회원국 가입이 결정되면 그 국가의 국기가 유엔본부 앞에
게양되는 의식이 있으며 그 신규회원국의 대표, 보통의 경우 외무장관이
신규가입에 대하여 감사함을 표시하는 연설을 하게 됨. 또한 9.23.부터
시작되는 기조연설 기간중 신규회원국의 국가원수가 연설하는 것이 관례
인바, 정부는 우리 대통령이 기조연설을 하는 방안을 검토하고 있음.

(남북한 유엔가입의 의의)

o 남북한의 유엔가입은 한반도 뿐 아니라 동북아시아지역의 평화와 안정에
기여할 것으로 생각함.

o 또한 정치적 대화를 하기에 자연스러운 장(場)인 유엔에서, 남북한이
상호 평화관계를 정착시키는 방향으로 노력한다면 남북한 관계발전에도
큰 진전이 가능할 것으로 봄.

0265

o 남북한은 유엔에 가입함으로써 국제적 지위에 상응하는 역할과 책임을 국제사회에서 수행할 수 있을 것임. 특히 걸프전 이후 유엔의 역할이 고양되고 있는 시기에 남북한이 주요한 국제문제의 결정과정에 참여할 수 있게 된 것은 기쁜 일임. 우리정부는 남북한의 유엔가입이 동북아시아와 세계 평화에 기여하는 방향으로 발전될 수 있도록 적극적인 외교_{노력}을 계속할 예정임.

질의응답

질문 : 유엔가입문제의 해결로 이제 북한의 핵개발문제에 관심이 돌려졌는 바 이에 대한 입장은?

답변 : 북한의 핵개발은 동북아지역 안전의 중대한 위협이므로 세계의 관심사가 되고 있음. 우리는 북한의 핵안전협정 체결문제를 유엔가입 문제와 연계시키지 않고 있으며, 북한이 핵비확산조약(NPT)의 당사국으로서 기본적인 조약상 의무를 이행해야 한다는 차원에서 조속한 핵안전협정 체결을 촉구하고 있음. 북한은 조약상 아무런 근거도 없는 조건을 내세우고 있는 바 이는 받아들일 수 없는 것임.

질문 : 북한이 유엔에 가입키로 한것은 "하나의 조선"정책의 변화로 볼수 있는 바, 남북한 휴전협정 체제도 재검토해야 하는지?

답변 : 유엔가입으로 회원국에 대한 유엔의 국가승인 효과는 있으나 회원국 간에 명시적 또는 묵시적인 국가승인 효과는 없다고 봄. 따라서 남북한의 유엔가입과 상호 국가승인 문제는 법적견지에서 볼때 전혀 별개문제임. 또한 휴전협정 문제도 유엔가입과는 직접 관련이 없는 바, 유엔가입 자체가 한반도의 평화를 보장하는 것이 아님을 직시해야 함. 우리는 남북한 유엔가입후 계속해서 상호간에 화해와 협력의 관계가 발전할 수 있도록 노력할 것이며, 한반도에 항구적인 평화보장장치가 마련될때에 휴전체제를 바꾸는 문제도 검토하게 될 것임.

0266

질문 : 남북한의 유엔가입으로 주변 4강에 의한 남북한 교차승인도 촉진될
       것으로 보임. 북한이 미국, 일본등 우리 우방국과의 관계를 발전
       시키는데 있어서 우리가 좀더 적극적인 역할을 하는 것이 어떤지?

답변 : 우리는 북한의 고립을 원치않음. 우리는 북한이 국제사회의 책임있는
       일원으로 행동하길 바라며 북한과 우리 우방국과의 관계발전도 한반도의
       평화와 안정에 기여하는 방향으로 이루어지길 바람.

질문 : 북한이 주장하는 한반도 비핵지대화에 대한 견해는?

답변 : 한반도 비핵지대화 문제는 좀더 넓은 지역적 안목으로 보아야 함.
       한반도 주변에 중국과 소련이 핵무기를 보유하고 있다는 사실도 고려
       해야 함. 우리는 보다 장기적인. 안목으로 이 문제를 신중히 검토
       하는 한편, 우선은 남북한간의 대화를 통한 신뢰구축에 노력을 집중
       해야 할 것으로 봄.

0267

6.13
Diplomacy
전단문(영)
(6. 광단뜨기)
"Diplomacy 축회고장)
— 장관님 뽑어요지)

Both Koreas' Entry into the United Nations and the Future of ROK's Diplomacy

North Korea's recent decision to apply for UN membership this year
came as a welcome surprise. It came earlier than expected but was exactly
what we hoped to see and was the direct result of consistent diplomatic
efforts on our part.

My country's relationship with the United Nations has been rather
special. The United Nations was deeply involved in the establishment
of the Government of the Republic of Korea in 1948 and also directly
participated in our efforts to repel North Korea's invasion in 1950.

In light of this special relationship and our hitherto diplomatic
campaign for UN membership, the prospect of realizing both Koreas'
admission to the UN which now seems certain in the wake of Pyongyang's
recent turnabout gives me great delight as well as a sense of pride.

Reasons behind Pyongyang's Turnabout on UN Policy

North Korea had long been against the entry into the UN, contending
that it would perpetuate national division. On the contrary, the
unification of Germany and Yemen clearly demonstrated that separate UN
membership of the divided countries may facilitate the process of
peaceful unification.

1

0268

As their contention failed to attract any significant back-up from the world, North Korea proposed last year both Koreas' entry into the UN under a "single-seat" formula. But it was also dismissed by all members of the UN as unrealistic and incompatible with the UN Charter.

On the other hand, the successful drive of our "Northern Policy" together with our diplomatic initiative of "July 7 Declaration" and the success of the Seoul Olympics immensely contributed to widening the basis of international support for our external policies in general.

Over the past two years, we have established diplomatic relations with the Soviet Union and all other Eastern European countries except Albania and have also developed substantial relations with China. In particular, President Gorbachev's visit to Cheju Island last April for the third-round summit with President Roh Tae-Woo seems to have shocked Pyongyang since no Soviet top leader has visited North Korea thus far.

To Pyongyang's disappointment, even China was reported to give no assurance to North Korea that they would oppose our bid for UN membership. We believe China certainly considered the evolution of bilateral relations between my country and China as well as the international climate in favor of our admission to the United Nations.

2

We didn't apply for UN membership last year in consideration, among other things, of the Chinese position. This year, however, President Roh made clear our determination to attain UN membership on several occasions. North Korea confirmed through various channels our resolve in this regard and recognized the firm support for our UN membership throughout the world.

In addition, they became increasingly uneasy about the possibility of our unilateral entry into the UN for fear that it might deepen their diplomatic and economic isolation from the international community.

Their Foreign Ministry statement of May 28 said that they had decided to apply for UN membership in order to cope with temporary difficulties imposed by the South Korean Government and that all Korean people, rather than those from the southern half, should be represented at the United Nations.

Procedures for the Admission to the UN

I expect that North and South Korea will submit their applications separately. But we think that the Security Council, following the German example, may deal with them as a package and that the General Assembly may pass the Security Council recommendation for both Koreas' admission by consensus rather than by outright votes on the first day of the 46th General Assembly, September 17.

3

On our part, we will fulfill domestic legal requirements for joining the UN, including the consent of the National Assembly. I expect the domestic procedures to be completed by mid-July. At any rate the application must be filed at the UN no later than August 9.

On the occasion of the admission of a new member, its national flag is raised in front of the UN Headquarters and its representative, normally the Foreign Minister, makes a speech expressing its intention to accept fully the obligations set forth in the UN charter. It is customary for the Head of State of the newly admitted member to make a key-note speech during the two-week period after the opening of the General Assembly. We now consider positively that our President will deliver a key-note speech at the UN this September.

Implications of Both Koreas' Entry into the UN

We believe that the entry of both Koreas into the UN will contribute to peace and stability, not only in the Korean peninsula, but throughout the Northeast Asian region as well.

In addition, since the United Nations is a natural and excellent forum for political dialogue, it would help both Koreas to develop a more stable and conciliatory bilateral relationship.

4

Further, it would enable both Koreas to assume legitimate roles and responsibilites in the international community in accordance with their international stature. I am pleased that we will be able to participate fully in the UN process of decision-making on major world issues at this important time when the UN assumes increasingly vital roles for world peace and prosperity in the aftermath of the Gulf war.

We will continue our diplomatic efforts to utilize this newly developed situation in the Korean peninsula in such a way as to contribute to peace and stability in the Northeast Asian region.

Questions and Answers

Q : The settlement of Korea's UN issue rekindles the international attention to North Korea's failure to accept nuclear inspection by IAEA. What is the Government position on this matter?

A : Those two issues are not directly related to each other. We will continue to urge North Korea, as a party state to the Non-Proliferation Treaty, to fulfil the basic obligation set forth in the Treaty and conclude a nuclear safeguards agreement with IAEA.

Q : Pyongyang's acceptance of both Koreas' separate UN membership may be interpreted as their abandonment of its "one-Korea" policy. In this connection, how do you see the need to make new arrangements to replace the armistice agreement between North and South Korea ?

5

0272

A : Both Koreas' admission to the UN does not mean that both Koreas
    recognize each other as states. These two matters are totally
    separate issues in legal terms. On the other hand, if Pyongyang's
    decision to join the UN is a signal of a more fundamental and
    comprehensive shift in their external policies in general, we hope
    other pending issues can also be resolved in the future through
    dialogue and compromise between South and North Korea. Since both
    Koreas' UN membership does not automatically guarantee peace and
    security on the peninsula, we will wait and see North Korea's
    future activities before we take any steps to replace the current
    armistice system.

Q : Both Koreas' joining the UN may accelerate the process of "cross-
    recognition" by the four major powers surrounding the Korean
    peninsula.
    It may be desirable for my Government to be more active in helping
    North Korea normalize relations with Japan and the United States.

A : My Government does not want North Korea's further isolation.
    We hope North Korea will soon become a responsible member of
    the world community. And the diplomatic normalization between
    North Korea and countries friendly to us should be attained in
    such a way as to enhance security and stability on the Korean
    peninsula.

Q : What is your view on North Korea's contention that the peninsula
    should be made a nuclear-free zone ?

6

A : This should be seen in a broad perspective. The Soviet Union and
    China hold nuclear weapons in our vicinity. We have to penetrate
    the deeper meaning of this in a wider regional context. Above all,
    we should concentrate on building mutual trust through sincere
    inter-Korean dialogue.

7

장관님 정례 기자회견

(91.6.14.금., 09:30시, 810호실)

I. 장관님 언급사항

II. 주요 예상질의

1. 북한의 핵안전조치협정 체결 문제

   가. 한반도 핵 문제에 대한 정부의 기본 입장 검토 여부 및 그 내용

   나. 미.북한간 정부 차원의 비밀접촉 여부 및 그 의미

2. 유엔 가입 문제

   가. 유엔 가입 신청서 제출 시기

   나. 우방국의 북한 유엔가입 반대 여부 및 이에 대한 대책

   다. 유엔 가입에 따른 외교망 재정비 추진 계획

3. 한.미 정상회담의 주요 의제

4. 전시 주류국 지원협정(WHNS) 교섭 현황

5. 한.중 수교 전망(각종 경제협정 체결 추진 현황)

6. 중국의 APEC 참가문제 협의의 진전 상황

7. 한.소 선린협력조약 체결 추진 현황

8. 일본 자위대병력의 해외파견 문제

※ A4 용지에 고려명필로 국한문 혼용 확대체로 작성

  6.13(목)11:00까지 디스켓과 함께 제출해 주시기 바랍니다.

0275

2. 유엔加入問題

가. 友邦國들의 北韓 유엔加入 反對與否, 특히 北韓 核查察 問題와의 連繫

可能性

ㅇ 그동안 政府는 南北韓의 유엔同時加入을 推進해 왔고, 또한 友邦國들은

이러한 立場을 支持해 왔음.

ㅇ 北韓이 지난 5.28. 유엔에 加入申請書를 提出하겠다고 發表한데

대해서 미, 영, 불등 우리의 友邦國들은 南北韓 同時加入를 歡迎

한다는 立場을 表明한 바 있음.

ㅇ 우리로서는 北韓의 核查察問題와 유엔加入問題는 別個의 事案으로

보고 있음. 다만 北韓이 NPT 締約國으로서 IAEA와의 核安全協定을

締結하는 것은 國際社會의 責任있는 一員으로서 당연히 취해야 할

國際的 義務이며, 北韓은 그와 같은 措置를 취함으로써 유엔 憲章上

加入資格의 하나인 平和愛護國으로서의 면모를 갖추어야 할 것임.

앙 고 재	91 년 6 월 13 일	담 당	과 장	국 장
		김정일		

0276

나. 南北 유엔大使 會談開催 問題

- 아시다시피 지난 5.27. 駐유엔大使가 北韓大使에게 금년도 유엔加入 問題를 論議하기 위한 會談를 갖자고 提議한 바 있고, 우리로서는 그러한 會談이 열리게 되면, 加入申請 및 同 處理와 관련된 諸般節次 問題를 論議할 意向을 가지고 있음.

- 北側은 그간 일부 우리言論과의 인터뷰 內容과는 달리, 우리측에게 會談開催問題에 관하여 "可타否타" 立場을 밝히지 않고 있음.

- 最近 駐유엔代表部의 實務級 次元에서 會談開催問題에 관한 北韓側에게 우리 立場을 再確認해 주었으나, 아직 北韓側으로부터 아무런 反應이 없는 狀況임.

다. 유엔加入에 따른 外交網 再調整 推進計劃

- 政府로서는 南北韓이 유엔會員國으로 加入하게 되면, 그동안 주로 南北對決 次元에서 維持하여 왔던 일부 극소수 在外公館의 調整이 必要하다고 봄. 아울러 유엔會員國으로서 國際機構 活動에 대한 보다 積極的인 參與를 위한 中要 國際機構 駐在公館의 強化 및 公館新設 問題도 檢討해야 할 것으로 判斷됨.

o 다만, 아직 正式會員國이 되지 않은 現時點에서 公館調整計劃을 밝힌 다는 것은 바람직하지 않다고 생각하므로 여러분들의 諒解를 구하는 바임.

라. 유엔 加入申請書 提出時期

o 유엔의 關聯議事 規定을 考慮하여 늦어도 8月 9日까지 加入申請書를 유엔事務總長에게 提出하고자 함.

o 어제 國務會議에서 유엔加入관련, 憲章受諾을 위한 審議를 마쳤음. 앞으로 7月中 國會同意 節次를 밟은후 友邦國들과 協議하여 加入申請書를 提出할 豫定임.

0278

2. 유엔加入問題

가. 友邦國들의 北韓 유엔加入 反對與否, 특히 北韓 核安全協定 締結問題
   와의 連繫 可能性

   ○ 그동안 政府는 南北韓의 유엔同時加入을 推進해 왔고, 또한 友邦國들은
     이러한 立場을 支持해 왔음.

   ○ 北韓이 지난 5.28. 유엔에 加入申請書를 提出하겠다고 發表한데
     대해서 미, 영, 불등 우리의 友邦國들은 南北韓 同時加入를 歡迎
     한다는 立場을 表明한 바 있음.

   ○ 그간 수차 밝힌바와 같이 政府는 北韓의 核安全協定 締結問題와 유엔
     加入問題는 別個의 事案으로 보고 있음. 다만, 北韓이 NPT 締約國으로서
     IAEA와의 核安全協定을 締結하는 것은 國際社會의 責任있는 一員으로서
     당연히 취해야 할 國際的 義務이므로, 北韓이 유엔에 加入申請키로 決定
     한 것을 契機로 그와 같은 措置를 취함으로써 유엔 憲章上 加入資格의
     하나인 平和愛護國으로서의 姿勢를 보일 것을 期待하고 있음.

0279

나. 南北 유엔大使 會談開催 問題

  O 아시다시피 지난 5.27. 駐유엔大使가 北韓大使에게 금년도 유엔加入 問題를 論議하기 위한 會談를 갖자고 提議한 바 있고, 우리로서는 그러한 會談이 열리게 되면, 加入申請 및 同 處理와 관련된 節次問題를 論議할 것임.

  O 北側은 그간 일부 우리言論과의 인터뷰 內容과는 달리, 아직까지 우리 측에게 會談開催問題에 관하여 "可타좀타" 立場을 밝히지 않고 있음.

  O 最近 駐유엔代表部의 實務級 次元에서 南北 유엔大使 會談開催 問題에 관한 우리 立場을 北韓側에 再確認해 준 바 있음.

다. 유엔加入에 따른 外交網 再調整 推進計劃

  O 政府로서는 南北韓이 유엔會員國으로 加入하게 되면, 새로운 國際秩序와 우리 外交의 力點分野等 綜合的인 考慮하에 在外公館의 再調整은 必要하다고 봄.

  O 유엔加入을 契機로 對國際機構 外交强化 方案도 講究하게 될 것임.

0280

라. 유엔 加入申請書 提出時期

　ㅇ　유엔의 關聯議事 規定을 考慮하여 늦어도 8月 9日까지 加入申請書를
　　　유엔事務總長에게 提出하고자 함.

　ㅇ　어제 國務會議에서 유엔加入관련, 憲章受諾을 위한 審議를 마쳤음.
　　　앞으로 7月中 國會同意 節次를 밟은후 友邦國들과 協議하여 加入申請書를
　　　提出할 豫定임.

0281

보 도 자 료

외 무 부

제 <u>91-156</u> 호   문의전화 : 720-2408~10   보도일시 : <u>91 . 6 .13 .14 :00</u> 시

제 목 :   평화협정체결 검토 및 유엔사 해체 추진과 관련한 일부 보도에
           관한 해명

1. 금 6.13 일부 국내 언론이 남.북 유엔 동시 가입후 "평화협정 체결
   검토 및 유엔사 해체도 추진" 제하로 보도하였는 바, 이는 이상옥
   외무부장관의 실제 발언 내용과 다름.

2. 금 6.13 오전 이상옥 장관은 한국지역정책연구소 초청 조찬 간담회에서
   "남.북한의 유엔 동시 가입이 한반도 및 동북아 질서 재편에 미칠 영향"
   이라는 주제로 연설을 행하고, 질의 답변 과정에서 "남.북한의 유엔
   가입이 유엔사와 휴전협정에 어떠한 영향을 미칠 것인가" 라는 질문을
   받고 아래 요지로 답변하였음.

   - 남.북한의 유엔 가입이 휴전협정 체제와 유엔사의 지위에 영향을
     주는 것은 아니고, 또 직접 연결된 문제도 아님.

   - 휴전협정은 유엔군사령관과 북한인민군최고사령관 및 중국의용군
     사령관간에 서명된 것인 바, 아무런 대체 조치없이 유엔사를 해체
     하면 휴전협정 체제에 중대한 영향을 미치는 것임.

   - 휴전협정의 대체 문제와 유엔사의 해체 문제는 한반도에서 항구적인
     평화를 보장할 수 있는 제도적 장치가 마련되어야 검토가 가능한
     것임.

   - 그러나 북한이 유엔에 가입한 후 이러한 문제를 제기할 가능성이
     있으므로 이에 적극적으로 대처해 나가는 차원에서 검토해 나가겠음.

                                                            끝.

0282

분류기호 문서번호	아동01225- 11기 (720-2319)	협 조 전 용 지	결 재	담 당	과 장	접의관
시행일자	1991. 6. 17.					
수 신	수신처 참조	발 신	아주국장 (서명)			
제 목	장관 PMC 참가관런 자료요청 (합동 기자회견)					

1. 아세안 확대외상회담(PMC: 7.22-24, 말련) 종료후 7.24(수) 12:00 부터

   PMC 참가국 외무장관들의 합동기자회견이 에정되어 있는 바, 동 기자

   회견에서는 모든 문제들에 대하여 질문이 가능하도록 되어 있습니다.

   이와관런 벌첨 당국에서 작성한 에상질문에 대한 답변자료(국, 영문)을

   2배 확대채로 A4 용지에 1-2 페이지로 작성, 6.26(수) 까지 당국으로

   송부하여 주시기 바랍니다.

2. 아울러 귀실,국 에서도 추가로 에상되는 질의사항이 있을 경우

   이에 대한 답변자료를 송부하여 주시기 바랍니다.

   첨부: 에상질의 목록   끝.

   수신처: 외교정책실장, 미주국장, 구주국장, 국제기구조약국장,

   국제경제국장, 통상국장   0283

아세안 PMC 합동기자회견시 예상질의

1. 한-아세안 관계 및 EAEG

o 한국은 금년 처음으로 PMC 에 참석하고 아세안과 완전대화 상대국이
  되었는 바, 이에 대한 평가는?
  한국의 대외정책 결정에 있어 아세안이 접하는 위치와 향후 한-아세안
  관계의 협력발전 가능성은? (아주국)

o 한국은 아시아국가이면서도 역외 강대국인 미국등의 눈치를 살피느라
  EAEG 에 대한 확실한 입장표명을 하지않고 있는데 오늘 주요 이해당사국이
  모두 함께한 이자리에서 EAEG에 대한 한국의 입장을 이야기 해달라 (아주국)

2. 한국 외교정책

o 북방외교

  - 북방외교가 남북대화의 진전에 미친 영향, 특히 북방외교의 결과로서
    소련과 중국이 북한으로 하여금 개방토록 영향력을 행사했다고 보는가?
    이 경우 그 효과는 어느정도 였다고 보는가?

  - 북방외교를 추진함에 있어서 수출시장의 다변화등 경제적인 고려가 주된
    동기였는가? 그렇다면 한국은 북방외교의 결과로 경제적인 이득을 이미
    얻기 시작하고 있는가? (아주국, 구주국)

o 한국은 고르바쵸프 소련 대통령을 방한 초청하는 등 대소 관계를 급격히
  강화시키고 있는데 현재 한-미 관계는 만족스러운가?
  향후 한-미 관계가 어떤 방향으로 나가리라고 보는가?
  또한 한국내 반미 감정이 한-미 우호관계에 어떤 영향을 미치는가? (미주국)

0284

o 한국의 대중국 수교 가능시기는 언제로 보는가?

　아세안 외상회담 Guest 로 방마한 중국 외무장관과의 접촉은 없었는가?

　(아주국)

o 일-북한 관계개선이 남북대화에 미치는 영향과, 일-북 수교전망? (아주국)

o 동북아에서 강대국들간의 영향력 확대노력이 가열되고 있는데 한국의

　19세기말 상황과 비교하여 어떠한 외교적 대책을 강구하는지? (아주국,미주국)

3. 유엔가입 문제

o 금년 남·북한의 유엔가입이 실현될 것으로 보이는데 북한이 기준의

　"한개 조선" 정책을 포기했다고 보는지, 북한입장 변화의 배경을 무엇이라고

　보는가?

o 유엔에서의 남·북한 협조 방안을 무엇이며, 남·북한이 유엔에서 더욱

　대립할 가능성은 없는가? (국제기구조약국, 외교정책실)

o 다년간에 걸친 한국의 유엔가입 노력 배경과 가입시 실익은 무엇인가?

　(국제기구조약국)

4. 경제·통상문제

o 한국은 한국시장을 개방했다고 하면서도 실제로는 많이 규제하고 있는 바,

　자원수입국으로서 한국이 아세안 상품 특히 열대과일 및 아세안의 1차상품

　의 한국시장진출을 위해 어떤 노력을 하고 있는가? (통상국)

0285

o 외국인에 대한 한국의 투자개방 정도 및 금융, 자본시장의 개방시기 및 폭?
  (국제경제국)

o 한국도 미국, EC 시장에서 보호주의 벽의 강화로 고심하고 있는데 아시아
  지역국가간의 무역증대 방안을 고려하고 있는가? (통상국)
  말련이 제안한 EAEG 구상을 어떻게 보는가? (아주국, 통상국)

o 11월 APEC 각료회의 관련 중국, 홍콩, 대만의 가입문제를 의장국으로
  어떻게 추진하고 있으며 가입전망은? (외교정책실)

5. 남·북 관계

o 김정일 후계문제에 대한 한국정부의 평가는? (외교정책실)

o 북한이 유엔가입 의사도 밝혔는 바, 북한의 고려연방제 수정제의 가능성과
  남·북 정상회담의 가까운 장래 실현 가능성은? (외교정책실)

o 한반도 긴장완화와 남-북대화의 진전을 이룩하기 위해 필요하다고 보는
  최소한의 조건은 무엇이라고 보는지?
  한반도 통일전망은? (외교정책실)

6. 안보문제

o 한-소, 한-중 관계의 급진전 및 일-북, 미-북 관계의 개선조짐 속에서
  동북아지역의 안보를 위한 한국의 역할을 어떻게 평가하는가?
  (외교정책실, 미주국)

o 주한 미군감축에 대한 한국정부의 입장은?

  지역정세 안정을 위한 주한 미군의 역할과 주일, 주필리핀 미군의 역할을
  평가해 달라 (미주국)

o 한국정부는 북한의 핵개발이 미칠 위협에 대하여 어느정도 심각하게 받아
  들이고 있는가? 최근 북한이 IAEA 안전보장조치협정 서명문제가 국제사회의
  큰 잇슈가 되고 있는 바, 이에 대한 한국정부의 입장은? 북한이 밝힌 동
  협정 서명의사가 일시적 모면책으로 드러난 경우 한국은 어떻게 대응할
  것인가? (미주국, 국제기구조약국, 외교정책실)

o 남한내 주한 미군 핵무기 배치설과 관련 한반도 비핵지대화 설정에 대한
  한국정부 입장은? (미주국)

o 북한이 제의하고 있는 한반도 군축반응과 불가침 선언에 대한 한국측
  입장은? 북한 제의를 한국이 거부하고 있는 이유는? (외교정책실, 미주국)

o 유럽의 CSCE 관련 유럽정세와 아시아 정세는 다른 것으로 비교되고 있지만
  일부에서는 아시아에서의 다자간 안보협력 문제를 제기하고 있다. 이에
  대한 한국정부 입장은? (외교정책실)

7. 걸프사태 관련

o 한국은 지난번 걸프전쟁시 유엔회원국이 아니면서도 다국적군의 활동을
  적극 지원하였는 바, 동 배경은 무엇인가? 걸프전후 중동질서 및 세계질서
  재현과정에서의 미국의 주도적 역할에 대한 한국의 견해는 무엇인가?
  (미주국)

0287

o 일본은 경제대국으로서 자위대의 해외파견을 통한 정치적 발언력도 강화
  하고자 노력하고 있다. 향후 캄보디아 분쟁해결 과정에서의 PKO 활동
  지원문제도 일 정부에서 논의하고 있는 바, 한국은 이러한 일본측 노력을
  어떻게 평가하는가? (아주국)

예 고 :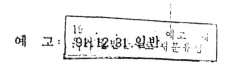

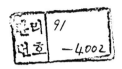

협조문용지

분류기호 문서번호	국연 2031- 252	(2179-80)	결	담 당	과 장	국 장
시행일자	1991. 6. 29.		재	김성인		
수 신	아주국장	발신	국제기구조약국장		(서명)
제 목	장관 PMC참가관련 자료(합동기자회견)				

　

대 : 아동 01225-1131

대호 아세안 확대외상회담(7.22-24)시 개최될 합동기자

회견 관련, 당국 소관사항을 별첨 송부합니다.

　

첨부 : 1. 유엔가입문제(예상질의항목 3번) 3부.

　　　 2. 안보문제(예상질의항목 6번)중 북한의 IAEA 안전

　　　　 조치협정 서명문제 3부. 끝.

　

예고 : 19. . 대 예고
　　　　 업무연락. 일반정보

검토필 91 6 30

0289

3. 유엔加入問題

> 가. 今年中에 南北韓의 유엔加入이 實現될 것으로 보이는데, 北韓이 旣存의 "한개의 朝鮮"政策을 拋棄했다고 보는지? 그리고 北韓立場 變化의 背景을 무엇이라고 보는지?

(北韓의 "한개의 朝鮮"政策 拋棄與否)

o 지난 5.28. 北韓의 유엔加入申請決定 發表에 따라 금년 제46차 유엔 總會에서 南北韓이 유엔에 함께 加入할 것으로 展望됨.

o 금번 北韓의 유엔加入決定을 그들의 對外政策이나 對南政策의 修正을 의미하는 것으로 評價하기에는 아직 時期尙早임.

o 소위 北韓의 "하나의 朝鮮" 政策은 그들의 對內宣傳的 必要에서 그리고 對南革命路線 次元에서 추진되어 온 것으로서 그들의 근본적인 對南政策 노선에는 變化가 없다고 봄.

o 앞으로 北韓이 새로운 國際情勢와 韓半島 周邊狀況을 보다 現實的인 立場에서 認識, 건설적이고 합리적인 南北韓 關係發展을 위해서 노력해주길 期待함.

0290

(北韓立場 變化의 背景)

o 먼저 금번 北韓의 유엔加入 決定을 환영하며, 앞으로 南北韓의
   유엔加入이 韓半島 및 東北亞地域의 平和와 安定에 기여하고,
   韓半島의 平和的 統一을 促進시킬 수 있는 契機가 되길 기대함.

o 北韓은 그동안 "分斷의 固着化"라는 이유를 들어 유엔加入을
   반대해 왔으나 독일과 예멘의 統一은 北韓側 主張을 완전히 일축,
   소위 "單一議席 加入案" 提議도 유엔憲章에 배치될뿐 아니라 대다수
   유엔會員國들로부터 非現實的인 것으로 외면당하였음.

o 우리의 유엔加入政策은 ASEAN諸國을 포함, 國際社會에서 壓倒的인
   支持를 받았으며, 우리정부의 적극적인 北方外交 推進은 우리의
   유엔加入實現을 위한 國際的 與件을 改善하는데 寄與하였음.
   - 지난4월 고르바쵸프 大統領이 제주도 韓.蘇 頂上會談에서 우리의
     加入에 대한 支持立場을 분명히 밝히기에 이르렀고,
   - 또한 中國도 北韓側에 대하여 우리의 유엔加入 申請時 반대
     하겠다는 確實한 言質을 주지 않은 것으로 알려졌음.

0291

o 이러한 상황하에서 北韓은 우리의 一方的인 유엔加入으로 國際
  社會에서 그들의 外交的 孤立이 더욱 深化되는 것을 우려하게
  된 한편,

  - 유엔加入이 그들의 對日本 및 對西方國家 關係改善에 유리하게
    작용, 당면 經濟的 어려움 解消에 도움이 될것으로 判斷했을
    가능성이 큰 것으로 봄.

3. Korea's UN membership issue

> A. It is expected that both Koreas will be admitted to UN membership
> this year. In this connection, do you think that North Korea has
> now abandoned its "one-Korea" policy? And how do you evaluate
> the reasons behind North Korea's recent turnabout on UN policy?

<u>(North Korea's abandonment of "one-Korea" policy)</u>

o   In the wake of North Korea's announcement on May 28 to apply for UN

membership,we expect that both Koreas will join the UN at the upcoming

46th session of the General Assembly this fall.

o   However, it is too early to conclude that the North Korea's recent

turnabout on UN policy implies a more fundamental and extensive shift

in their foreign policy or inter-Korean policy.

o   North Korea has long maintained the so-called "one-Korea" policy

in the context of internal propagandism as well as their strategy of

unifying the Korean peninsula in a revolutionary manner. I don't

0293

see any clear sign of change at the moment in their inter-Korean policy.

o   We hope that North Korea will take a more realistic view about the emerging world order of rapproachement and cooperation as well as the changing situation around the Korean peninsula and will join in our efforts to utilize these in such a way as to develop stable and constructive inter-Korean relations.

(Reasons behind North Korea's turnabout on UN policy)

o   Above all, I sincerely welcome the North Korea's recent decision to apply for UN membership. We hope that the entry of both Koreas into the UN will greatly contribute to consolidating peace and stability in the Korean peninsula and throughout the Northeast Asian region as well. We also hope that it will make a milestone in facilitating the process of peaceful unification.

0294

o North Korea had long been against the entry of both Koreas into the UN, contending that it would perpetuate national division. This contention, however, was eloquently disproved by the unification of Germany and Yemen. Further, the so-called "single-seat" formula they proposed last year was also dismissed by all members of the UN as unrealistic and incompatible with the Charter of the UN.

o On the other hand, our UN policy attained overwhelming support from the international community in cluding the member countries of ASEAN. The active drive of our "Northern Policy" contributed to further developing the international atmosphere in favor of our admission into the UN.

- In particular, President Gorbachev made clear his support for the legitimate cause of our UN membership at the summit held between him and President Roh in Cheju Island last April.

- China was also reported to give no assurance to North Korea that they would oppose our bid for UN membership this year.

0295

o   Under these circumstances, North Korea became increasingly uneasy

about the possibility of our unilateral entry into the UN for fear

that it might deepen their diplomatic isolation.

-   They may also have taken into consideration the possibility that

the entry into the UN could work favorably for their bid to

normalize relations with Japan and other western countries and

thus help them to cope with the economic difficulties they are

facing.

0296

o 유엔은 南北韓이 자연스럽게 對話를 가질수 있는 최적의 場所라는 것은
  쉽게 알수있음.

o 우리로서는 南北韓이 유엔의 테두리내에서 建設的인 對話를 가짐으로써
  相互信賴를 축적, 南北韓 關係를 서로 돕고 도움을 받는 共存共榮의
  關係로 발전시키기 위해서 努力할 생각임.

o 앞으로 北韓도 유엔에 加入한 以後 우리의 이러한 努力에 同參해
  옴으로써 유엔이라는 對話의 장을 南北韓 關係發展에 도움이 되도록
  협력해야 할것임.

0297

B. What are the possible ways of cooperation between North and South Korea after their entry into the UN? Is their any possibility that the long standing confrontation between them could be intensified at the UN?

o It is widely recognized that the UN is the best forum where the dialogue between North and South Korea can take place in a natural way.

o We will make our utmost to build mutual confidence and carry inter-Korean relations towards mutual prosperity through constructive dialogue within the framework of the United Nations.

o We hope that North Korea will fully cooperate with us in making the best use of the United Nations as forum of dialogue for developing inter-Korean relations.

0298

다. 多年間에 걸친 韓國의 유엔加入 推進背景과 加入時 實益은 무엇인가?

(유엔加入 推進背景)

o 유엔은 國際平和와 安全을 증진하는 普遍的 國際機構이며, 유엔
  憲章上의 普遍性 原則에 따라 平和愛好國으로서 모든 주권국가는
  유엔에 加入할 수 있음.

o 그동안 우리나라는 충분한 加入資格을 갖추고 있음에도 불구,
  유엔에 가입하지 못해온 것은 매우 非正常的인 것임. 우리는
  이러한 非正常的인 狀況을 더이상 容認할 수 없다는 立場에서
  그리고 특히 최근 새로운 國際秩序下에서 유엔의 役割과 權能이
  더욱 强化되고 있는 상황을 감안, 유엔加入을 적극 推進해 왔음.

(유엔加入時 實益)

o 國際社會의 당당한 構成員으로서 응분의 役割과 寄與를 다하고자 함.

0299

- 유엔내 各種會議에서 投票權, 發言權, 被選擧權等 완전한 權利 享有 가능

- 유엔 主要機構 및 각종 專門機構의 理事國 被選 예상

- 韓國人의 유엔내 各種機構의 主要職位에 대한 進出擴大 전망

o 또한 韓半島에서의 緊張緩和와 平和維持에도 유리한 國際的 環境이 造成되어 南北韓간 交流와 協力을 蓄積, 相互信賴를 增大시킴으로써 韓半島의 平和的 統一을 促進시키는 계기가 마련되기를 기대하며 이를위해 北韓과 함께 努力하고자 함.

0300

C. What are the reasons for your Government's consistent campaign for UN membership? What will be the benefits that UN membership could bring to your country.

(Reason for UN membership campaign)

o The UN is a universal organization whose main purpose is to maintain international peace and security. The principle of universality set forth in the UN Charter should allow all the peace-loving states to be admitted into UN membership.

o It is an anomaly that my country, fully eligible for UN membership, has remained outside the UN against its desire to become a member. Such an anomaly should not be continued. We have strengthened our efforts to join the UN in recent months particularly because the UN today assumes increasingly vital roles and responsibilities with the emergence of a new international order.

0301

(Benefits of UN membership)

o We are willing to assume our legitimate roles in the world community
  in accordance with our international stature.

o When my country is admitted to UN membership,

  - We will enjoy the full rights of a UN member such as the rights
    of voting and presenting our views in the relevant forums of the UN,
    and of being elected as a member of major UN organs and so forth.

  - My country will also have the chance to active participate in the
    work of the UN as a member of the governing bodies of major UN
    organs and other specialized agencies under the UN umbrella.

  - We also expect to see our people assume posts in many organizations
    within the UN system.

o We expect that both Koreas' UN membership will provide a favorable
  international environment for easing tension and consolidating peace
  in the Korean peninsula. We also hope that it will enhance mutual
  confidence by promoting contacts and cooperation between North and

0302

South Korea within the UN system, and further facilitate the process of peaceful unification. We are willing to work with North Korea towards this end.

0303

최근 북한의 IAEA 안전조치협정 서명문제가 국제사회의 큰 잇슈가 되고 있는
바, 이에 대한 한국정부의 입장은?

o 우리가 그간 누차 촉구한 바와 같이 북한은 핵무기비확산조약(NPT)의 가입국
  으로서 당연한 의무인 핵안전협정을 지체없이 체결하여야 하며, 이로써 한반도
  의 긴장 완화에 기여하고 모든 평화애호국가의 여망에 부응하여야 함.

o 우리는 북한이 지난 6월 IAEA 이사회에서 핵 안전협정서명의사를 표명한 것에
  유의하면서 북한의 IAEA와의 협정체결 과정을 주시하고 있음

0304

> What is the position of the Korean Government on the question
> of the conclusion of the Safeguards Agreement by North
> Korea?

o As we have urged many times in the past, North Korea should immediately
   conclude the Safeguards Agreement required as its requisite legal
   obligation under the NPT. By doing so, North Korea should contribute
   to reducing tensions on the Korean Penisula and meet all peace-loving
   countries' wishes.

o Noting the North Korea's expression to intend to conclude the Safeguards
   Agreement at the IAEA Board of Governors' meeting last June, we are watch-
   ing carefully the process of conclusion of the Safeguards Agreement between
   North Korea and the IAEA.

0305

북한이 밝힌 핵 안전협정서명의사가 일시적 모면책으로 드러날 경우
한국은 어떻게 대응할 것인가?

o 우리는 북한이 NPT당사국으로서 무조건적인 의무사항인 IAEA와의 핵 안전협정
   을 지체없이 체결함으로써 국제사회의 책임있는 구성원으로서의 자세를 보일
   것으로 기대하고 있으며, IAEA와의 협정체결 과정을 주시하고 있음.

o 북한이 6월 IAEA 이사회에서 표명한 핵안전협정 동의 의사가 실제에 있어
   신뢰성을 결하였다고 판단되는 경우, 우방을 포함한 국제사회의 모든 관심
   국가들과 함께 북한이 지체없이 핵안전협정을 체결토록 외교적 노력을 경주
   할 것임.

> How will the Republic of Korea respond when North Korea's intention to sign the Safeguards Agreement proves to be a make-shift way of escaping international blames?

o We expect North Korea to show itself as a responsible member of the international society by promptly concluding the Safeguards Agreement with the IAEA, which is an unconditional obligation for North Korea as a State party to the NPT. We are closely watching the process of the conclusion of the Safeguards Agreement between North Korea and the IAEA.

o In case North Korea's intention to sign the Safeguards Agreement announced at the IAEA Board of Governors' meeting last June proves to be lacking in credibility, we will make all our diplomatic efforts together with all the countries concerned as well as our allies to urge North Korea to conclude the Safeguards Agreement without delay.

0307

북한이 핵안전협정을 체결하지 않는 경우에 한국은 북한의 유엔가입에
대하여 어떻게 대응할 것인가?

o 본질적으로 국제적 의무사항인 핵안전협정체결문제와 유엔가입문제는 별도의
  차원에서 다루어져야 할 문제로 봄

o 그러나 북한이 유엔가입전 IAEA와 핵안전협정을 조속히 매듭지음으로써 국제
  사회의 책임있는 구성원으로서의 자세를 행동으로 보여줄 것을 기대하고 있음.

0308

> In case North Korea does not conclude the Safeguards Agreement,
> what is the position of the Republic of Korea on North Korea's
> joining the United Nations?

o We think basically that the conclusion of the Safeguards Agreement which
   is a matter of international obligation and the question of UN membership
   should be dealt separately.

o However, we expect that North Korea proves itself as a responsible member
   of the international society by promptly concluding the Safeguards
   Agreement with the IAEA before its joining the United Nations.

0309

장관 주최 오찬 기자간담회 자료
(91.6.27.(목), 12:00)

1. 미.북한 관계개선 전제조건으로 북한의 핵 재처리능력 포기 포함
   여부

2. 북한의 핵안전협정 체결 및 핵 재처리능력 포기 가능성과 관련 한.미
   정상회담시 미핵무기의 한반도 철수 문제가 협의될 것인지 여부

3. 유엔 가입 신청안 제출시기

4. 한.중 정상회담 추진설

※ 기자간담회 자료 작성요령(A4용지 국한문 혼용, 확대체)에 따라 작성,
  늦어도 오늘 18:00까지는 제출해 주시기 바랍니다.

0310

3. 유엔加入 申請案 提出時期

o 여러분도 잘 아시다시피 유엔加入 申請을 위하여 憲章上의 義務
  受諾이 必要하며, 이를 위한 國內節次로서 지난 6.13(木) 國務會議
  審議를 마치고, 이제 國會 同意節次가 남아 있음.

o 내달중 國會에서 "유엔憲章 受諾 同意案"이 豫定대로 處理된다면,
  國內的으로 加入申請書와 宣言書(Declaration)를 作成, 署名하여
  유엔事務總長에게 보내는 일만 남아있게 됨.

o 그간 몇번 말씀드렸듯이 安保理의 議事規則에 따르자면 늦어도
  8.9.까지는 申請書를 提出하게 되어 있는 만큼, 이미 말씀드린
  諸般 國內節次를 마친후, 美國等 友邦國과 協議를 거쳐 提出케 될
  것인 바, 現在로서는 7月末 또는 8月初라고만 말씀드리고자 함을
  양해바람.

(北韓과의 接觸與否)

o 지난 5.27. 우리側의 駐유엔 南北大使會談 提議에 아직 北側으로부터

  公式的인 回答이 없는 狀態임

양	91 년 6 월 28 일	담 당	과 장	국 장
고 재				

0311

현시점에서

② 북한이 반응을 기다려 보고 +반응없다 주던

북측이 호응해오네
성북에서 나무네

o 우리로서는 만나게 되면, 南北韓 加入申請書 處理와 관련된 問題를

協議코자 하고 있으나, 아직 北側으로부터 特別한 反應이 없는 狀況임.

ㄴ 우리 입장에도 변화이 없고

o 다만, 앞으로 會談이 열리지 않더라도 安保理의 關聯國들간에 協議를

통하여 어떻게 處理하는 것이 좋은 것인가에 대한 協議는 可能할

것으로 봄.

0312

외교문서 비밀해제: 남북한 유엔 가입 8
남북한 유엔 가입 북한 유엔 가입 신청 및 대응 1

초판인쇄 2024년 03월 15일
초판발행 2024년 03월 15일

지은이 한국학술정보(주)
펴낸이 채종준
펴낸곳 한국학술정보(주)
주 소 경기도 파주시 회동길 230(문발동)
전 화 031-908-3181(대표)
팩 스 031-908-3189
홈페이지 http://ebook.kstudy.com
E-mail 출판사업부 publish@kstudy.com
등 록 제일산-115호(2000. 6. 19)

ISBN 979-11-6983-951-8 94340
       979-11-6983-945-7 94340 (set)